D1179720

BLV Gartenberater

Hugo Herkner

Rund um den Wassergarten

Gestaltung und Pflege
Pflanzen und Tiere

Sechste Auflage

CIP-Titelaufnahme der Deutschen Bibliothek

Herkner, Hugo:
Rund um den Wassergarten: Gestaltung u. Pflege – Pflanzen u. Tiere / Hugo Herkner. –
6. Auflage – München; Wien; Zürich:
BLV Verlagsgesellschaft, 1986.
(BLV Gartenberater)
ISBN 3-405-13072-7

Bildnachweis

Bauer: 5 Mo, 15 Mu, 15 u
Eisenbeiss: 78 o, 99, 102 o, 104
Kahl: 138, 143, 145
Dr. Paulus: 35
Pfletschinger/Angermayer: 154, 159, 161, 163
Pforr: 60, 162
Pott: 75 u, 125, 126
Reinhard: 46, 49 l, 50, 70, 76, 94 r, 95, 97 u, 98, 100, 102 u, 107, 110, 112, 128, 141, 146, 149, 157
Sammer: 177
Schrempp: 47, 74, 94 l, 97 o, 101
Seidl: 44 o, 44 M, 49 r, 77, 89, 96, 111, 166
Spangler: 14, 43, 61, 68
Stehling: 2, 6, 9 o, 9 M, 12, 13, 19, 38, 66, 75 o, 78 u, 88, 89 l, 90, 108, 132, 133
Sulzberger: 92
Wagner: 15 o, 16, 155
Ziesler/Angermayer: 144, 152
Alle übrigen Fotos vom Verfasser.

Titelfotos: Wolfram Stehling (2), Hugo Herkner (1)
Wally und Burkhard Kahl (1)
Grafiken: Hermut Geipel

BLV Verlagsgesellschaft mbH
München Wien Zürich
8000 München 40

Gesamtherstellung: Pustet, Regensburg

Printed in Germany · ISBN 3-405-13072-7

Inhalt

Vorwort

Aus der Sicht eines Liebhabers, der für alles Leben im und am Wasser aufgeschlossen ist, wurde dieses Buch verfaßt. Viele eigene Erfahrungen spiegeln sich in dem Geschriebenen wieder. Ich habe versucht, offen die auftauchenden Probleme zu erörtern und ohne Beschönigung auch negative Gesichtspunkte zur Sprache zu bringen. Nur so können Fehler vermieden werden. Wir Menschen stehen meist auf dem Standpunkt, daß alles nach unserer Vorstellung verlaufen müßte. Das Leben und ebenso unser Wassergarten unterliegen jedoch den Naturgesetzen. Der Enzian gedeiht nun einmal nicht in jeder Erde, und auch die Lebensgewohnheiten unserer Fische lassen sich nicht beliebig beeinflussen. So gelingt es uns nicht, unserem geliebten Goldfisch das Gründeln zu verbieten, damit er das Wasser nicht trübt. Derartige Dinge müssen wir ganz einfach mit in Kauf nehmen. Durch einige Kunstgriffe können wir aber diese Probleme weitgehend bewältigen.

In der einschlägigen Literatur finden sich nur sehr wenig wirklich brauchbare Hinweise. Ich mußte deshalb in meiner dreißigjährigen Praxis als Gartenteichbesitzer oft alleine Stein für Stein zusammentragen, um das Mosaik der großen, biologischen Zusammenhänge einigermaßen zu begreifen und entsprechend danach handeln zu können. Gewiß lernen wir nie aus. Jedes Jahr werden neue Erkenntnisse hinzukommen. Den gegenwärtigen Stand um die Geschehnisse in unserem Wassergarten finden wir in dieser erweiterten Auflage niedergelegt. Dieses Buch soll in erster Linie eine Anregung und eine Hilfe für alle diejenigen sein, die es auch einmal mit dem nassen Element und seinen Bewohnern versuchen wollen. Ich bin mir aber ebenso sicher, daß auch mancher »alte Hase« noch den einen oder anderen wertvollen Tip finden wird.

An dieser Stelle möchte ich nicht versäumen, den Wasserpflanzen-Gärtnereien Berthold in Fridolfing, Harster in Speyer und Hoechstetter in Deisenham bei Trostberg für die Beschaffung und Überlassung von Pflanzen zu danken. Herr Niegengerd, Eggenstein, gewährte mir Einblick in das natürliche Vorkommen einiger – bereits im Aussterben begriffener – einheimischer Wasserpflanzen. Herr Bogner vom Botanischen Garten München überprüfte in hilfsbereiter und dankenswerter Weise das Kapitel »Pflanzen«. Bei der exakten Bestimmung von Krankheiten und Fischen standen mir Herr Prof. Reichenbach-Klinke, Zoologisches Institut München, und Herr Dr. Terofal, Zoologische Staatssammlung München, tatenvoll zur Seite. Nicht zuletzt möchte ich einem großen Lehrmeister über lange Jahre, Herrn Apotheker Frickhinger, Planegg, für die mir übermittelten Pflanzenkenntnisse ein recht herzliches Dankeschön sagen.

Hugo Herkner

Planung

Warum ein Gartenteich?

Es gibt mancherlei Beweggründe für dieses Unterfangen. Wir müssen nur im Grunde ehrlich genug uns selbst gegenüber sein, was wir eigentlich bezwecken wollen. Soll unser Gartenteich aus Prestigegründen vielen verschiedenfarbig bunten Fischen ein beengtes Zuhause geben oder soll er uns wirklich ein Stückchen echter Natur im kleinen Rahmen liefern? Jedem unpassenden natürlichen Teich oder Tümpel sagt man heute den Kampf an. Rigoros wird sein Leben und das seiner weiteren Umgebung durch Zuschütten vernichtet. Schadstoffe belasten in zunehmendem Maße unsere Gewässer. Eine übernatürliche Population bestimmter Wasservogel-Arten tut ein übriges, die letzten Bestände gefährdeter Wassertiere zu dezimieren. Des weiteren herrscht der unselige Brauch, jedes noch so kleine Gewässer mit Fischen zu besetzen. Warum sollen wir glücklichen Gartenbesitzer deshalb unseren Garten nicht in einen Wassergarten verwandeln und ein Refugium, eine Zufluchtsstätte schaffen?
Wasser bringt Leben in unser naturentfremdetes Dasein. Selbst die kleinste Wasseransammlung, wenn sie nur dem Erdboden gleich und gefahrlos zugänglich ist, zieht eine Unzahl von gefiederten Sängern an, die hier ihren Durst stillen. Mit etwas natürlichem Einfühlungsvermögen angebrachte Nistkästen werden fast ausnahmslos angenommen. Feuchtigkeit lockt nämlich auch eine Anzahl von zarten Wasserinsekten an, die die Elterntiere für die gesunde Aufzucht ihrer Jungen verwenden. Wie trist und öde nahm sich doch vorher mein Grundstück aus, als es noch mehr oder weniger einer Kunstlandschaft mit Steppencharakter glich. Heute aber ziert ein naturgetreu angelegter Gartenteich die Wiese. Ein kleiner Bach schlängelt sich über das Alpinum durch die Feuchte Wiese in Richtung des Mini-Sees, der sich wiederum in einen Wasser- und Sumpfpflanzenteil gliedert. Es gibt viele Möglichkeiten. Eine davon läßt sich ohne Frage auch in einem noch so kleinen Garten verwirklichen.
Sicherlich treten gerade zu Beginn manche Mängel auf. Hiervon dürfte wohl keiner von uns verschont bleiben. Gelegentlich ist die eine oder andere wasserliebende Seerose doch zu groß für unsere kleine Wasseransammlung. Oder aber unser Enzian in der Feuchten Wiese fühlt sich an seinem Standort nicht wohl. Der beste Lehrmeister ist nach wie vor die Natur selbst. Von ihr müssen wir in Erfahrung bringen, was wir zu tun haben. Gerade diese innere Erkenntnis erweckt – meist unbewußt – in uns den Wunsch nach einem Stückchen Wasser in unserem Garten. Wasser und Leben gehören nun einmal zusammen. Wo wir Wasser vorfinden, begegnen wir einer reichhaltigen Pflanzen- und Tierwelt. Ihre Lebensweise harrt zum Teil noch der Aufklärung. Ich denke zwar bei diesen Worten an das Leben vieler, kleiner Wasserbewohner, bin mir aber gleichzeitig bewußt, daß wir auch noch viel zu wenig über die Lebensgewohnheiten der uns interessierenden Wasserpflanzen und Fische wissen.
Gewiß wird uns in erster Linie die Farbenpracht der Blüten und Fische begeistern. Vielen von uns soll dies auch im Trubel des Alltags genügen. Wenn wir über Nachbars Gartenzaun einen Blick riskieren und dessen einheitliche Rasenfläche unserem Auge weh tut, freuen wir uns, einen Teil unseres Grundstückes in einen Wassergarten verwandelt zu haben. Ein Stückchen Rasen und Ziergehölze finden wir in jedem Garten – einem in seine Umgebung harmonisch eingefügten Goldfischteich oder gar Naturteich ohne Fische begegnen wir sehr selten! Jeder Besucher, der aus Höflichkeit manch blumenreiches Landpflänzchen lautstark zur Kenntnis nimmt, bleibt vor meinem blühenden Seerosenteich schweigend stehen, bevor die Fragen kommen. Farbenfrohe Goldfische der verschiedenen Zuchtformen zwischen den tellerförmigen Schwimmblättern von weißen, gelben und roten Seerosenblüten verschlagen vielen beim ersten Anblick die Sprache. Staunend stehen auch wir vor der ersten Seerosenblüte, die aus der Tiefe unseres jungen Gartenteiches geboren wurde und nunmehr an der Wasseroberfläche im Winde schaukelnd ihre weißen Blütenblätter dem Sonnenlicht entgegenreckt.

So reiht sich Wunsch an Wunsch. Oft ist auch die eine oder andere Tier- und Pflanzenart, die uns vorschwebt, nicht so ohne weiteres zu bekommen. Wenn wir dann endlich nach vieler Mühe und Not das so heiß begehrte Pflänzlein unser eigen nennen, halten wir nach neuen Wasserbewohnern Ausschau. Je mehr wir uns mit dem Wasser und seinen Kindern befassen, desto mehr zieht es uns in seinen Bann. So verwandelt sich bei einigem Interesse ein immer größerer Teil unseres Grundstückes in einen mit Überraschungen aufwartenden Wassergarten. Unser bisheriger kleiner Zierteich wird entweder einem größeren Wasserbecken weichen oder durch Anlage weiterer Miniteiche in sinnvoller, harmonischer Anordnung ergänzt.

Lage

Meine beiden ersten Miniteiche bestanden aus zwei alten Einsätzen von Waschkesseln, die heute noch in Betrieb sind. Die Metallbehälter versenkte ich bis zum Rand im Erdreich einer Wiese. Als erstes – wie sollte es auch anders sein – wurde in jedes Becken eine Seerose gepflanzt. Beide wuchsen anfangs gleich gut. Doch im Laufe des Sommers zeigte sich ein deutlicher Unterschied im Wachstum. Während die eine Seerose (beide von der gleichen Art) pausenlos Blüten schob und ihre Blätter auf Grund der Kleinheit des Behälters und des niedrigen Wasserstandes über den Wasserspiegel erhob, blieb die andere im Wachstum und in der Blühwilligkeit stark zurück. Warum wohl, fragte ich mich. Der Bodengrund in beiden Behältern bestand aus lehmiger Rasen-

Naturteiche mit urwüchsiger Sumpfvegetation am Uferrand vermitteln uns ebenso grundlegende Gestaltungselemente, wie klar begrenzte Wasserbecken mit Trockenheit vertragenden Gartengewächsen als Randbepflanzung. Eine Kombination erfordert besonders an den Übergängen einiges Einfühlungsvermögen, damit das Ganze auch harmonisch wirkt.

erde. Daran konnte es wohl nicht liegen. Auch zeigte die »blühfaule« Seerose keinerlei Anzeichen eines Schmarotzerbefalles. Die Blätter und Blüten waren makellos und nahezu ebenso groß. Kurzum, wenn diese Seerose ein Blatt schob oder eine Blüte, waren es bei der anderen zwei.

Des Rätsels Lösung war ein Obstbaum, der drei Stunden am Tag den Miniteich mit der mickrigen Seerose beschattete. Die andere Seerose aber erhielt von früh bis spät pralles Sonnenlicht. Seerosen sind nun einmal Kinder der Sonne. Wir werden in einem See oder Teich kaum Seerosen an einem beschatteten Ort entdecken. Wenn wir also Freude haben wollen an diesen herrlichen, farbenprächtigen Blüten, so müssen wir für sie den sonnigsten Platz in unserem Garten aussuchen. Auch unsere Sumpfpflanzen werden es uns später danken.

Form

Neben einer möglichst sonnigen Lage kommt der zukünftigen Gestalt unseres Teiches besondere Bedeutung zu. Bereits bestehende Zierteiche mit steil abfallenden Wänden und vielleicht gar noch überstehende Steinplatten sind wahre Todesfallen für Tiere. Hier muß schleunigst durch mehrere randständige Felsen, die über den Wasserspiegel ragen, eine primitive Ausstiegsmöglichkeit geschaffen werden. Wurzelstöcke oder Baumstämme – richtig angeordnet und verankert – erfüllen denselben Zweck. Nicht nur in dem Sinne, daß hineingefallene Tiere wieder an Land gelangen können, sondern daß Vögel und anderes Getier die Möglichkeit haben, leichter an das unentbehrliche Naß zu gelangen. Wenn wir uns in der Natur einmal genauer umsehen, werden wir feststellen, daß die Weiher und Tümpel flach auslaufende Ufer haben. Nur selten, und dann nur an felsigen Stellen, fällt die Uferwand steil ab. Hierher wird kein Tier zum Trinken kommen.

So bietet sich denn von Natur aus für uns bei der Neuanlage eines Gartenteiches die Form eines runden oder eines ovalen Teiches mit flach auslaufenden Ufern an. Auch die Nierenform wird gerne gewählt. Der Übergang zum »Ufer« hat bündig zu erfolgen. Bei dieser Uferformation kann das Eis dem Weiher nichts anhaben, d. h. wir können ihn im Winter voll Wasser belassen. Natürlich darf bei ansonsten flachem Ufer ein Teil der Wandung auch steiler gestaltet werden, ohne daß wir unseren Teich im Winter entleeren müssen.

Die mit uns lebenden Tiere werden sich immer die weniger gefährlichen, flachen Stellen zum Trinken und Baden aussuchen. Bei der Anlage meines nächsten Weihers – man lernt nun mal nicht aus – werde ich speziell eine Vogeltränke mit Bademöglichkeit als eine kleine Bucht mit einplanen. So haben die Vögel ständig sauberes und vor allem parasitenfreies Wasser. Die Exkremente, die die Vögel hier hinterlassen, verlieren sich bald im tieferen Wasser.

Bei der Planung unseres Gartenteiches müssen wir außerdem noch einen wichtigen Faktor mit einbeziehen, nämlich unsere Wasser- und Sumpfpflanzen. Großwerdende Seerosenarten brauchen neben einer ausgedehnten Wasseroberfläche eine entsprechende Wassertiefe. Wenn wir ihnen einen zu niedrigen Wasserstand anbieten, ragen die Blätter bald über den Wasserspiegel empor und verdecken die Blüten. Sie sollen flach auf dem Wasserspiegel liegen, damit wir in den vollen Genuß der Blütenpracht kommen. Kleinbleibende Arten gedeihen dagegen nur bei geringem Wasserstand gut. Und die Sumpfpflanzen wünschen nun mal niedrigen Wasserstand. Sie wollen mit ihren »Füßen« im Wasser stehen, Blätter und Blüten aber über den Wasserspiegel erheben.

Haben wir vor, Fische zu pflegen und gar in unserem Teich überwintern, so müssen wir ebenfalls auf eine größere Wassertiefe bedacht sein. Um all den bisher genannten Faktoren gerecht zu werden, sollte unser zukünftiger Gartenteich folgende Strukturen haben: Den Sumpfpflanzenteil verlegen wir am zweckmäßigsten auf die Nordseite, damit uns nicht hochwachsende Pflanzen wie Schilf oder Rohrkolben die Wasseroberfläche schattieren. Es ist dies ein sehr wichtiger Gesichtspunkt, den es von vorneherein zu berücksichtigen gilt. Nach Süden verlegen wir den tieferen Seerosen- oder Fischteil. Auf der Ost-, Süd- und Westseite sollte in unmittelbarer Nähe kein Baum und auch kein Strauch stehen, wenn wir unseren Sumpf- und Wasserpflanzen optimale Bedingungen, vor allem also Sonne bieten wollen.

Wir können den Sumpfpflanzenteil auch getrennt vom Seerosenteil anlegen. Das Wachstum ist hier jedoch bedeutend schlechter. Wenn der Sumpfteil mit dem offenen Wasser in Verbindung steht, entspricht dies mehr den natürlichen Gegebenheiten. Eine bereits bestehende Trennung können wir jedoch mit einem einfachen Zirkulationssystem korrigieren (siehe S. 28).

Bei der Neuanlage bietet sich noch eine Reihe von Variationsmöglichkeiten an. Wir lieben vielleicht nicht nur stehendes, unbewegtes Wasser, sondern möchten Bewegung, wollen das Raunen, Rauschen und Plätschern des Wassers vernehmen. Eine sehr einfache Lösung ist hier ein springbrunnenähnliches Prinzip oder eine wasserspeiende Figur am Uferrand. Auch Mühlsteine finden wir zuweilen als Wasserspender. In Zierteichen, die mit Fischen besetzt sind, ist eine Wasserbewegung erwünscht, an heißen Tagen kann sie sogar lebensrettend sein. Seerosen lieben jedoch keine Benetzung ihrer Blätter und Blüten bei Sonnenschein. Regnet unser Springbrunnen in die offenen Blüten, öffnen sie sich am nächsten Tag nicht mehr und gehen unter. Ohne unsere unnatürliche Dusche hätten sie uns noch zwei bis drei Tage mit ihren Blüten erfreut. Die Blätter leiden ebenfalls unter diesem Kunstregen. Das Ende vom Lied ist eine kümmernde und blühunwillige Pflanze.

Dabei gibt es auch hier eine natürliche Lösung. Den Bodenaushub – Erde wie Kies – verwenden wir zur Anlage eines Alpinums an der Nord-, West- oder Ostseite unseres Teiches. Auf unserem Miniberg lassen wir eine »Quelle« entspringen, die in einem mäanderförmigen Bachbett aus Waschbeton ihr Wasser in unseren Miniteich ergießt. Auch ein kleiner Wasserfall ist ohne Schwierigkeiten hier einzubauen.

Natürlich ist unser Vorhaben noch weit mehr ausbaufähig, als uns gegenwärtig bewußt ist. Wenn wir genug Platz haben, können wir unserem Teich z. B. ein Stück Feuchte Wiese mit leuchtend gelben Trollblumen, blaublühenden Sumpfschwertlilien, weißen und violetten Schachbrettblumen und roten Knabenkräutern zugesellen. Wunderbar anzuschauen ist ferner ein kleinerer Moorausschnitt mit dem insektenfangenden Sonnentau, mit Rosmarinheide und Moosbeerenpolstern. Die Feuchte Wiese planen wir zwischen Alpinum und Weiher. Unseren Miniberg setzen wir also etwas zurück. Unser Bächlein fließt somit durch die Feuchte Wiese und bewässert sie. Wir können unser Feuchtgebiet natürlich auch an eine andere Stelle verlegen. Für das Moor-Biotop benötigen wir ein gesondertes Fleckchen, da wir hier nur gefiltertes Regenwasser verwenden dürfen.

Ein Gewässer stellt natürlich immer einen gewissen Gefahrenpunkt für Mensch und Tier dar. Wasser besitzt nun einmal eine magische Anziehungskraft. Besonders wenn kleine Kinder im Hause sind, empfiehlt es sich, Sicherheitsvorkehrungen zu treffen. Am besten bewährt hat sich immer noch ein stabiler Zaun, der besonders am Boden gegen ein Durchschlüpfen gesichert sein muß. Ein Abdecken des Teiches mit gitterartigem Baustahlgewebe wäre denkbar, sieht aber äußerst unschön aus. Wenn es die Struktur des Weihers (schräge Wandung) zuläßt, könnten wir es höchstens so einpassen, daß es knapp unter der Wasseroberfläche zu liegen kommt. Bei Folienteichen müßten wir die scharfen Enden mit passenden Schutzkappen aus Plastik oder Kork versehen.

Die verschiedenen Bauweisen

Dieses Kapitel kann uns bei der Anlage eines Wasserbeckens bezüglich des Materials nur augenblickliche Anhaltspunkte liefern. Fast täglich überraschen uns Chemie und Technik mit neuen Möglichkeiten. Wenn wir in dieser erweiterten, neuen Auflage auch die gegenwärtigen Methoden angesprochen finden, sollten wir uns doch die Mühe machen, an einschlägiger Stelle Erkundigungen einzuziehen. Vor allem große Gartenfachbetriebe, Zoofachgeschäfte und der Baustoffhandel werden uns hier weiterhelfen und mit Rat und Tat zur Seite stehen.

Kleinteiche

Die einfachste und wohl billigste Art, zu einem Miniteich zu kommen, sind halbierte Fässer oder Tonnen, Badewannen, viereckige Spülbecken und anderes mehr. In jedem noch so kleinen Garten findet sich ein Plätzchen für die Kultur einer Zwergseerose. Im Garten graben wir den Behälter natürlich an der sonnigsten Stelle ein. Seinen oft häßlichen Rand verdekken wir mit Steinen und Wurzeln. So kann uns auch der Regen nicht ohne weiteres Erdreich hineinspülen und das Wasser trüben. Freistehende, nicht in den Boden versenkte Behälter sind von Natur aus abzulehnen. Die Wassertemperatur kann hier im Hochsommer am Tage auf 30–40° C ansteigen, nachts aber schnell auf 10–15° C abkühlen. Keine Seerose liebt jedoch derartige Schwankungen auf die Dauer.

Im Freien über dem Erdboden aufgestellte Glasaquarien mit Fischen bereiten uns ebenfalls wenig Freude. Entweder müssen wir sie bis auf die frühen Morgen- und späten Abendstunden luftig schattieren oder wir erhalten »Forelle blau«. Dieser Hinweis gilt auch für ganz flache Teiche im Erdboden.

Auch die im Baugewerbe in verschiedenen Größen und Höhen erhältlichen Betonringe können wir zum Bau eines Gartenteiches verwenden. Einen großen, schweren Ring lassen wir bei der Anlieferung sofort auf seinen Bestimmungsplatz legen. Während unserer

Die Gestaltung der Uferpartien verleiht jedem Teich seine eigene Note.

Grabarbeit im Inneren des Ringes sinkt er durch seine Eigenschwere ständig mit hinab. Kurz vor dem Erreichen der Endlage überprüfen wir mit der Wasserwaage, ob er waagrecht zu liegen kommt. Den Boden betonieren wir mit einer Sand / Zement / Compacta / Wasser-Mischung laut Gebrauchsanweisung (3:1:1:1). Compacta ist ein Flüssigkunststoff, der eine dauerhafte Verbindung zwischen altem (Ring) und neuem Beton (Boden) ermöglicht. Vor dem Betonieren sind natürlich alle Verunreinigungen im Ringinneren peinlichst zu entfernen. Den Untergrund für den zukünftigen Boden planieren wir gegebenenfalls mit einer Lage Sand. Nach Fertigstellung des Bodens (je nach Durchmesser 5–10 cm) sollte dieser nach oberflächlichem Antrocknen zwei Tage lang von Zeit zu Zeit angefeuchtet werden. Am einfachsten decken wir den Boden mit Zeitungen oder Tüchern ab, die wir mit Gartenschlauch oder Gießkanne naß halten. Nach dem Aushärten des Bodens versiegeln wir das übrige Ringinnere mit einer Zement-Compacta-Wassermischung. Besonders Vorsichtige können dieses Verfahren auch an der Außenwand vor dem Eingraben anwenden.

Mit unserer Bodenmischung lassen sich auch zwei Ringe übereinander wasserdicht verbinden. Wir erreichen dadurch eine größere Wassertiefe. Nach dieser Arbeit könnten wir die Innenseite zusätzlich noch mit einem ungiftigen Kunstharzlack beschichten. Es genügt aber auch eine Wässerung über mehrere Tage mit anschließendem Erneuern des Gesamtwassers.

Etwas weniger arbeitsaufwendig ist das Eingraben von Eternitschalen aus Asbestzement. Wegen ihres Cadmiumgehaltes (giftig!) überziehen wir sie vorsorglich mit einer oder mehreren Schichten eines lebensmittelfreundlichen Kunstharzlackes oder mit dunkler Silofarbe. Das für sie zu grabende Loch muß mindestens 5 cm tiefer und weiter sein als die Schale selbst. Auf den Untergrund geben wir eine Schicht Sand, die wir gut einschwemmen.

Mit Hilfe einer quer über dem Erdloch liegenden Latte messen wir nun den Abstand zwischen Sandoberfläche und Latte. Er soll etwas weniger als die Höhe unserer Schale betragen. Den Unterschied gleichen wir durch vorsichtiges Drehen der Schale leicht aus. Gleichzeitig müssen wir mit der Wasserwaage auf eine waagrechte Lage unseres zukünftigen Teichrandes in allen vier Himmelsrichtungen ach-

Auch auf diese Weise lassen sich erste Erfahrungen sammeln.

ten. Stimmen Niveauhöhe und Waagrechte, füllen wir gleichmäßig rundherum Sand in den Zwischenraum zwischen Schale und Erdreich. Mit dem Gartenschlauch wird er gleichzeitig gefühlvoll eingeschwemmt. Haben wir bis zur Hälfte Sand eingefüllt, kontrollieren wir nochmals Niveau und Waagrechte. Stimmt noch alles, füllen wir zur Probe unsere Schale bis zur Hälfte mit Wasser. Wiederum kontrollieren wir. Hat sich nichts verändert, füllen wir weiterhin mit Sand und Wasser den verbleibenden Zwischenraum aus. Nunmehr lassen wir unsere Eternitschale vollaufen. Haben wir exakt gearbeitet, muß der Wasserspiegel rundherum am Schalenrand anstehen.
Eternitschalen gibt es in verschiedenen Größen. Eine Gruppierung zu mehreren eröffnet – ebenso wie beim Betonring – eine Reihe von Möglichkeiten. Durch ihre schrägen Wände sind sie im Gegensatz zum Betonring winterfest. Ich kenne zwar Betonringbecken, die seit Jahren ohne Winterschutz dem Eis standgehalten haben, als allgemeingültig möchte ich dies aber nicht empfehlen. Andererseits weisen kleine Eternitschalen oft eine so geringe Tiefe auf, daß für die darin befindliche Seerose die Gefahr des Einfrierens besteht. Meist übersteht aber das im Bodengrund ruhende Rhizom unbeschadet den Winter.

Kunstharzgetränkter Mattenüberzug auf einer Betonunterlage erhöht die Sicherheit und Stabilität.

Teiche aus Kunststoff

Zur Anlage größerer Teiche kommen als Baumaterial Spezialmatten, die mit Kunstharz getränkt werden, Beton oder Kunststoffolien in Betracht. Alle übrigen Verfahren haben an Bedeutung verloren. Selbst die alleinige Auslegung eines Teiches mit Lehmziegeln erfordert meist ein nachträgliches Folienbett, weil der Lehm doch nicht ganz so wasserundurchlässig ist, wie man gemeinhin annimmt.
Der Methode mit den kunstharzgetränkten Matten wäre entschieden der Vorrang zu geben. Zum einen sind sie weitaus strapazierfähiger als Folie, zum anderen platzsparender als eine Betonwand. Wir können unserem Teich jede nur erdenkliche Form geben. Naht- und faltenlos passen sich die Matten dem Untergrund an. Auch spätere Änderungen und Ausbauten sind möglich. Der Einbau von Zu- und Ablauf bereitet keine Probleme. Wir können mit Bohrer, Feile und Säge die ausgehärteten Matten bearbeiten.
Die käuflichen Fertigteiche sind sehr oft auf ähnlichem Prinzip aufgebaut. Sie sind in vielen Variationen erhältlich. Es gibt hier flache Formen für die Kultur von Sumpf- und Schwimmpflanzen. Daneben finden wir Kombinationen, die neben einem Flachwasserteil auch eine tiefere Zone für die Kultur einer Seerose aufweisen. Auch die Größen sind unterschiedlich. Es werden heute bis zu mehrere Meter lange Fertigteiche angeboten. Der Einbau in das Erdreich erfolgt nach genau demselben Schema wie bei Eternitschalen (siehe S. 13). Die waagrechte Randversteifung des »Ufers« erfordert lediglich ein weiträumigeres Ausheben der Teichmulde im oberen Bereich.
Die im Augenblick gebräuchlichste Methode besteht im Auslegen der Teichmulde mit Kunststoffolie. Zur Zeit wird die ECB-Folie und die PVC-Folie empfohlen. Sicherlich ist hier noch nicht das letzte Wort gesprochen. Es werden weitere Folien im Laufe der Zeit entwickelt werden. Entscheidend für unsere Zwecke ist die Foliendicke und die Witterungsbeständigkeit. Wir sollten immer die dickste Folie wählen. Da die Folien meist in

Bahnen hergestellt werden, muß man sie bei großen Teichen zusammenkleben. Bei der ECB-Folie können zwei Bahnen nur mit Heißluft verbunden werden. Die PVC-Folie wird mit THF (Tetrahydrofuran) im Quellschweißverfahren kalt verklebt. Beide Verfahren erfordern ein gewisses Vortraining. Es ist einfacher und auch sicherer, wenn wir die Folie bei einer Firma bestellen, die uns die Bahnen gleich verschweißt. Die Mehrkosten fallen wohl kaum ins Gewicht, wenn wir bedenken, daß wir – außer unsere Freizeit zu opfern – bei PVC-Folien auch noch Kleber, Pinsel, ein glattes Brett und einen Sandsack kaufen müssen. Für die Verbindung von ECB-Bahnen benötigen wir ein Heißluftgebläse (600° C), eine hitzebeständige Unterlage sowie eine stabile Anpreßrolle.

Die Länge und Breite der erforderlichen Folie bestimmen wir nach dem Ausheben der Teichmulde mit Hilfe des Gartenschlauches, mit dem wir vor Grabbeginn auch die Form unseres Teiches abstecken können. Er besitzt eine gewisse Eigenschwere und paßt sich Unebenheiten gut an. Wir legen ihn einmal längs und einmal quer am Boden entlang und die Wände hoch durch die Teichmulde und messen von »Ufer zu Ufer«. Jedes Mal wird hinterher die Schlauchlänge mit dem Meterstab abgemessen und notiert. Haben wir Länge und Breite bestimmt, müssen wir die für den Abschluß vom Ufer zum Land noch erforderliche Folie errechnen und dazuzählen. Wollen wir 30 cm Überhang über die Ufer hinaus, so erhöht sich Längen- und Breitenangabe jeweils um 60 cm.

Und noch eines ist zu bedenken. Wenn wir die Folie selbst verschweißen wollen, gehen uns ca. 5 cm durch die Überlappung verloren, die

1

2

3

4

Anlage eines Naturteiches mit Bachlauf aus Folie. Nach dem Ausheben der gewünschten Form (1) werden Bachbett und Mulde mit Folie ausgelegt (2). Die Folienunterlage besteht aus Lehm, der in diesem Fall auch als Folienverkleidung des Teiches dient (3). Links neben dem Einlauf (4) sehen wir Ansaugrohr und Pumpenschacht, die später mit einem Wurzelstock verdeckt werden.

wir der Länge oder Breite noch hinzufügen müssen. Die Bahnen verschweißen wir in jedem Fall nicht im Teich selbst, sondern ziehen die zusammengeklebten Bahnen über die Teichmulde und lassen sie absacken. Die unvermeidlichen Falten pressen wir beim Füllen des Teiches mit Wasser an die Wandung. Sie stören später kaum. Wir könnten sie zwar abschneiden und die Schnittstellen verschweißen. Jede Schweißnaht bedeutet jedoch einen Gefahrenpunkt mehr. Es versteht sich natürlich von selbst, daß bei dieser Art von Material eine glatte, wurzellose Unterlage oberstes Gebot ist. Wir legen die Folie also entweder auf ein Lehm- oder Sandbett, wenn wir nicht gar eine dünne Lage Betonestrich einbringen.
Zum Ausnivellieren nehmen wir wiederum unseren Gartenschlauch zu Hilfe. In jedes Ende stecken wir ein durchsichtiges, längeres Plastikrohr und füllen den auf dem Teichboden liegenden Schlauch so weit mit Wasser, bis die beiden – mit einer Hand gehaltenen – transparenten Rohre zur Hälfte mit Wasser gefüllt sind. Der Wasserstand in den beiden Rohren gibt uns nunmehr die Waagerechte an (Schlauchwaage). Wir nehmen eine Teichrandpartie als Ausgangspunkt und messen rundherum. Der Wasserspiegel muß natürlich an der Ausgangsstelle bei jeder Messung gleich hoch stehen.

Betonteiche

Der Bau eines Teiches aus Beton erfordert eine besonders sorgfältige Planung. Änderungen sind hinterher nur noch mit dem Preßlufthammer möglich. Kleinere Teiche werden wir wohl selbst anlegen, größere Projekte übergeben wir besser einer Baufirma. Sollten wir uns für den Eigenbau entschlossen haben, dürfen wir von Haus aus die Wandung nicht zu steil anlegen, weil uns sonst der Beton immer wieder nach unten abrutscht. Eine Neigung von 30° ist gerade noch zu meistern, bei mehr Gefälle wird es problematisch. Hier benötigen wir bereits eine Verschalung, die wir aber sicherheitshalber von einem Fachmann erstellen

Oben: Zukünftiger Betonteich mit Baustahlgewebsarmierung der frostgefährdeten Zonen.
Unten: 2 Monate nach der Fertigstellung.

lassen. Eine kleine Hilfe leistet uns bei geringem Neigungswinkel Teerpappe mit grobsandiger Oberfläche. Mit der rauhen Seite nach oben legen wir damit den Weiher 50 cm über den Rand hinaus aus. Im Bedarfsfall können wir dadurch die Teerpappe am »Ufer« fixieren. Die einzelnen Bahnen werden überlappt verlegt. Durch die Pappe bekommen wir eine weitgehend glatte Fläche zum Untergrund hin. Zum zweiten haftet uns der Beton besser auf dieser rauhen Unterlage. Durch Baustahlgewebe können wir die Haftfähigkeit und Stabilität noch erhöhen.
Normalerweise legt man eine Wandstärke von 10 cm zugrunde. Sie erhöht sich natürlich bei sehr großen Teichen. Nach der Fertigstellung ist ein Versiegeln der Betonfläche mit einem ungiftigen Kunstharzlack angeraten. Wir grundieren zweimal mit verdünntem Kunst-

harz vor und streichen zweimal mit unverdünntem Kunstharz nach. Anschließend können wir mit Zitronensäurelösung (10%ig) den überschüssigen Härter des Anstriches neutralisieren.
Wenn wir der Betonmischung (2 bis 4:1) kein Dichtungsmittel beigefügt haben, können wir auch mit einer flüssigen Compacta-Zement-Mischung unseren Weiher ausstreichen. Besonders bewährt hat sich ein Überzug mit den bereits genannten Spezialmatten, die mit Kunstharz getränkt werden (1–2 Lagen). Durch die Festigkeit dieses Materials kann zum einen die Stärke der Betonwand reduziert werden, zum anderen können wir uns den Zusatz eines Dichtungsmittels ersparen. Bei sorgfältigem Arbeiten ist ein solcher Gartenteich 100%ig wasserdicht.
Rasen oder Erde sollte nicht mit Betonteilen in Verbindung stehen. Grundsätzlich wäre eine wasserdurchlässige Schicht (Kies) um solche Teiche anzustreben. Sie mildert die Frostgefahr von außen her.

Der Teichrand

Bei Zierteichen stehen uns Natur- oder Kunststeinplatten zur Verfügung. Bei reinen Kunststoff- oder Folienteichen kann der Uferrand ebenfalls dadurch gesichert werden.

Wollen wir unseren Teich mit Platten umgeben, so sollten Rasen, Platten und Teichrand eine Ebene bilden, sonst kommt der Wasserspiegel zu tief zu liegen. Bei Betonteichen, -ringen und Eternitschalen ist dies ohne weiteres beim Bau oder Eingraben zu berücksichtigen. Bei Folienteichen wird die Folie nach dem Legen der Platten in Höhe des oberen Randes nach hinten umgeschlagen und in den Teich zwischen Untergrund und Rückseite der Folie zurückgeschoben.
Wir können bei dieser Art der Einbettung auch später jederzeit noch Korrekturen vornehmen. Vor dieser Arbeit füllen wir unseren Teich wenigstens zur Hälfte mit Wasser, damit uns die Folie beim Umschlagen nicht verrutscht. Unsere Pflanzkörbe mit den Seerosen haben wir natürlich bereits kurz vor dem Füllen mit Wasser barfüßig in unseren Teich verbracht, um die Folie nicht zu gefährden. Nach dem Auffüllen warten wir einige Tage mit der Nachkorrektur, bis sich Folie und Falten dem Untergrund angepaßt haben.
Folienteiche eignen sich besonders gut für die Anlage eines Naturweihers. Hier wird die überständige Folie meist nicht in den Teich zurückgeschoben, sondern verläuft flach zum »Ufer« hin und wird entsprechend kaschiert. Mit großen und kleinen Steinen, mit Wurzeln und Baumstämmen können wir unserer Vorstellung freien Lauf lassen. Die nähere Umge-

Gebräuchliche Teichrandbegrenzung bei Folien- (links) und Betonteich (rechts).

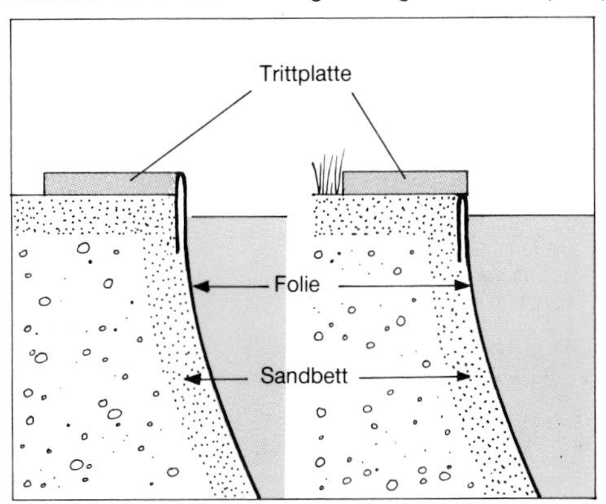

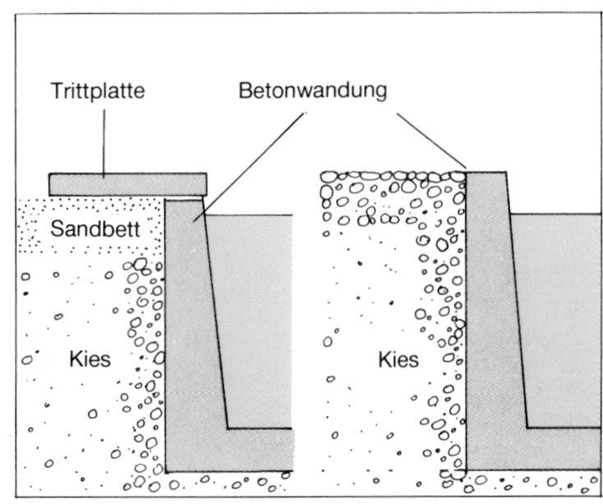

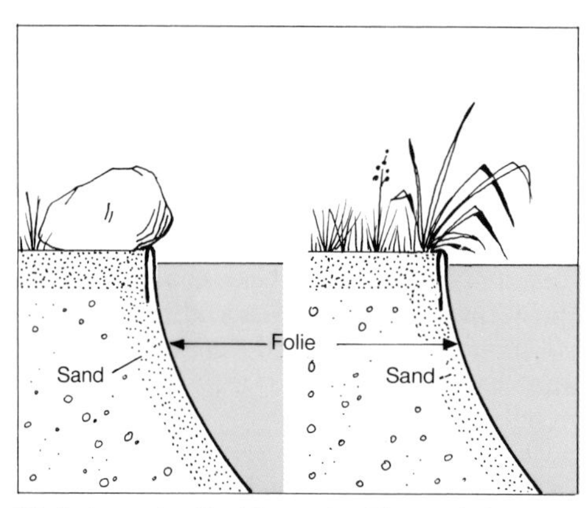

Mit Steinen oder überhängenden Pflanzen läßt sich der Teichrand natürlich gestalten.

bung um unseren Naturteich müßte natürlich auch etwas wildromantisch gestaltet werden, sonst wirkt das Ganze gekünstelt. Sollte im übrigen unser Folienteich den Eindruck erwecken, er wäre undicht, sehen wir als erstes unter den Falten am Ufer nach, ob hier nicht durch Kapillarwirkung Wasser verloren geht. Auch Pflanzen, die am Uferrand stehen, aber mit einem Teil ihrer Wurzeln ins Wasser ragen, können dem Teich Wasser entziehen.

Die besondere Note: Ein Betonteich mit Unterwasserfenster

Wenn wir unseren Freilandteich nicht nur von oben betrachten wollen, sondern uns ebenso das Leben unter Wasser näher interessiert, gibt es auch hier eine brauchbare Lösung. Allerdings muß hierzu die Wandung einer Seite (am besten Süd) weitgehend senkrecht abfallen. Für unser Vorhaben müssen wir nämlich hier eine Sichtscheibe einbauen. Außerdem haben wir hier nach Fertigstellung des Teiches einen Schacht zu mauern, der so groß und so tief ist, daß wenigstens eine Person sitzend vor der Sichtscheibe Platz findet. Der Abstieg erfolgt entweder mit einer Leiter oder aber komfortabler mit einem Treppenabgang wie bei einer Außenkellertreppe. Letztere Ausführung erfordert natürlich ein Mehr an Raum. Aber für Bequemlichkeit nimmt man manches in Kauf.

Während wir den mit einer festmontierten Leiter zugänglichen Beobachtungsposten mit einem an Scharnieren fixierten, begehbaren Deckel abdecken, ist der Treppenabgang problematischer. In beiden Fällen soll unser Beobachtungsposten dunkel sein, wenn wir ohne

Aus der Sicht des Tauchers präsentiert sich hier unsere Unterwasserwelt.

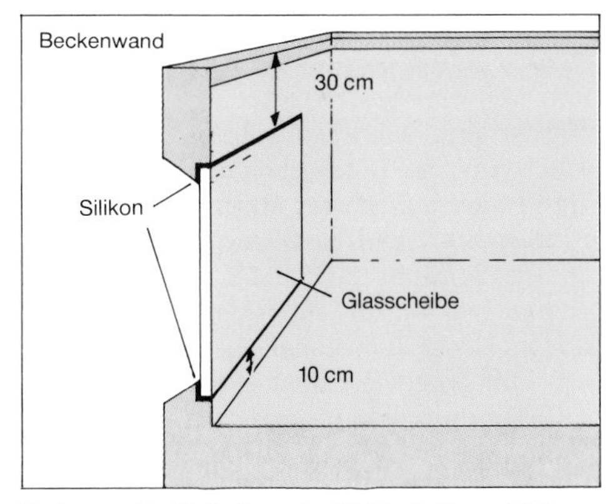

Fachgerechte Einbettung der Sichtscheibe auf fett- und staubfreier Unterlage.

störenden Lichteinfall unsere selbstgeschaffene Unterwasserwelt bestaunen wollen. Im ersteren Fall schließen wir einfach den Deckel, im zweiten Fall arbeiten wir am besten mit betonierter Decke und dichtem Vorhang gegen störenden Lichteinfall. Das leidige Problem ist dann nur noch der offene Treppenabgang, der vorschriftsmäßig mit einem Holz- oder Eisengeländer abgesichert werden muß. Dies stört unter Umständen das Gesamtbild. Im Kapitel »Technik« werden wir allerdings noch erfahren, daß ein mit unserem Teich verbundener Schacht ohnehin nicht zu umgehen ist, da wir hier am besten Zulauf und Ablauf sowie technische Geräte installieren und bedienen können.

Der Clou auf diesem Gebiet ist natürlich ein Gartenteich, der an unser Haus angebaut ist, mit einer Sichtscheibe in einem heizbaren und ausgebauten Kellerraum. Hier können wir vom warmen Zimmer aus selbst im Winter das Leben unter der Eisdecke herrlich beobachten.

Notfalls läßt sich auch ein ost-, west- oder südseitig gelegener, größerer Kellerschacht nachträglich in ein Freilandbecken umwandeln. Ich pflege z. B. in einer derartigen Anlage Mittelmeertiere mit besserem Erfolg als im Zimmeraquarium. Der Fensterstock wird entfernt und der Beton mit zwei Lagen kunstharzgetränkter Spezialmatten beschichtet. Mit Silikonkleber wird die Sichtscheibe an der Außenwand wasserdicht aufgesetzt.

So etwas können wir uns natürlich nur im eigenen Haus oder mit ausdrücklicher Genehmigung des Hausherrn leisten. In diesem Zusammenhang sei erwähnt, daß bei gepachteten Grundstücken erst die Erlaubnis zur Anlage eines Teiches eingeholt werden muß.

Technische Ausstattung

Zu- und Ablauf

Jeder von der Natur selbst geschaffene Teich besitzt seinen Zu- und Ablauf. Entweder ist es ein offenes Gewässer in Form eines Bächleins, das an einer Stelle hineinläuft und meist auf der anderen Seite den Teich wieder verläßt. Ein Gewässer kann aber auch nur einen Zulauf oder einen Ablauf besitzen. In diesen Fällen findet hier die Regulierung durch den Grundwasserspiegel statt. Wird das Niveau überschritten, versickert das Wasser im Boden; sinkt der Wasserspiegel durch abfließendes Wasser, fließt kaltes Grundwasser durch den Boden an bestimmten Stellen (Quellen) unterirdisch zu. Fehlen Zu- und Ablauf, so paßt sich der Wasserstand dem Grundwasserspiegel an. Nur wenn es regnet und die Wasseroberfläche oberhalb des Grundwasserspiegels zu liegen kommt, versickert die über dem Grund lagernde Schicht im Boden. Wind und Wellen vermischen sodann im Laufe der Zeit das alte Wasser mit dem neu hinzugekommenen Regenwasser.
Leider gibt es nur wenige Glückliche, die sich einen derartigen Teich mit natürlichem Charakter anlegen können. Am besten haben es noch diejenigen, durch deren Grundstück ein Wässerchen fließt oder die an einem Gewässer Anlieger sind. Aber auch letztere müssen nur zu oft schon auf eine Förderpumpe zurückgreifen, weil der Wasserspiegel viel zu tief liegt. Und so weit hinuntergraben, bis Grundwasser unseren Weiher füllt, ist heute ein vergebliches Unterfangen. Nach der Begradigung unserer Fließgewässer und Trockenlegung von Sümpfen und Mooren müßten wir heute metertief graben, wo vor 50 Jahren der Grundwasserspiegel noch 50 cm unter der Erdoberfläche lag. Und jeden Tag sinkt er weiter ab. Doch zurück zu unserem Hobby.
Um unseren Weiher in etwa biologisch zu gestalten, müssen wir zum Teil die Technik zu Hilfe nehmen. Unser Zufluß ist ein Wasserrohr oder Gartenschlauch, der uns lebensfeindliches, unbiologisches Grundwasser aus der Leitung liefert, das in unserem Teich erst aufbereitet werden muß. Neben dem Mulm am Boden, der uns vorwiegend Kolloide liefert, ist es vor allem frisches Holz mit seinen Huminsäuren und Gerbstoffen, das uns hilft, dem Wasser die Einspiel-Trübung zu nehmen und das Wasser klar zu halten. Zu viel Frischwasser fördert außerdem das Wachstum der Algen, die uns wiederum helfen wollen, die Sache ins Lot zu bringen. Wir werden noch des öfteren hören, daß die vielgeschmähten Algen eher nützlich als schädlich sind. Sie sind von

Die Wasserzufuhr erfolgt entweder unterirdisch oder mittels eines Gartenschlauches.

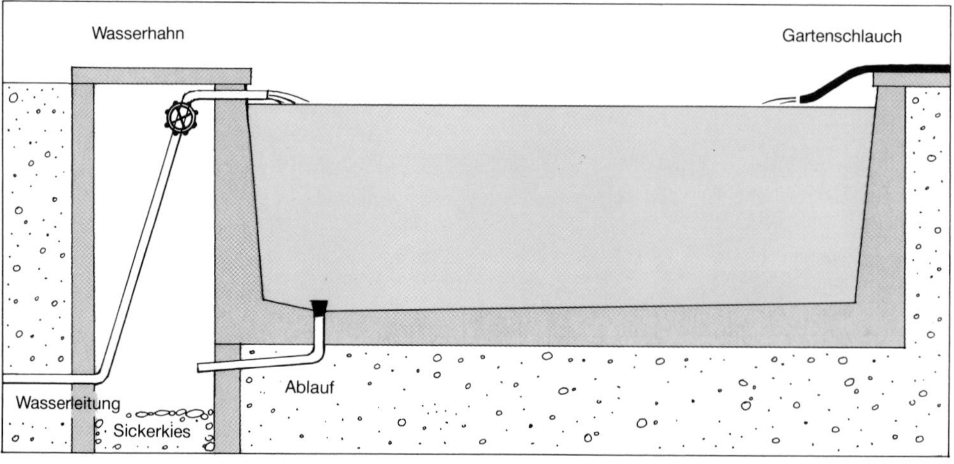

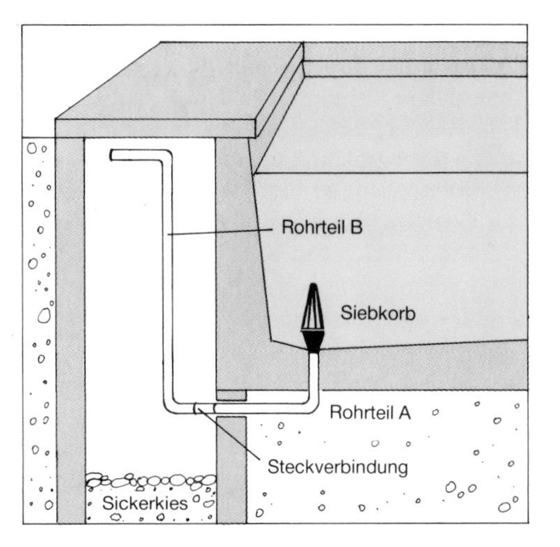

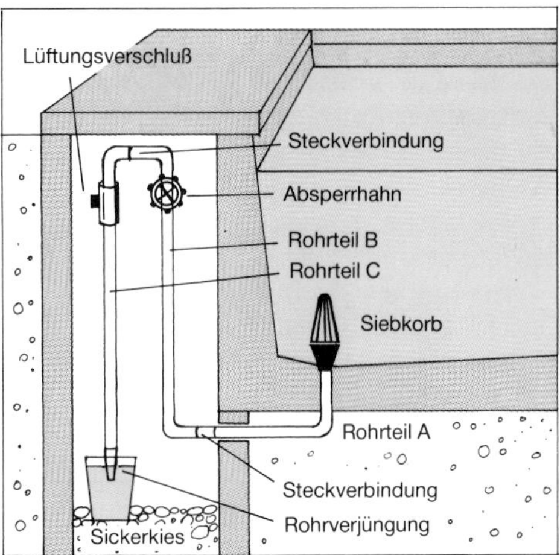

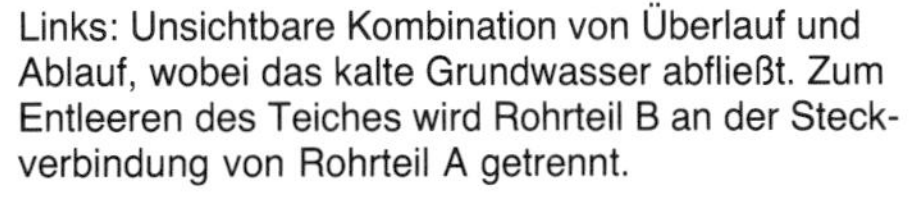

Links: Unsichtbare Kombination von Überlauf und Ablauf, wobei das kalte Grundwasser abfließt. Zum Entleeren des Teiches wird Rohrteil B an der Steckverbindung von Rohrteil A getrennt.

Rechts: Vor Ablassen des Teiches werden Lüftung (Sicherung gegen willkürliche Entleerung) und Absperrhahn verschlossen und Rohrteil B und C durch Schrägstellung unter Wasserspiegelhöhe eingestellt. Nach Öffnen des Hahnes entleert sich der Weiher.

der Natur als Wegbereiter eingesetzt und wachsen nur da, wo höhere Pflanzen in ausreichendem Maße fehlen oder ihnen das Wasser noch nicht zusagt. Wenn wir sie dauernd herausfischen, kommen wir oft das ganze Jahr hindurch nicht zu einem einigermaßen klaren Wasser. Andererseits verschwinden sie ganz von selbst, wenn sie nicht mehr gebraucht werden.

Der natürlichste Weg unseres Wasserzulaufes ist, wenn das Leitungswasser parallel zur Wasseroberfläche einströmt, wie wir das von einem einmündenden Bach her kennen. Der Einlauf müßte demnach in Höhe des Wasserspiegels liegen. Bei dieser Methode mischt sich das kalte Leitungswasser mit dem warmen Oberflächenwasser des Teiches. Es kommt sofort zu einer Durchmischung bei unterschiedlichen Temperaturen, und der Schock für unsere Fische und Pflanzen ist nicht so groß. Nichts ist schädlicher für diese Lebewesen als ein plötzlicher, starker Temperaturunterschied.

Würden wir z. B. das Frischwasser knapp über dem Boden, im übertragenen Sinne also unterirdisch zulaufen lassen, würden uns dies die Seerosen gewaltig übelnehmen. Selbst im Sommer weist Leitungswasser eine Temperatur von nur 10–12° C auf. Da außerdem kaltes Wasser schwerer ist als warmes, bleibt es auf dem Grund liegen. Unsere Seerosen »glauben« in diesem Fall, es wird Herbst und stagnieren in ihrem Wachstum. Sie lieben nun aber einmal warmes Wasser. Je höher die Wasserwärme ist, desto reicher blühen sie. Dabei genügt es nicht, daß sich nur die Schwimmblätter an der sonnendurchwärmten Oberfläche wiegen. Vor allem der Wurzelstock, das Rhizom, braucht Wärme für seine Entwicklung.

Seerosen werden wir im Freien immer an gut durchwärmten Stellen finden. Wo unterirdische Quellen kaltes Grundwasser in einen Teich oder See einströmen lassen, werden wir nie Seerosen begegnen. Hinzu kommt weiterhin, daß die roten und gelben Seerosen-Arten Zuchtformen darstellen. Sie sind in der Form entstanden, daß man Kaltwasser-Arten mit tropischen Seerosen gekreuzt hat. Der tropische Einschlag bringt es mit sich, daß diese Hybriden äußerst wärmeliebend sind und am besten gedeihen, wenn sie »warme Füße« haben. Aus diesen Erwägungen heraus sollten

wir deshalb auch nie länger als unbedingt nötig den Kaltwasserhahn aufdrehen, sondern nur das verdunstete Wasser ergänzen. Das stundenlange Plätschern aus einer wasserspeienden Figur ist Gift für sie.
Wenn wir Spaß an einem wasserspeienden Frosch haben, bewerkstelligen wir dies mit Hilfe einer elektrischen Förderpumpe und Wasser aus dem Weiher selbst, niemals aber mit kaltem und noch dazu unbiologischem Wasser aus der Leitung. Der Strahl darf bei prallem Sonnenschein weder auf Seerosenblätter noch in deren Blüten fallen. Selbst tropfenweise Benetzung aller Überwasserblätter von Schwimm- und Sumpfpflanzen durch unseren Frosch oder andere springbrunnenähnliche Konstruktionen wirkt sich auf die Dauer schädlich aus.
Im allgemeinen besteht ein Ablauf oder Überlauf aus einem senkrechten Rohr, das oben einen breit ausladenden Siebaufsatz aufweist, damit schwimmende Teile nicht das Rohr verlegen und somit den Abfluß des überschüssigen Wassers behindern. Um den Teich gänzlich entleeren zu können, ist das Ablaufrohr nach alter Methode kurz über dem Boden abschraub- oder herausziehbar. Zwangsläufig ist der Ablauf an die tiefste Stelle zu verlegen. Da sich hier jedoch der meiste Mulm ansammelt, müßte nach dem Entfernen des Ablaufrohres sofort ein engmaschiger Siebkorb ausgesetzt werden, damit nicht der Schlamm zu schnell unsere Sickergrube verlegt. Größere Bestandteile könnten uns des weiteren den Ablauf verstopfen. Bei tiefen Teichen aber ist dies kaum möglich. Deshalb halten wir nach anderen Systemen Ausschau, die sich noch anbieten. Bei Kleingewässern lohnt sich allerdings dieser ganze Aufwand kaum. Hier arbeiten wir beim Füllen wie beim Entleeren mit der Gießkanne. Auch die Höhe des Wasserspiegels regeln wir damit. Sicherlich wird unser Miniteich anläßlich eines Platzregens auch einmal überlaufen. Dann schöpfen wir eben anschließend das überschüssige Wasser heraus.
Bei größeren Gartenteichen ohne eingebauten Zu-, Über- und Ablauf, bei denen das Füllen oder Entleeren mit der Gießkanne bereits in Arbeit ausartet, nehmen wir den Gartenschlauch zu Hilfe. Er muß nur eben so lang sein, daß er nicht nur vom Wasseranschluß bis zum Weiher, sondern vom Teich aus auch bis in den Keller reicht. Hier müssen wir über eine Abflußmöglichkeit verfügen. Vor Verlegung des Gartenschlauches füllen wir ihn voll Wasser und verschließen beide Enden mit einem passenden Gummikorken. Nunmehr hängen wir das eine Ende in unseren Teich, ziehen unter Wasser den Verschluß heraus und setzen – ebenfalls unter Wasser – einen käuflichen Ansaugkorb auf. Notfalls spannen wir mit einem Gummiring oder Schnur ein Stückchen Stoff mit Gitterstruktur über die Öffnung, damit uns keine groben Bestandteile den Schlauch verlegen können. Nunmehr begeben wir uns mit dem anderen Schlauchende in den Keller an den Ort, wo das Wasser ablaufen kann und ziehen diesen Verschluß heraus. Hatten wir den Schlauch ganz voll Wasser gefüllt, waren die Verschlüsse dicht und haben wir nicht zufällig bei unserem Marsch in den Keller das andere Ende aus dem Weiher herausgezogen, läuft nunmehr langsam aber stetig Wasser aus unserem Weiher in den Gully. Lassen wir das Wasser in ein im Keller installiertes Waschbecken etc. ablaufen, befestigen wir ihn so, daß das Schlauchende auf keinen Fall herausrutschen kann. Ein Schlauch ist ein unberechenbares Gebilde. Die notfalls gerufene Feuerwehr dagegen hat ein »einnehmendes Wesen«. Ganz zu schweigen von dem übrigen Ärger.
Etwas bequemer haben wir es, wenn wir mit Hilfe einer geeigneten Pumpe den Gartenteich entleeren. Es gibt eine ganze Reihe brauchbarer Fabrikate, die entweder an den Teichrand zu stehen kommen, also außerhalb des Wassers arbeiten, oder im Teich selbst versenkt werden. Die im nächsten Kapitel »Filterung« erwähnten Kreiselpumpen eignen sich ebenfalls für diesen Zweck. Besonders die wasserdichten Ausführungen bieten sich geradezu an. Wir benötigen nur ein entsprechendes Stück Schlauch. Er muß einerseits auf die Wasseraustrittsöffnung der Förderpumpe passen und zum anderen so lang sein, daß er bis an die

Stelle unseres Gartens reicht, wo Wasser schnell versickern kann. Je nach Pumpengröße eignet sich vielleicht sogar der Gartenschlauch.
So einfach sich dies alles liest, so dürfen wir uns doch nicht darüber hinwegtäuschen lassen, daß je nach technischer Anordnung immer ein kleinerer oder größerer Wasserrest zurückbleibt. Mit Eimer und Kehrichtschaufel ist dies jedoch meist kein großes Problem mehr.
Wie wir bereits wissen, lieben unsere Seerosen warmes Wasser vom »Kopf« bis zu den »Füßen«. Bei einem dem Grundwasserspiegel angepaßten Naturweiher ohne Zufluß und Abfluß wird ein Regenguß in der Form ausgeglichen, daß bei einem Niveauanstieg das über dem Bodengrund liegende, kältere Wasser bis zur Wiederangleichung versickert. Das warme Wasser bleibt demnach hier erhalten.
Diese Erkenntnis zwingt uns geradezu, von der althergebrachten Überlaufmethode, die uns in erster Linie das warme Oberflächenwasser bei einer Frischwasserzufuhr entführt, Abstand zu nehmen. Eine sehr einfache Lösung dieses Problems zeigt die Zeichnung S. 21 links. Bei dieser Art der Anordnung fließt das kalte, über dem Boden stehende Wasser ab, wenn die innere Unterkante des waagrecht verlaufenden, oberen Rohrteils im Sickerschacht überschritten wird. Mit Hilfe von Rohrteil B bestimmen wir also die Höhe des Wasserspiegels im Gartenteich. Wollen wir den Weiher entleeren, ziehen wir diesen Rohrabschnitt an der losen Steckverbindung von Rohrteil A ab. Der möglichst große Siebkorb auf der Ablauföffnung verhindert, daß Fische beim Ablassen des Wassers angesaugt und verletzt werden. Liegt die Steckverbindung sehr tief, so daß eine Trennung nur sehr schwierig zu bewerkstelligen ist, bauen wir in Rohrteil B, möglichst nahe der Abdeckplatte, einen Absperrhahn ein und verlängern diesen Rohrabschnitt durch einen weiteren Zusatz (Rohrteil C) so weit wie möglich nach unten. Bei offenem Hahn erfolgt der Überlauf in bereits bekannter Weise. Wollen wir das Wasser ablassen, müssen wir Lüftung und Absperrhahn schließen und den Wasserstand im Teich um Überlaufrohrdicke erhöhen. Öffnen wir anschließend den Hahn ganz, läuft das Teichwasser weitgehendst ab. Nach dem Herausfangen der Tiere ziehen wir den Siebkorb aus der Ablauföffnung und entleeren den Gartenteich bis zum Grund.
Bereits bestehende Über- und Ablaufvorrichtungen lassen sich ebenfalls so umbauen, daß

Modernisierung eines Überlaufes in der Teichwand nach biologischen Gesichtspunkten.

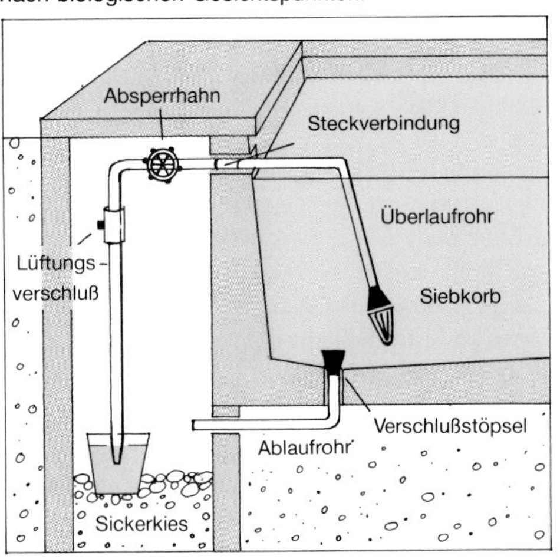

Verbesserung der alten Über-/Ablaufmethode. Die Teichentleerung ist im Text oben beschrieben.

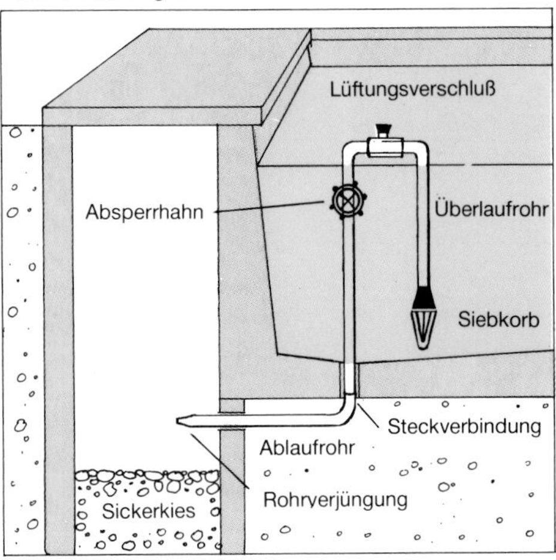

nicht wie bisher das warme Oberflächenwasser abläuft, sondern die kalte, bodenständige Wasserschicht im Sickerschacht landet. Sowohl für das senkrecht stehende, alte Überlaufrohr, das im eigentlichen Ablaufrohr steckt, wie für einen in die Seitenwand eingelassenen Überlauf bietet sich eine Möglichkeit an.

Auch das Ablaufprinzip, wie wir es bereits kennen, läßt sich einplanen. Durch die düsenförmige Rohrverjüngung am Auslaufende im Sickerschacht gleichen wir unterschiedliche Rohrdicken aus. Die Öffnung muß etwas kleiner als der Durchfluß-Querschnitt im Absperrhahn sein. Die Funktionssicherheit erhöht sich weiterhin, wenn das Ablaufrohr möglichst tief in den Sickerschacht hinabreicht und ca. 10 cm in ein – während der übrigen Zeit des Jahres mit Überlaufwasser gefülltes – Gefäß eintaucht. Hierdurch vermeiden wir ein Abreißen des Wasserstromes beim Ablaufen des Teichwassers durch Eindringen von Luft über das Auslaufende. Diese Möglichkeit besteht z. B. bei einer teilweisen Verlegung des Siebkorbes durch angesaugtes Pflanzenmaterial. Steht das Ablaufende aber unter Wasser, kann es nicht passieren, daß das System plötzlich nicht mehr arbeitet, wenn der Gartenteich erst zur Hälfte leer ist. Voraussetzung ist natürlich, daß der obere Rand unseres Gefäßes im Sickerschacht unterhalb der Beckenbodenebene verläuft.

Die eingebauten Steckverbindungen müssen außerdem gut ineinanderpassen. Sie dienen im wesentlichen zur leichteren Reinigung der Rohre und vor allem des Siebkorbes. Sitzt dieser direkt dem Ablauf auf, hilft uns eine Bürste an langem Stiel, ihn gelegentlich zu säubern.

Filterung

Abgesehen von den natürlichen Frühjahrs- und Herbsttrübungen, die jedes Gewässer durchmacht, ist ein nur mit Pflanzen besetzter Weiher, also ohne Fische, das ganze Jahr hindurch glasklar. Nur bei der Neueinrichtung oder -gestaltung tritt für einige Zeit die sogenannte Einspiel-Trübung auf. Auch nach einem Regenguß kann unser Weiher für einige Tage durch eingeschwemmte Schmutzpartikel etwas von seiner Klarheit eingebüßt haben. So lange wir jedoch unsere Wasserwelt in Ruhe lassen und nicht darin herumhantieren, wird bald wieder alles beim alten sein.

Dieses Bild ändert sich jedoch, sobald wir Fische einsetzen. Fische des freien Wassers, wie z. B. Goldorfen, wedeln uns nur den auf den untergetauchten Pflanzenteilen liegenden Mulm in das freie Wasser, wo er gelegentlich zu Boden sinkt. Die hierdurch verursachte Trübung ist noch annehmbar. Man sieht die Fische wenigstens noch von oben.

Anders dagegen schaut es aus, wenn wir mit Goldfischen unseren Weiher beschicken. Diese Flossenträger sind mehr oder weniger Bodentiere, die gerne den Untergrund nach Genießbarem durchsuchen. Dies geschieht folgendermaßen: Maul auf, Bodengrund rein, Durchkauen nach Futter und anschließend Ausspucken der ungenießbaren Stoffe durch Maul und Kiemen. Im Freien läßt sich nun aber einmal nicht vermeiden, daß Wind und Wetter Staub, Schmutz und Blätter ins Wasser wehen. Und unsere Goldfische kehren das unterste zuoberst. Die Folge ist, daß wir schon nach kurzer Zeit unsere Lieblinge in dem getrübten Wasser kaum mehr zu Gesicht bekommen.

Gewiß, die Fische selbst fühlen sich wohl in dieser Brühe, unsere Enttäuschung jedoch ist grenzenlos. In unserer Not lassen wir die ganze Nacht Frischwasser zulaufen. Das Wasser ist am nächsten Tag zwar merklich klarer, aber unsere Goldfische stehen geschockt am Boden. Und nach zwei Tagen ist das Wasser noch trüber als vorher. Das viele Frischwasser hat die Sache nur verschlimmert. Voller Verzweiflung lassen wir das Wasser ab und reinigen das Becken gründlich. In den nächsten Tagen haben wir zwar ein sauberes Becken mit klarem Wasser, aber dafür gefallen uns unsere Goldfische nicht mehr. Sie zeigen blutunterlaufene Stellen an Körper und Flossen und auf manchen Fischen breitet sich ein wattebauschähnlicher Belag aus. Wir haben durch unsere un-

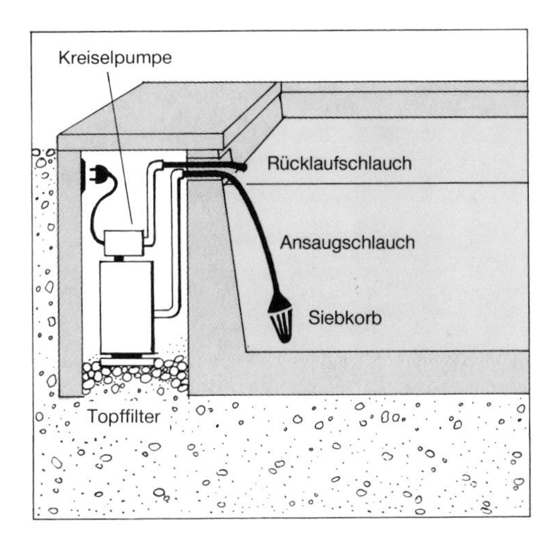

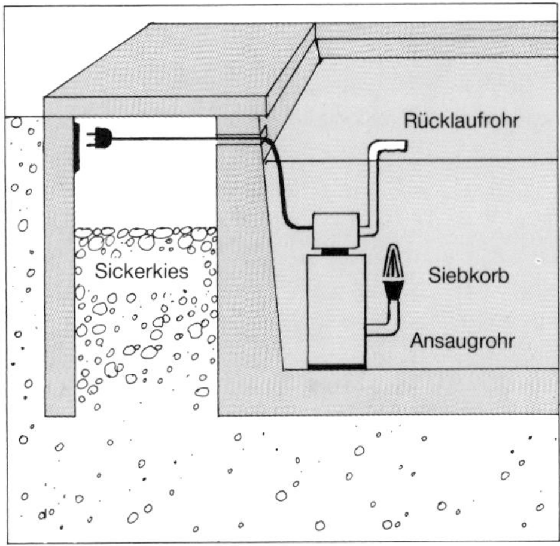

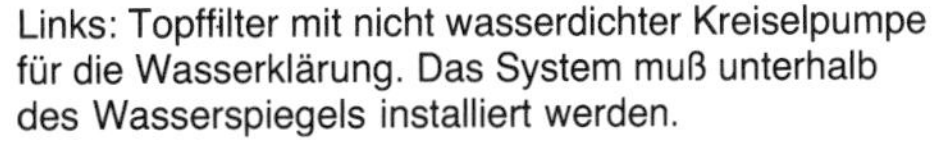
Links: Topffilter mit nicht wasserdichter Kreiselpumpe für die Wasserklärung. Das System muß unterhalb des Wasserspiegels installiert werden.

Rechts: Wasserdichtes Topffilter-/Kreiselpumpensystem für den Unterwasserbetrieb. Endet das Rücklaufrohr oberhalb der Wasserfläche, erfolgt eine Anreicherung mit Sauerstoff.

natürliche Handlungsweise unseren Teich für dieses Jahr zugrunde gerichtet.
Der einzig gangbare Weg ist, die von den Fischen aufgewirbelten Teilchen durch ein wirksames Filtersystem zum größten Teil herauszunehmen. Ganz werden wir es nie schaffen. In wieweit uns dies gelingt, hängt von der Wirksamkeit unserer Reinigungsanlage ab. Ein kleiner Filter bringt in einem großen Bekken keinen Effekt. Diese Ausgabe können wir uns sparen. Die Parole lautet: Große Becken – große Filter, kleine Becken – kleine Filter. Aber was für Filter? Wie sollen sie beschaffen sein? Wir brauchen auf jeden Fall Filter, bei denen die Fische nicht an die filtrierende Substanz gelangen können. Sie würden uns auf der Futtersuche die Trübstoffe wieder im Wasser verteilen. Filter, die wir im Becken selbst unterbringen wollen, müssen demzufolge mit einer Abdeckung versehen sein. Als Filter, die außerhalb des Weihers und tiefer als der Wasserspiegel zu stehen kommen, sind nur wasserdichte Ausführungen zu gebrauchen.

Alle Filtersysteme, die wir für unsere Zwecke verwenden können, werden entweder mit einer Luft- oder einer Wasserumwälzpumpe betrieben. Welche Art wir wählen, hängt von der Unterbringungsmöglichkeit ab. Wasserfördernde Pumpen müssen tiefer als der Wasserspiegel angebracht werden, bei Druckluftspendern spielt dieser Faktor keine Rolle. Werden letztere unterhalb des Oberflächenniveaus installiert, schalten wir einfach ein Rückschlagventil zwischen Pumpe und Filter.
Und wo installieren wir diese Pumpen am besten? Auch in diesem Fall ist ein Schacht neben dem Weiher mit wasserdichtem Elektroanschluß die Ideallösung für beide Pumpensysteme. Hier können wir die Technik weitgehendst unterbringen. Wenn es auch wasserfördernde Pumpen gibt, die wir im Weiher selbst installieren können, so benötigen wir zumindest einen geschützten Platz für die elektrischen Anschlüsse.
Natürlich können wir derartige Pumpen auch im Keller unseres Hauses unterbringen. Bei dieser Methode müssen wir jedoch zwei Schläuche in einem entsprechenden Rohr im Garten unter der Erde verlegen. Der eine saugt das Schmutzwasser aus dem Teich zu unserem Filtersystem im Haus, der andere führt das Wasser wieder zum Teich sauber gefiltert zurück. Diese Version ist jedoch nur interessant, wenn der Teich nahe am Haus

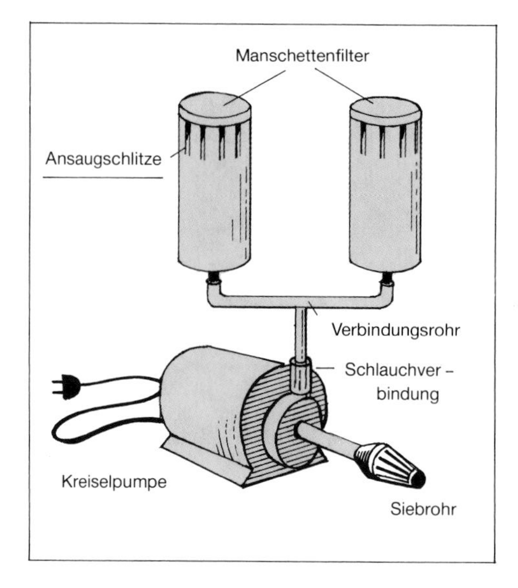

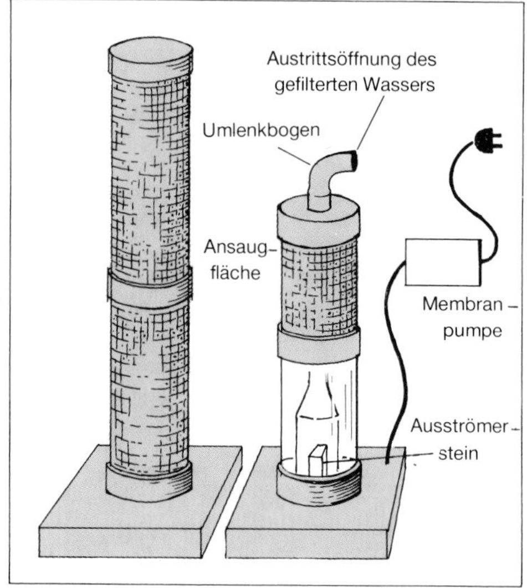

Links: Wasserdichte Kreiselpumpen mit vorgeschalteten, großflächigen Manschettenfiltern bringen ein Optimum an Filterwirkung. Eventuell eignen sich auch Schwimmbadfilter.

Rechts: Dieses Manschettenfiltersystem arbeitet nur mit der Druckluft einer Membranpumpe und ist beliebig ausbaufähig. Zur Erhöhung der Standfestigkeit befestigen wir es auf einer Steinplatte.

liegt und die Installation keine weiteren Probleme aufwirft.
Bei Verwendung einer Membranpumpe haben wir dagegen nur einen ca. 5 mm starken Schlauch, den wir unter Umständen sogar teilweise über dem Erdboden verlegen können. Im übrigen sollte aber auch dieser in einem trittfesten Rohr unter der Erde verlaufen. Da wir jedoch, wie wir noch hören werden, möglicherweise mehrere Elektroanschlüsse benötigen, dürfte die Verlegung eines Elektrokabels zum Teich das Mittel der Wahl sein.
An filtertechnischen Systemen bieten sich einmal Kombinationsfilter mit aufgesetzter Kreiselpumpe an. Sie finden entweder in unserem Schacht Platz, oder aber wir nehmen gleich eine wasserdichte Pumpe und können dann beides zusammen im Weiher unterbringen. Infolge der kleinen Filteroberfläche ist dieses System allerdings mit dem Nachteil verbunden, daß sich die Filtermasse sehr schnell verlegt. Wir merken das am besten an der austretenden Wassermenge. Fördert die Kreiselpumpe kein Wasser mehr, ist der Filter verstopft. Entweder entleeren wir nun den Filter und waschen die Filtersubstanz (Kies in einer Körnung von 10 mm), bis das Wasser klar ist, oder wir füllen gar neues Filtermaterial ein.
Wir können unseren Filter aber auch durch Rückspülung wieder gangbar machen, indem wir Wasser aus dem Gartenschlauch in entgegengesetzter Richtung durch den Filter schikken. In beiden Fällen artet die Angelegenheit in Arbeit aus. Sie mag bei kleinen Becken noch tragbar sein, bei großen Gartenteichen ist ihr Einsatz verfehlt. Wie wir ja bereits vernommen haben, brauchen wir Filter mit großer Oberfläche.
Eine zweite Möglichkeit wäre ein Manschettenfilter. Über ein Siebrohr wird eine Matte aus Perlongewebe hauteng gezogen. Auf der einen Seite ist das Rohr verschlossen, auf der anderen befindet sich ein Deckel mit einem rohrförmigen Stutzen, den wir mit dem Ansaugschlauch einer Wasserförderungspumpe verbinden. Zum Schutz der Filtermatte gegen

futtersuchende Fische ist der Filterteil außen mit einer Hülle verkleidet, die mit Ansaugschlitzen für das Schmutzwasser versehen ist. Dieses System gibt es in mehreren Größen.
Außerdem besteht die Möglichkeit, mehrere Aggregate dieser Art zu koppeln und mit einer Pumpe zu betreiben. Dieses Filtersystem ist also ausbaufähig. Diese Filter reinigen sich teilweise selbst, wenn wir mehrere (mindestens drei) für die Wasserklärung in unserem Goldfischteich einsetzen. Wenn wir also einmal nicht dazu kommen oder keine Lust haben, wenigstens eine dieser Filterpatronen zu säubern, fördert unsere Umwälzanlage immer noch Wasser.
Bei einem ähnlichen, nur mit Luft betriebenen System werden die Manschettenfilter auf einen flachen Behälter aufgesteckt. Im Baukastenverfahren kann dieser Filter beliebig verlängert und erweitert werden. Zur Erhöhung der Standfestigkeit binden wir eine Steinplatte an die Unterseite des Bodenteils. Die Abschlußdeckel auf den einzelnen Filteraggregaten dürfen außerdem erst unter Wasser aufgesteckt werden, damit die Luft restlos entweichen kann. Sollte trotzdem eines hochgetrieben werden, legen wir einen größeren, flachen Kieselstein auf den Deckel.
Einer meiner Filter für kleine Teiche bis 1000 l besteht aus einer kleinen Tauchkreiselpumpe, einer Plastikflasche (1 l) ohne Boden sowie Topfreinigern aus Kunststoff als Filtermaterial. Der Motor ist vollkommen wasserdicht. Ich brauche also hier nicht aufpassen. Wenn er kein Wasser mehr fördert, ziehe ich den Filter ab und nehme ihn mit der Öffnung nach oben aus dem Wasser heraus. Beim Umdrehen rutschen die zwei bis drei Topfreiniger meist von selbst heraus. Entweder wasche ich sie gleich aus oder gebe bereits gereinigte Stücke wieder hinein. Nun stecke ich den erneut betriebsbereiten Filter auf den Ansaugstutzen der Pumpe, die ich für diesen kurzen Moment gar nicht auszuschalten brauche.
Ein weiteres System, das sich bei kleinen Bekken bewährt hat, müßten wir allerdings selbst bauen. Wir benötigen hierzu ein Gefäß in Form einer Schüssel oder einen flachen Eimer sowie einen Trichter, eine Membranpumpe und einen Luftschlauch. In der Nähe des Trichterrandes führen wir das Ende des Luftschlauches durch ein selbstgebohrtes Loch und füllen in unser Filtergefäß eine Lage Kies (Körnung ca. 10 mm). Nunmehr setzen wir den Trichter so ein, daß die Ausflußöffnung nach oben zeigt und füllen weiter Kies bis zu einer Höhe von ca. 10 cm auf. Und schon ist unser Eigenbaufilter betriebsbereit! Wir brauchen ihn nur noch in unserem Gartenteich an einer passenden Stelle versenken, das andere Ende des Luftschlauches an der Pumpe anschließen und die Luftpumpe in Betrieb setzen. Einen Nachteil nur hat dieser Filter: Er ist etwas unhandlich und schwer.
Eine geniale Lösung bietet sich an, wenn wir unseren Sumpfpflanzenteil für die Filterung verwenden. Allerdings muß hier eine strenge Trennung zwischen Fisch- und Pflanzenteil bestehen. Wir müssen also eine Art Mauer zwischen beiden Abteilungen errichten. Nur durch eine kleine Aussparung in Wasserspiegelhöhe stehen beide Seiten in Verbindung. Wir bringen sie entgegengesetzt zu unserem Zulauf aus dem Fischbassin an. Mit Hilfe von Luft pumpen wir hier durch ein gekrümmtes Rohr das trübe Wasser in den Sumpfpflanzenteil. Es fließt so langsam zum Rücklaufrohr. Auf seinem Weg dorthin aber sinkt der größte Teil der Trübstoffe zu Boden und düngt gleichzeitig unsere Pflanzen. Je länger unser Wasser im Pflanzenteil verweilen kann, desto klarer fließt es in den Weiher zurück. Wir wählen nach Möglichkeit den längsten Weg.
Es liegt natürlich auf der Hand, daß der Klär-effekt von verschiedenen Faktoren abhängig ist. Wenn wir gleich von Anbeginn mit einem Filtersystem arbeiten, haben wir die wenigsten Schwierigkeiten. Bauen wir den Filter erst später ein, weil das Wasser bereits trüb ist, so müssen wir Geduld walten lassen. Wir erreichen zwar einen erheblichen Rückgang der Trübstoffe, aber so richtig klar wird das Wasser erst nach längerer Zeit. Wie lange dies dauert, ist wiederum von der Ausdehnung des Sumpfpflanzenteils abhängig. In einem großflächigen Bereich können wir mehr trübes

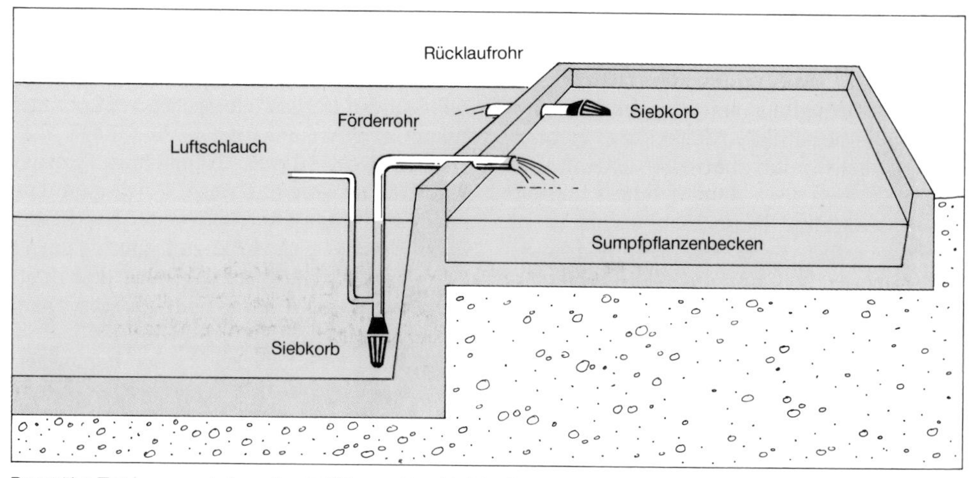

Das trübe Teichwasser leiten wir mit Hilfe von Druckluft in den für Fische unzugänglichen Sumpfpflanzenteil, wo die Schwebstoffe zu Boden sinken und die Pflanzen düngen. Je länger das zu reinigende Wasser hier verweilt, desto größer ist der Filtereffekt.

Wasser zur Klärung bringen als in einem kleinen.
Zwei weitere Möglichkeiten der biologischen Filterung für kleinere Teiche werden von mir noch heute bevorzugt angewendet. Mein Filter besteht aus einem länglichen, bepflanzten Kasten aus Holz oder einem mit Kunstharzlack beschichteten Blumenkasten aus Eternit. Beides können wir uns nach Maß anfertigen lassen oder selbst basteln. Auch Blumenkästen aus Kunststoff sind zu gebrauchen. Je länger und breiter sie sind, desto besser ist später die Filterwirkung. Der natürlicher wirkende Holzkasten ist für die Unterbringung im Teich selbst gedacht. Er wird an passender Stelle so am Teichufer befestigt, daß sein Rand 1–2 cm aus dem Wasser herausragt. Die beiden anderen wasserdichten Kästen sind für eine biologische Filterung außerhalb des Wassers geeignet und kommen an den Weiherrand zu stehen. Welches System für uns in Frage kommt, müssen wir selbst entscheiden. Was wir im übrigen für die Inbetriebnahme zu tun haben, ersehen wir aus der Abbildung S. 29.
Als Filtersubstrat dienen die Wurzeln von Sumpfpflanzen. Besonders eignen sich Wasserschwertlilie, Rohrkolben, Schilf, Wasserschwaden, Hechtkraut und Schwanenblume. Alle bilden innerhalb kurzer Zeit ein starkes Wurzelgeflecht aus. Sie werden ohne Substrat eingesetzt und in der ersten Zeit durch größere Kieselsteine am Umfallen gehindert. Bei Verwendung dieser hochwerdenden Pflanzen außerhalb des Teiches muß unser biologischer Filter aber auch gegen Wind und Sturm umkippsicher verankert werden.
Wir können auch zwei Stück neben- oder hintereinander gruppieren. Die Verbindung stellen wir wegen der Veralgungsgefahr mit einem undurchsichtigen U-Rohr her. Für die Inbetriebnahme füllen wir am besten beide Kästen erst mit Wasser auf. Das U-Rohr tauchen wir unter Wasser und lassen die Luft entweichen. Jetzt verschließen wir beide Öffnungen mit den Daumen und verbringen jedes Rohrende in einen Kasten. Erst unter Wasser geben wir die Öffnungen wieder frei. Aus Sicherheitsgründen nehmen wir von Anfang an gleich zwei U-Rohre. In einem Filterbehälter kommt nun das zu filternde Wasser an, fließt über unsere Verbindung in den zweiten und läuft an dessen Ende gereinigt in den Teich zurück.
Bei einem Außenfilter müssen wir ferner darauf achten, daß der Querschnitt des wasserför-

dernden Rohres der Luftmenge unserer Pumpe und der Förderhöhe angepaßt ist. Der Lufteintritt in das Rohr unter Wasser sollte mindestens zweimal so lang sein, als das über Wasser herausragende Stück. Sonst spuckt unser Rohrende am Filter mehr Luft als Wasser. Strömt die Luft gar am anderen Ende unseres Rohres – also unter Wasser – aus, so muß es an dieser Stelle verlängert werden. Den Ablauf müssen wir unbedingt mit einem Siebaufsatz vor Verstopfung schützen. Sämtliches Zubehör für unseren Filter erhalten wir im einschlägigen Zoofachhandel, der uns bei Problemen sicherlich auch beraten kann.
Bei unserem Holzkasten haben wir außer einem anfänglichen Auftrieb (mit Steinen beschweren!) all diese Probleme nicht. Er sollte natürlich schon einigermaßen dicht sein. Daß wir auch hier den Einlauf etwas höher anbringen als den Ablauf, versteht sich von selbst. Das gefilterte Wasser lassen wir möglichst entgegengesetzt zum Ansaugrohr parallel zur Wasseroberfläche wieder einströmen. Neben den bereits genannten Sumpfpflanzen können wir hier mit Wasserhyazinthen und Muschelblumen filtern. Ihre Wurzelbärte sind geradezu ideal. Ich persönlich beschicke den ersten Teil (Einlauf) mit Muscheln und Schnecken, die zweite Hälfte besteht aus besagten Pflanzen, wenn nicht gar nur Fadenalgen ihre Stelle einnehmen. Sie wachsen auch im Winter, wenn unsere anderen Sumpfpflanzen stagnieren.
Dieser biologische Filter arbeitet bei richtiger Installation der Luftleitung (siehe S. 30) fast den ganzen Winter hindurch. Das 4° C warme Wasser aus der Tiefe verhindert weitgehend ein Einfrieren, die geförderte Wassermenge ist andererseits so gering, daß keine Gefahr des Durchfrierens unseres Teiches besteht. Lediglich bei starkem Frost wären unsere außerhalb des Teiches befindlichen biologischen Filter gefährdet.
Diesen in der Praxis bewährten Vorschlägen können wir bei der Neuanlage eines Teiches leicht Rechnung tragen. Was aber kann derjenige von uns unternehmen, der bereits einen Teich besitzt? Er muß versuchen, aus den angegebenen Filtermöglichkeiten die für sein Wasserreich am besten installierbare Methode zu wählen, wobei natürlich der Neuanlage eines Sumpfpflanzenbeckens neben dem alten Teich der Vorrang zu geben ist. Wir schaffen hierdurch gleichzeitig einen idealen Lebensraum für Molche und Frösche.
Bei einigem guten Willen läßt sich dies ohne weiteres bewerkstelligen. Unser Steinplattenweg wird in diesem Fall zur »Brücke«. Zu- und Ablauf können kaschiert verlegt werden. Und interessante blüh- und farbenfreudige Pflanzen gibt es für unseren biologischen Filterteil genug.

Biologischer Filter: Das trübe Teichwasser wird durch das Wurzelgeflecht der Wassergewächse im Holzkasten geklärt. Dieses erweiterungsfähige System kann auch außerhalb des Teiches an den Rand zu stehen kommen.

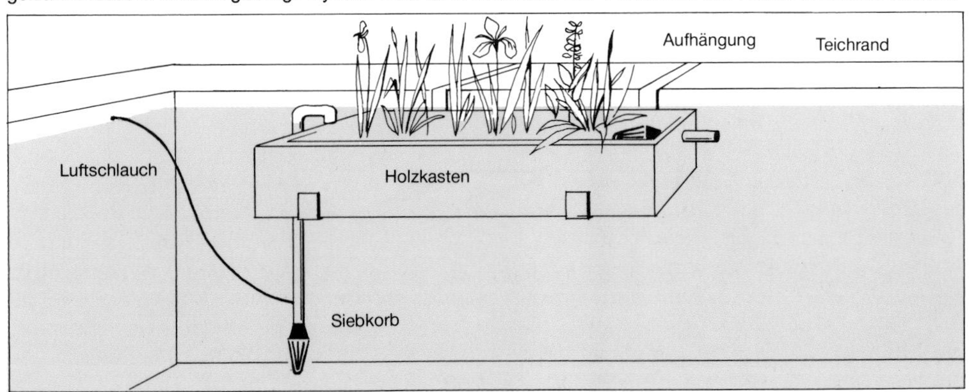

Technische Ausstattung

Belüftung

Wie wir schon vernommen haben, wollen speziell unsere Seerosen »warme Füße«. Um eine Durchmischung des warmen Oberflächenwassers mit den kalten, über dem Boden lagernden Schichten zu erreichen, nehmen wir eine Luftpumpe zu Hilfe. Von diesem, Luft unter Druck erzeugenden Gerät führen wir einen passenden Schlauch in unseren Teich. Das Ende soll dabei nicht dem Boden aufliegen, da sonst die Gefahr besteht, daß Bodengrund aufgewirbelt wird und uns unnötig das Wasser trübt. Wir nehmen am einfachsten ein Stück Bleirohr, wie es in Zoofachgeschäften zu haben ist, und biegen es so, daß das Ende – wo später die Luftblasen austreten – ca. 10 cm über dem Boden zu liegen kommt.

Im Winter hilft uns diese Wasserbewegung, daß unser Teich nicht so schnell zufriert. Allerdings müssen wir den Luftaustritt im Herbst höher setzen bis auf nunmehr 30 cm unter der Wasseroberfläche, da wir sonst Gefahr laufen, daß unser Weiher auch am Boden vereist. Wasser wiegt bei 4° C am meisten, zu Eis wird es erst bei 0° C. Wasser mit dieser Temperatur ist leichter und schwimmt deshalb oben. Bringen wir durch unsere bodenständige Sommerumwälzung des 4° C warme Wasser nach oben, kühlt es sich ebenfalls auf 0° C ab. Bei starkem Frost kommt es dann zwangsläufig zu einer unnatürlichen Eisbildung im ganzen Bereich. Für unsere kälteempfindlichen Seerosen aber ist dies nicht gerade empfehlenswert. Deshalb setzen wir die Winterbelüftung höher.

Natürlich werden wir auch die Luftmenge im Winter stark reduzieren. Es genügt vollständig, wenn unter der Eisdecke eine Lufterneuerung stattfindet. Allerdings funktioniert die Sache nur, wenn wir die Luft vorher durch einen größeren, luftdichten Behälter leiten, wo sie sich abkühlen kann.

Unser Kühlsystem installieren wir am besten an der Stelle, wo der Luftschlauch nach der Pumpe zum ersten Mal mit der Außentemperatur in Berührung kommt. Tun wir dies nicht, kommt es im Inneren der engen Luftleitung durch Kondenswasserbildung zu einem Eis-

Kombination von Sommer- und Winterbelüftung: Das Kühlgefäß verhindert eine Eispropfbildung im Luftschlauch. Verschließen wir die Winterbelüftung, tritt die Luft am Ende des Bleirohres (Sommer) aus. Im Herbst nehmen wir lediglich die Verschlußkappe ab. Das lange Bleirohr ist zum Hochziehen gedacht, wenn das Luftaustrittsende einmal verstopft sein sollte.

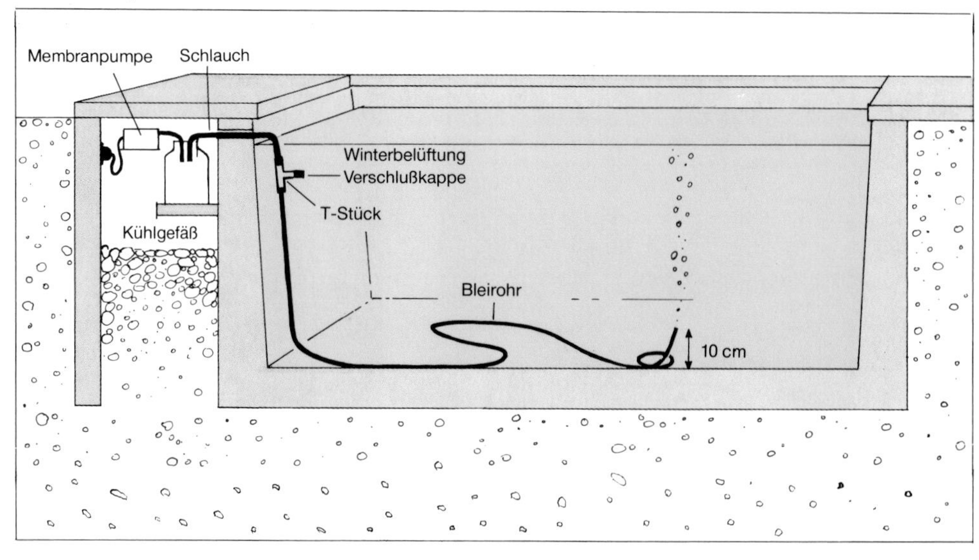

pfropf, der den Luftdurchgang blockiert und sich erst bei warmer Witterung wieder auflöst. Gerade dann aber, wenn durch eine dichte Eisdecke die Zirkulation zwischen Wasser und Luft zum Erliegen kommt, sollte sie arbeiten, wenn wir unsere Fische erfolgreich überwintern wollen. In der Natur bewirken selbst im Winter Schwankungen im Grundwasserspiegel eine Zirkulation in einem Teich und erhalten so das Leben. In unserem gegen den Boden abgeschlossenen Kunstteich müssen wir die Technik zu Hilfe nehmen. Was wir sonst noch für eine erfolgreiche Überwinterung unternehmen müssen, erfahren wir im entsprechenden Kapitel.

Auch bei der Belüftung kommt uns wiederum die Anlage eines Schachtes mit Elektroanschlüssen zugute, wo wir unsere Luftpumpe aufstellen. Von diesem Ort aus können wir Sommer wie Winter unsere Belüftung und Wasserumwälzung steuern. Wir könnten z. B. auch 30 cm unterhalb des Wasserspiegels eine wasserdichte Luftleitung durch die Teichwand schaffen. In diesem Fall würden wir keinen Kühlbehälter benötigen. Zu Beginn der warmen Jahreszeit müßten wir lediglich zum Teich hin die uns bereits bekannte Sommerbelüftung installieren.

Dient unser Schacht gleichzeitig der Entleerung unseres Weihers, ist das Ablaufrohr eine ideale Lösung für unser Vorhaben. Wir nehmen als Verschluß einen durchbohrten Gummistöpsel, durch den wir ein Rohr mit 4 mm Außendurchmesser führen. Nun brauchen wir nur noch die entsprechenden Anschlüsse vornehmen. Auf das zum Schacht weisende Rohrende schieben wir den Luftschlauch, der zur Pumpe führt. Auf der anderen Seite sind die Verlängerungen für Sommer- und Winterbetrieb anzubringen.

Einen noch wirkungsvolleren Effekt hat eine andere Methode. Neben den bereits bekannten Vorzügen einer Durchlüftung reichert sie unser Teichwasser mit Sauerstoff an. Viele Wassertrübungen würden schneller abklingen oder gar nicht auftreten, wenn genügend Sauerstoff im Wasser vorhanden wäre. Wir haben einfach zu viele Sauerstoffverbraucher in unserem Zierteich. Andererseits wäre es eine falsche Meinung, anzunehmen, daß unsere Durchlüftung auch genügend Sauerstoff an das Wasser abgibt. Eine Luftblase, die von unten nach oben steigt und auf ihrem Weg immer weniger dem Wasserdruck ausgesetzt ist, hat keinerlei Interesse, ihren Sauerstoff abzugeben. Wir müssen Luftperlen von oben nach unten wirbeln lassen, um eine Abgabe von Sauerstoff zu erreichen. Die Luft muß unter Druck stehen. Theoretisch ginge dies zwar auch mit unserer Durchlüftung, indem wir die Luft in einer nach unten offenen, großflächigen Glocke unter Wasser auffangen und somit unter Druck setzen. Bei der Überwinterung wäre dieses System mit in Betracht zu ziehen.

Aber der Effekt ist längst nicht so groß, als wenn wir ein Luft/Wasser-Gemisch an einer Stelle nach unten wirbeln lassen.

Im Prinzip benötigen wir hier eine Filterpumpe mit Schläuchen, wie sie die Abbildung auf S. 25 zeigt. Auf das Rücklaufrohr setzen wir eine düsenförmige Verjüngung, die fast senkrecht kurz über der Wasseroberfläche sitzen muß. Sie sollte aber nicht auf den Ansaugkorb gerichtet sein. Ist die Pumpe stark genug, reißt sie beim Aufprall auf die Wasseroberfläche Luft mit in die Tiefe. Es gibt für diesen Zweck im Zoofachhandel einen Aufsatz, Diffusor genannt, der unter Wasser eingesetzt werden kann. Wir installieren ihn aber außerhalb, weil wir dann viel mehr Luft ins Wasser bringen. Hier müssen wir vielleicht etwas experimentieren, um eine optimale Wirkung zu erzielen.

Steht uns kein elekrischer Anschluß für diese natürliche Sauerstoffanreicherung zur Verfügung, können wir auch einen chemischen Sauerstoffspender (Oxydator) verwenden. Die Apparatur besteht im wesentlichen aus einem Spezialkeramikgefäß mit einem Plastikbehälter, der mit Wasserstoffperoxid (30%ig) gefüllt wird. Aus einem winzigen Loch in der Kunststoffflasche tritt besagte Flüssigkeit aus und reagiert mit dem Teichwasser. Dabei entsteht aktiver Sauerstoff.

Wichtig ist, daß der Oxydator nach dem Einbringen der aufgefüllten Plastikflasche baldigst unter Wasser verbracht wird. Wir versen-

ken ihn an der tiefsten Stelle mit Hilfe einer dünnen, sichtbaren Perlonschnur, die wir am Bügel befestigen. Das Keramikgefäß muß aufrecht und weitgehend waagrecht stehen. Wenn das Peroxid aufgebraucht ist, kommt die Apparatur von alleine nach oben.
Wasserstoffperoxid ist eine ätzende, giftige Flüssigkeit. Wir dürfen es deshalb nie, nicht einmal in kleinen Mengen, ohne Oxidator in unseren Weiher geben. Die gewünschte Wirkung wäre außerdem nur kurzfristig. Nur durch die stete Sauerstoffproduktion wird im Laufe der Zeit das gesamte Teichwasser erfaßt uns mit Sauerstoff angereichert. Hier würde uns wiederum eine Wasserumwälzung helfen, dieses lebenswichtige Gas gleichmäßig im gesamten Bereich zu verteilen.
Bei fehlendem Stromanschluß für eine Winterbelüftung hilft uns der Oxydator auch bei der erfolgreichen Überwinterung unserer Fische. Im Winter produziert er infolge der Kälte weniger, aber immer noch genug Sauerstoff. Eine Füllung reicht meist bis zum Frühjahr. Wenn die erste, dünne Eisschicht auf unserem Weiher erscheint, nehmen wir ihn heraus und ergänzen die fehlende Menge Peroxid. Die Perlonschnur wird jetzt direkt über dem Oxydator durch eine Boje (Korkpose für Angler) fixiert, damit wir sie bei Bedarf leicht wiederfinden. Sollte eine Füllung noch während der Eisperiode nötig werden, schlagen wir kein Loch in das Eis, sondern benutzen heißes Wasser.
Einen sehr wichtigen Punkt müssen wir noch berücksichtigen. Wenn unser Schacht gleichzeitig zum Ablassen des Weihers dient, sind Pumpen und Elektroanschlüsse so weit oben zu installieren, daß sie niemals mit dem ablaufenden Wasser in Berührung kommen können. Dient unser Schacht nur der Elektrik, schalten wir lediglich ein Rückschlagventil in den Luftschlauch, um bei Stromausfall einen Rücklauf des Wassers in unsere Pumpe zu unterbinden. In welcher Höhe wir hier unsere elektrischen Gerätschaften installieren, spielt keine Rolle. Nur dem Boden sollen sie nicht aufliegen. Pumpe und Steckdose bringen wir etwas erhöht an. Durchlässiger Kies als Schachtbodengrund ist unbedingt angeraten.

Beheizung

Wenn wir uns schon einmal die Mühe gemacht haben und einen Elektroanschluß in der Nähe unseres Weihers besitzen, wollen wir ihn auch voll ausnutzen. Durch einen elektrisch betriebenen Heizer haben wir z. B. die Möglichkeit, bereits im zeitigen Frühjahr das Wachstum unserer Seerosen etwas voranzutreiben. Dies hat natürlich mit Maß und Ziel zu geschehen, sonst kommt uns erstens die Sache zu teuer, zum zweiten leiden die Pflanzen darunter. Wassererwärmung und Sonneneinstrahlung gehen nun einmal Hand in Hand. Verändern wir schwerwiegend einen dieser Faktoren, so reagieren unsere Pflanzen entsprechend. Bei künstlicher Kaltwasserzufuhr aus der Wasserleitung wachsen sie zum Beispiel kaum. Erwärmen wir dagegen das Wasser im Verhältnis zur Sonneneinstrahlung zu sehr, erhalten wir kraftlose, zu lang geratene Gewächse.
Ein Heizstab mit 100 Watt auf 1000 l Wasser ist ungefähr die richtige Dosis. In Kombination mit einer gezielten Wasserumwälzung durch Belüftung oder eines der genannten Filtersysteme versuchen wir außerdem, die kalten Wasserschichten mit der wärmeren Oberschicht zu vermischen. Dadurch erreichen wir eine schnellere und bessere Erwärmung des Bodengrundes und unsere Pflanzen werden früher zum Wachstum angeregt.
Das Ganze bringt aber nur den gewünschten Erfolg, wenn wir mit dieser Methode im Dauerbetrieb bis zum Eintritt der warmen Jahreszeit, also Anfang Juni arbeiten. Dann können wir den Heizer ausstecken und nur mit der Belüftung eine Durchmischung des sonnendurchwärmten Oberflächenwassers mit den kalten Tiefenschichten vornehmen. Bei trübem Wetter aber, das in unseren Breiten immer zu einer schnellen und starken Abkühlung besonders kleinerer Gewässer führt, schalten wir die Beheizung wieder ein.
Der Heizstab soll übrigens nicht dem Boden direkt aufliegen, sondern sich knapp darüber im freien Wasser befinden. Auf keinen Fall darf er in der Schlammschicht des Untergrundes versinken. Wo wir ihn im übrigen installie-

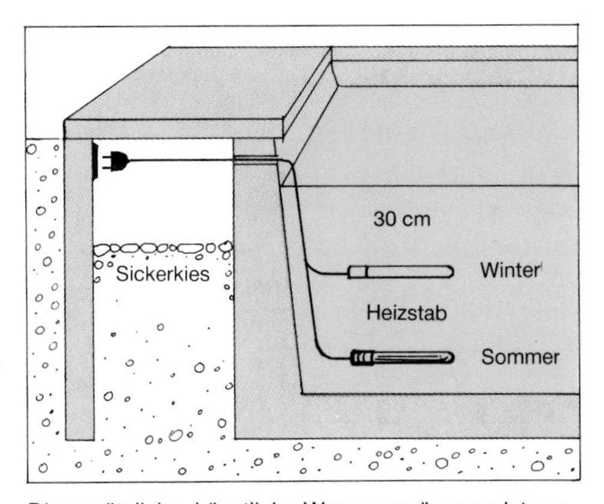

Die zusätzliche, künstliche Wassererwärmung ist vor allem im Frühjahr, bei stark beschatteten Teichen, bei längerer naßkalter Witterung sowie zur erfolgreichen Überwinterung der Fische eine wertvolle Hilfe. Nur einfache Heizer ohne Thermostat sind geeignet.

ren, ist an und für sich egal. Je näher wir Heizer und Wasserumwälzung zusammenlegen, desto besser ist der Mischeffekt.
Oft verhindern aber auch im Sommer die vielen der Wasseroberfläche aufliegenden Blätter unserer Seerosen eine Durchwärmung des Teichwassers. Hinzu kommt meist noch der Faktor, daß der Weiher nicht den ganzen Tag volle Sonne bekommt. Seerosen-Arten brauchen aber vielfach hohe Wassertemperaturen, aufgrund ihres tropischen Einschlages. Ja, selbst einheimische Pflanzen (Wassernuß) benötigen zur Samenreife möglichst lange in den Herbst hinein Temperaturen von 15–20° C.
Neben unserem besagten Heizer sorgt auch die unter Wasser arbeitende Pumpe des Filtersystems (siehe S. 26) für eine gewisse Wassererwärmung. Es gibt aber noch mehr Möglichkeiten. Sie basieren auf der Ausnutzung der Sonnenenergie. In wieweit sie zu verwirklichen sind, ist eine Frage der Örtlichkeit.
Das einfachste System besteht in einer möglichst großräumigen, flachen Schale, die den ganzen Tag der vollen Sonne ausgesetzt ist. Ihre Farbe sollte möglichst dunkel, also braun oder schwarz sein. Bei warmem, sonnigem Wetter leiten wir mit einem geeigneten Pumpsystem unser Teichwasser in die Schale und lassen es auf der entgegengesetzten Seite wie-

Bei Sonnenschein können wir unseren Teich auch über einen langen, möglichst schwarzen Gartenschlauch zusätzlich erwärmen. Mit Hilfe von Druckluft pumpen wir das Teichwasser durch unser Schlauchsystem.

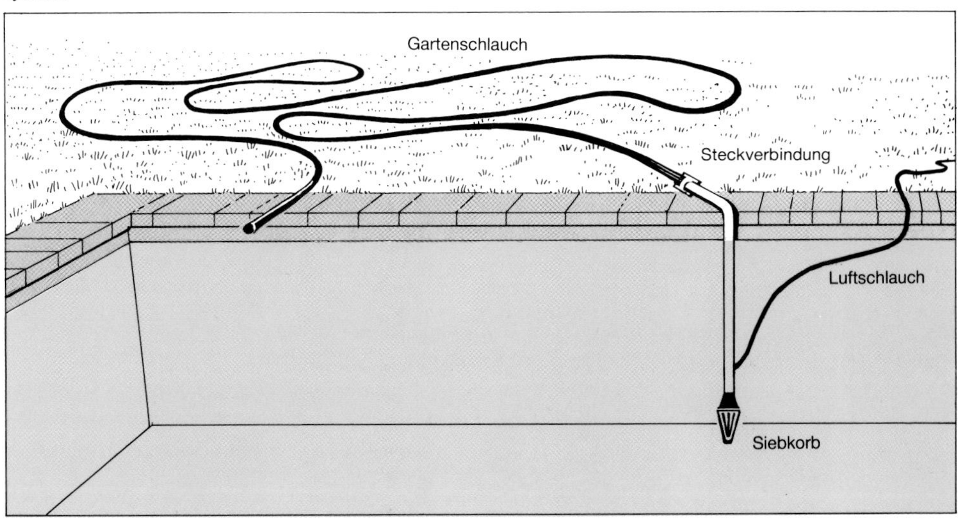

der in den Teich zurücklaufen. Die Durchlaufgeschwindigkeit sollte nicht zu hoch sein, damit sich das Wasser auch erwärmen kann.
Die zweite Version besteht in einem möglichst langen, schwarzen Gartenschlauch, der engspiralig aufgerollt der vollen Sonnenbestrahlung ausgesetzt wird. Durch diesen Schlauch lassen wir an schönen Tagen unser Weiherwasser zirkulieren. Liegt er dem Boden auf, genügt ein Durchlauf der von unserer Luftpumpe geförderten Wassermenge vollauf. Haben wir ihn auf das Dach unserer Garage verbannt, benötigen wir eine wasserfördernde Pumpe, die den Höhenunterschied gerade schafft.
Natürlich nehmen wir zur zusätzlichen Wassererwärmung ein Pumpensystem, das unter Wasser arbeitet. Das zurückkommende Wasser leiten wir nahe unserer Sommerdurchlüftung ein.
Eine dritte Version wäre die Installation einer Solarheizung, wie sie von verschiedenen Firmen angeboten wird. Sie besteht im wesentlichen aus den Solarzellen, einer Umwälzpumpe und einem langen Schlauchsystem, das auf einer Trommel aufgerollt im Wasser versenkt wird. Da es sich im Gegensatz zu den beiden anderen Methoden um ein geschlossenes System handelt, wird die Anlage nicht mit Teichwasser betrieben, sondern mit frostsicherem Glykol gefüllt. Zwei Temperaturfühler sorgen dafür, daß sich die Anlage bei einem Temperaturanstieg automatisch einschaltet.

Schema einer Solarheizung.

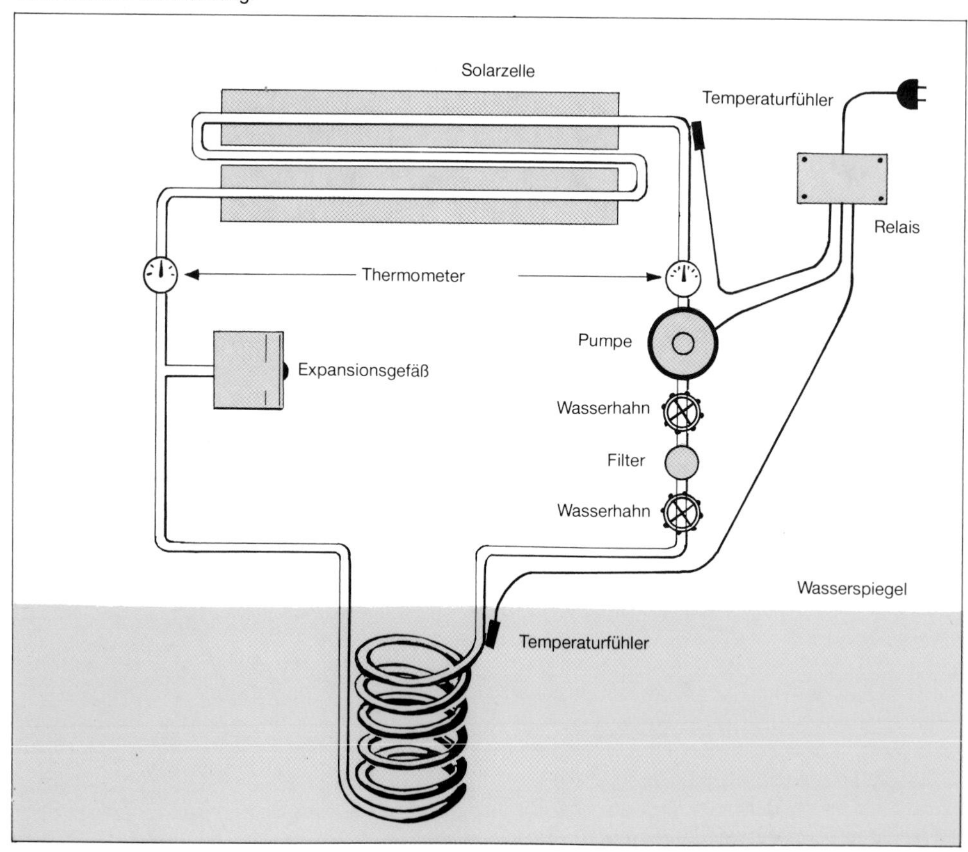

Montage von Solarzellen auf einem Flachdach für die Teichbeheizung.

Beleuchtung

Bei Freilandanlagen kommen wir ohne weiteres mit dem uns zur Verfügung stehenden Tageslicht aus. Eine zusätzliche nächtliche Beleuchtung ist zu Beobachtungszwecken gedacht. Für denjenigen, der seinen Schacht für die Unterwasserbesichtigung ausbauen kann, ergeben sich hierdurch ungeahnte Möglichkeiten.

Für die meisten Wassertiere hat Licht ein ungeheueres Anziehungsvermögen. Nicht nur, daß die Fische angeschwommen kommen und wir Volkszählung halten können. Nein, auch unsere Süßwasserkrebse geben sich ein Stelldichein. Und an der Wasseroberfläche schnappen unsere Wasserfrösche nach den vom Licht angelockten Nachtfaltern.

Als Nachteil konnte ich lediglich feststellen, daß neben ebenfalls ankommenden Futtertieren auch gerade schwimmfähige, noch etwas unbeholfene Jungfische den Alttieren als Beute zum Opfer fallen. Selbst Friedfische werden zuweilen zum Raubfisch. Aber dies ist nur wenige Tage im Jahr der Fall. Wenn wir scharf beobachten und dies feststellen, schalten wir eben für einige Tage die Beleuchtung nicht ein.

Für unsere Zwecke bieten sich hier zunächst sogenannte Unterwasserleuchten an, wie sie in der Aquaristik oder zur Beleuchtung von Schwimmbecken Verwendung finden. Diese Version empfehle ich jedoch nur, wenn es gar nicht anders zu machen ist. Eine wasserdichte Leuchtstoffröhre, 10–20 cm über dem Wasserspiegel montiert, ist zweckmäßiger. Sie irritiert weder den Betrachter noch die Tiere.

Für die Beobachtung von der Oberfläche her ist gegebenenfalls ein Blendschutz ratsam, der unsere Lichtquelle zusätzlich gegen Regen abschirmt. Auch von oben läßt sich das nächtliche Treiben der Wasserbewohner registrieren. Selbst mit einer starken Taschenlampe offenbaren sich uns Dinge, die untertags niemals zu beobachten sind. Jede Ecke des Teiches können wir damit inspizieren. Oft verschwende ich nachts mehr Zeit am Weiherrand als tagsüber. Mückenlarven, die im schlammigen Untergrund herangewachsen sind, streben als Puppen mit zuckenden Schwimmbewegungen zur glatten Wasseroberfläche. Oben angekommen, schlüpft daraus sofort eine flugfähige Mücke und schwirrt in die laue Sommernacht davon. Libellenlarven klettern an Wasserpflanzenstengeln aus dem Wasser, um in den Morgenstunden die pfeilschnelle Libelle zu gebären. Dies alles und noch viel mehr geschieht des Nachts, da diesen Geschöpfen bei Dunkelheit weit weniger Gefahr droht. Wenn wir uns auch nur einen Funken Naturverbundenheit bewahrt haben, werden wir jeden Tag neue Wunder erleben. Voraussetzung ist allerdings, daß wir den Teich weitgehendst in Ruhe lassen.

Beleuchtungssystem (Leuchtstoffröhre) für Gartenteiche mit Beobachtungsschacht.

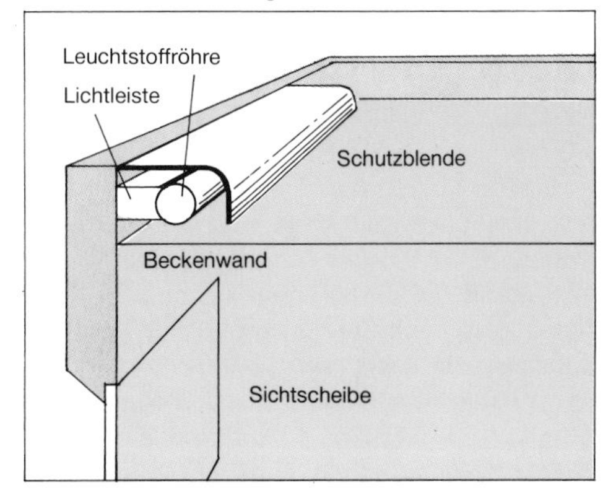

Die Bepflanzung

Einen guten Kontrast zu den buntfarbenen Zuchtformen verschiedener Fischarten bilden die eigenartigen Blattstrukturen und leuchtenden Blüten unserer Sumpf- und Wasserpflanzen. Auch die Blumenpracht einer Feuchten Wiese und der geheimnisvolle Reiz einer Moorlandschaft ziehen uns in ihren Bann. Der Auwald beschert uns einen frühzeitigen Blütenflor, den wir nach den langen Wintermonaten so sehr ersehnen. Für die Nachahmung dieser Biotope sind natürlich gewisse Voraussetzungen durch Feuchtigkeit und entsprechende Bodenverhältnisse zu erfüllen, wobei Lehm als weitgehend neutrale Unterlage meist eine nicht unerhebliche Rolle spielt.

Wassertiefe

Leicht hat es hier der Großteichbesitzer. Ihm sind in der Auswahl seiner Wasserpflanzen – ob großwerdend oder kleinbleibend – kaum Grenzen gesetzt. Er muß lediglich seinen Pflanzen die ihnen zusagende Wassertiefe bieten.

Damit sind wir bereits bei einem neuen Problem, das den Übervorsichtigen vor dem Erwerb einer Pflanzenart, die ihm besonders gut gefällt, zurückschrecken läßt. Und das nur, weil bei dieser Sorte ein Wasserstand von 100 cm angegeben ist, die Wasserhöhe in seinem Becken an der Pflanzstelle aber nur 50 cm aufweist. Sicherlich büßt eine große Seerose bei dieser Wassertiefe etwas von ihrer Schönheit ein, da sich ihre Schwimmblätter sehr bald über die Wasseroberfläche erheben und die Blüten verdecken. Deswegen geht sie aber nicht ein. Sie hat nur ein für unser Auge ungefälliges Aussehen. Ebenso anpassungsfähig sind viele Sumpfpflanzen.

Ich persönlich muß mich nur immer wieder wundern, aus welcher Wassertiefe eine zufällig versunkene Pfeilkrautknolle oder ein Wurzelstück der Schwanenblume seine grünen Pflanzenteile noch nach oben schickt. 50 cm Wasserstand überwinden sie dabei ohne weiteres. Das Grasblättrige Pfeilkraut entwickelt sich eigentlich erst bei 50 cm so richtig.

Wenn unsere Sumpfpflanzen nicht so anpassungsfähig wären, hätten sie wenig Überlebenschancen. In der freien Natur reicht die Variationsbreite von tiefem Wasserstand im Frühjahr bis zur fast völligen Austrocknung ihres Lebensbereiches im Hochsommer. Lediglich der Untergrund ist dann noch feucht. Sie passen sich dabei den jeweiligen Gegebenheiten durch entsprechenden Aufbau ihrer Stengel und Blätter an.

In unserem Teich erwartet sie dagegen ein relativ konstanter Wasserstand. Ihr schönstes Aussehen zeigen sie bei niedrigem Wasserstand. Wir liegen demnach nie verkehrt, wenn unser Sumpfpflanzenteil 5–10 cm überflutet ist. Bei dieser Wasserhöhe gedeihen fast alle Arten optimal. Nur kleinbleibende Sumpfpflanzen wünschen zuweilen einen noch niedrigeren Wasserstand.

Wir müssen ferner bedenken, daß neuerworbene Pflanzen – ganz abgesehen von Transportschäden – bei uns erst einmal ein neues Wurzelsystem ausbilden müssen. Wenn sie anfangs in zu tiefes Wasser gesetzt werden, haben sie auch noch den auf ihnen lastenden Wasserdruck zu überwinden. Es dauert viel, viel länger, bis sie sich zu stattlichen Exemplaren entwickeln. Wir tun demnach gut daran, neuerworbene Pflanzen weniger tief als angegeben zu pflanzen, selbst wenn sie uns dort im Augenblick nicht zusagen. Erst im Frühjahr des nächsten Jahres, wenn die Pflanzen erstarkt sind, setzen wir sie an die gewünschte Stelle.

Von Vorteil ist natürlich, wenn wir bereits in Töpfen vorkultivierte Pflanzen bekommen. Dies ist besonders bei Seerosen zu empfehlen. Wir müssen aber darauf achten, daß die Pflanzen nicht erst gestern eingetopft wurden. So etwas läßt sich jedoch leicht erkennen: Bei bereits angewachsenen Exemplaren ragen aus den Löchern am Boden des Topfes Wurzeln heraus. Auch die Oberfläche des Pflanzsubstrates sowie die Pflanze selbst läßt Rückschlüsse zu.

Gewächse, die mit ihrem Wurzelgeflecht bereits den Bodengrund im Blumentopf durchzogen haben, pflanzen wir natürlich mit Erdbal-

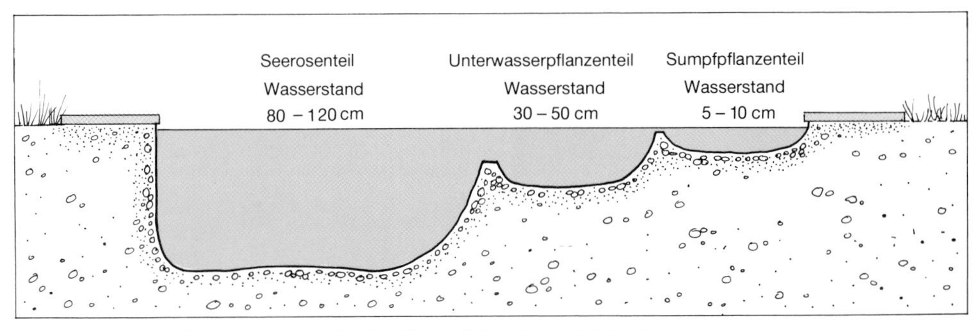

Für ein optimales Pflanzenwachstum ist die Wassertiefe mitentscheidend.

len. Vorher lassen wir aber erst einige Minuten das überschüssige Wasser abtropfen. Auf diese Weise fällt uns der Ballen nicht so leicht auseinander, wenn wir ihn durch Kippen und Umstürzen aus dem Pflanzgefäß herausnehmen. Unten heraushängende Wurzeln sind vorher zu entfernen. Auch eine Trennung des Pflanzsubstrates von der Blumentopfwand mit einem geeigneten Messer ist angeraten. Solche Pflanzen können wir natürlich gleich an Ort und Stelle setzen.

Auch bei einem Versuch, Wasserpflanzen aus Samen zu erhalten, spielt die Wasserhöhe eine entscheidende Rolle. Unterwasserpflanzen oder Seerosen ziehen wir in nur wenige Zentimeter tiefem Wasser (1–3 cm), Sumpfpflanzen am besten nur in nasser Erde. Doch dies nur am Rande. Wir werden aufgrund der Wuchsfreudigkeit und des Vermehrungstriebes unserer Wasserpflanzen ohnedies kaum Gefahr laufen, mit Sämlingen arbeiten zu müssen. Fast alle Arten sind mehrjährig.

Ernährung

Zu einem guten Gedeihen unseres Pflanzenschmuckes benötigen natürlich alle unsere Wasserpflanzen Nährstoffe, die sie dem freien Wasser oder aus dem Bodengrund entnehmen. Vor allem die reinen Unterwasserpflanzen und die Schwimmpflanzen versorgen sich fast ausschließlich direkt aus dem freien Wasser. Erstere vermögen dies vor allem mit Hilfe ihrer Unterwasserblätter. Die Wurzeln dienen mehr oder weniger nur der Verankerung. Bei den schwimmenden Formen sind es die Wurzeln, die frei in das Wasser hängend die Ernährung und damit das Wachstum dieser Pflanzen gewährleisten.

Seerosen holen sich ihre Nährstoffe einmal aus dem Bodengrundwasser, bilden daneben aber ein reich verzweigtes, netzartiges, zartes Saugwurzelsystem aus, das weitflächig direkt dem Bodengrund aufliegt und diese Pflanzen befähigt, ihren Nährstoffbedarf auch aus dem freien Wasser zu beziehen.

Mit dieser Methode arbeitet auch eine Reihe von Sumpfpflanzen, die ebenfalls wie die Seerosen einen ausläufertreibenden Wurzelstock aufweisen. Ja, selbst der Froschlöffel als Einzelpflanze versorgt sich bei Bedarf durch oberflächenorientierte Saugwurzeln. Das Hauptkontingent an Aufbausubstanz für alle unsere Pflanzen liefert das im Wasser und in der Luft enthaltene Kohlendioxid, aus dem diese Gewächse mit Hilfe des Sonnenlichtes über Traubenzucker körpereigene Baustoffe bilden. Für ein optimales Wachstum sind natürlich noch eine Reihe anderer Nährstoffe sowie Spurenelemente notwendig.

Bodengrund

Nachdem wir uns Gedanken über die Nahrungsaufnahme unserer Pflanzen gemacht haben, müssen wir uns überlegen, auf welche Art

Die Pflanzen sitzen in Behältern, die auf einem Betonsockel stehen. Im Vordergrund Schwanenblume (rosa) und Hechtkraut (blau).

und Weise wir ihnen diese Nährstoffe zukommen lassen, ohne unseren Teich in irgendeiner Form zu gefährden. Wie leicht kommt es hier doch zur Sumpfgasbildung oder zur unerwünschten Algenbildung.

Gasbildung entsteht durch Fäulnis im Bodengrund. Wenn sich faulendes Material ohne genügende Berührungspunkte mit dem freien Wasser, z. B. Komposterde unter einer Kiesabdeckung, zersetzt, steigen an dieser Stelle aus dem Bodengrund von Zeit zu Zeit immer wieder kleinere oder größere Luftblasen an die Oberfläche. Durch fehlende Zirkulation kommt nicht genügend Sauerstoff, der für einen gesunden Verwesungsprozeß notwendig wäre, an die Zerfallsubstanz heran. Es spielen sich in diesem Bereich Reaktionen ab, die zur Bildung giftiger Verbindungen für unsere Pflanzen und Fische führen.

Die Natur hat natürlich hierfür Gegenmittel entwickelt. Sie äußern sich in Wassertrübungen und Algenbildung. Beides sind Erscheinungen, die wir nur ungern sehen. Erst wenn die Fäulnisvorgänge zum Abschluß gekommen sind und unsere Wasserpflanzen ausreichend Fuß gefaßt haben, werden diese Reaktionen abklingen.

Hier hilft kein Jammern und Schimpfen. Geduld ist in diesem Fall die beste Therapie. Wenn wir natürlich damit rechnen müssen, daß aufgrund unserer Erdmischung und seiner Dicke diese Fäulnisprozesse jahrelang bestehen, dann tun wir gut daran, unseren Teich nochmals neu zu gestalten.

Von Anfang an müssen wir deshalb auf den Bodengrund besondere Sorgfalt verwenden. Wenn wir unbedingt Erde verwenden wollen, dann nur ungedüngte, lehmige. Komposterde oder Torf hat auch in kleinsten Mengen in unserem Teich nichts verloren. Eine Abdekkung der Erde mit einer gewaschenen Sand-Kies-Mischung ist nach dem Einsetzen der Pflanzen in jedem Fall angeraten. Selbst in unserem fischleeren Naturteich, wo die Erde nicht aufgewirbelt wird, wirkt sie unnötigen Trübungen bei notwendigen Arbeiten entgegen. Bei Zierteichen mit Fischen können wir ebenfalls mit Erde und einer Sand-Kies-Abdeckung arbeiten. Bei den im Bodengrund nach Futter suchenden Goldfischen benötigen wir eine mindestens 5 cm hohe Abdeckung der Erde. Wir nehmen Kies von 1,0–1,5 cm Durchmesser, den wir mit Sand im Verhältnis 1:1 mischen.

In diesem Zusammenhang erhebt sich die Frage, ob wir hier nicht besser von vorneherein ohne Bodengrund oder nur mit einer dünnen Lage Sand-Kies arbeiten und unsere Seerosen in Pflanzbehälter setzen. Eine weitere Möglichkeit ist, eine 10–12 cm hohe, feinkörnigere Sand-Kies-Schicht einzubringen, in die wir unsere Seerosen frei auspflanzen.

Manch einer von uns wird sich nun fragen, von was diese Pflanzen sich ernähren, wachsen und gar noch Blüten hervorbringen sollen. Keine Bange! Wind und Regen wirbeln sehr viele feste Bestandteile in unseren Weiher. Nach dem Untersinken sammeln sie sich sehr bald um unsere Seerosen herum an. Bevor sie noch ein funktionsfähiges Wurzelwerk ausgebildet haben, sind sie von genügend Nährmaterial umgeben, das noch dazu meist locker aufliegt und somit kaum zur Sumpfgasbildung neigt. Außerdem haben wir bereits gehört, daß Seerosen ein Saugwurzelgeflecht an der Bodenoberfläche ausbilden können, das aus dem freien Wasser Nährstoffe entnimmt. Wenn wir des weiteren bedenken, daß bereits Fische unseren Teich bevölkern und mit ihren Exkrementen düngen, bevor unsere Seerosen überhaupt richtig Fuß gefaßt haben, können wir beruhigt mit diesem in jeder Hinsicht gefahrlosen Bodengrund arbeiten. Bei Teichen ohne Fische, also ohne Düngerlieferanten, sollten wir dagegen Lehmerde einbringen.

Pflanzung

Die beste Pflanzzeit ist das zeitige Frühjahr. Im Herbst sollten wir solche Arbeiten unterlassen, da die Gefahr des Verfaulens während der Winterruhe zu groß ist. Wir setzen unsere Pflanzen entweder frei in den Bodengrund oder pflanzen sie in geeignete Behälter. Letzteres hat den Vorteil, daß sich die Pflanzen leicht versetzen lassen. Wucherpflanzen werden wir bei beengtem Raum immer in Behälter »einsperren« müssen. Hochwerdende Sumpfpflanzen kommen nach hinten (am besten Nordseite), zum Vordergrund hin folgen die kleiner bleibenden Gewächse.

Bei Folienteichen ist wegen der leichten Verletzbarkeit der Folie eine Freipflanzung gründlich zu überlegen. Bei Zierteichen mit Fischen und ohne Bodengrund müssen wir unsere Seerosen ebenfalls in Pflanzkörben unterbringen. Früher nahm man zu diesem Zweck Weidenkörbe, Holzkisten oder große Blumentöpfe bzw. -schalen. Heute werden die Pflanzen vielfach in viereckige oder runde Plastikbehälter gepflanzt, deren Wandung gegittert ist. Vor dem Einbringen des Pflanzsubstrates müssen wir sie deshalb erst mit Papier auslegen, sonst fällt uns beim Versenken der Behälter ins Wasser oder beim Auffüllen des Teiches viel Erde heraus. Über die Behandlung der Pflanzen vor dem Einsetzen informieren wir uns im Kapitel »Wasserpflanzenpflege«.

Da die Wurzelstöcke der Seerosen einen starken Auftrieb haben, werden wir sie zusätzlich fixieren. Wir ärgern uns grün und blau, wenn wir uns nur auf unsere Kiesabdeckung verlassen. Es ist schon oft passiert, daß wir gerade mit der Pflanzarbeit fertig waren – nur der Weiher mußte noch ganz vollaufen – da löste sich plötzlich an der tiefsten Stelle unseres Weihers das dort gepflanzte Seerosen-Rhizom aus dem Pflanzkorb und trieb an die Wasseroberfläche. In den nächsten Tagen folgten zwei weitere. Richtigerweise hatten wir das kräftigere Rhizom der großen Seerose an die tiefste Stelle gepflanzt. Wassertiefe und Rhizomgröße aber bewirkten, daß es als erstes an die Oberfläche kam.

Die zurückgeschnittenen Wurzeln waren ein weiteres Handicap. Ich stutze die Wurzeln nie, sondern benutze sie durch fächerartige Ausbreitung nach außen zur besseren Verankerung. Zur Vorsicht fixiere ich aber trotzdem noch große Rhizome. Bei Gitterkörben ziehe ich eine verrottbare Schnur kreuzweise ganz eng über den Wurzelstock. In anderen Fällen lege ich einen entsprechend breiten Stoffstreifen quer über das Rhizom und fixiere ihn mit zwei großen Kieselsteinen neben dem Wurzelstock. Diese Methoden sind sicherer als die teilweise empfohlenen Pflanznadeln. Die Triebspitze muß natürlich frei bleiben. Falls notwendig schneide ich ein Loch in den Stoffstreifen, der ebenfalls aus verrottbarem Material bestehen sollte.

Ist ein hochgetriebenes Rhizom wieder zu versenken, schneide ich mir aus einem grobmaschigen, wurzeldurchlässigen Kartoffelsack aus Naturfasern einen Streifen. In die Mitte kommt das entwurzelte Rhizom, links und rechts davon zwei entsprechend schwere Kieselsteine. Über dem Wurzelstock führe ich die beiden Streifenenden wieder zusammen und vernähe sie. Auch die beiden Steine werden so gut wie möglich durch einige Fadenstiche festgehalten. Zwischen Steine und Rhizom kann ebenfalls eine Naht gelegt werden. Und nun bleibt es unserer Geschicklichkeit überlassen, es wieder auf seinen Pflanzkübel zu jonglieren.

Nach dieser kleinen Abschweifung ist noch die Frage der Abdeckung von Erde in Pflanzbehältern zu klären. Bei gleichzeitiger Pflege von Goldfischen müssen wir groben Kies von 10–15 mm Durchmesser in einer 5 cm hohen Lage einbringen. Die Zwischenräume zwischen den Kieseln können wir zusätzlich mit feinem Sand ausfüllen. Am besten verwenden wir hier nur oben offene Behälter, wenngleich auch Gitterkörbe nach der Durchwurzelung kaum noch Erde nach außen gelangen lassen.

In allen anderen Fällen ist ebenfalls eine Kies-Sand-Bedeckung des Pflanzsubstrates angeraten. Aber hier verwenden wir eine kleinere Kieskörnung (5 mm) und mischen mit Sand im Verhältnis 1:1. Außerdem genügt eine 2 cm hohe Lage. Wir können auch mit nur etwas gröberem Sand abdecken. Ob kalkhaltig oder nicht ist von untergeordneter Bedeutung. Wichtig ist, daß wir unser Abdecksubstrat vor dem Aufbringen erst in einem Eimer gut durchspülen und so vom Staub befreien.

Der Grund für die Bedeckung der Erde ist sehr einfach. Jede geringste Wasserbewegung wirbelt Erde hoch – ganz gleich, ob ein Vogel in unserem Sumpfpflanzenkorb badet, ob ein Molchmännchen seinen Hochzeitstanz im Seerosenkübel vollführt, ob wir unseren Weiher auffüllen oder gar einen Pflanzkorb nachträglich versenken. Unnötige Trübungen aber sollten wir vermeiden. Deshalb wässern wir auch jeden Pflanzkorb vor dem Einbringen in den Teich und entfernen größere Erdverschmutzungen an der Außenwand (Papier nicht verletzen!).

Pflanzbehälter mit hohen Gewächsen müssen vor allen Fällen kippsicher stehen. Sie werden ringsherum mit großen Kieselsteinen abgesichert. Wenn mehrere aneinandergestellt werden und die Pflanzkörbe nach unten enger werden, müssen wir die Zwischenräume ebenfalls gut mit diesem Material ausfüllen. Bei den empfindlichen Folienteichen sind vor allem glatte und runde Kiesel zu nehmen.

Aber schließlich gibt es auch noch andere, weniger umfallgefährdete Pflanzbehälter. Ich denke in diesem Fall an die eigenschweren Eternitkästen. Zwei Stück, in der Länge aneinanderstehend, bringt kein Sturm zum Umfallen. Viereckige oder rechteckige Behälter mit großer Grundfläche eignen sich am besten.

Vorher überziehen wir sie mit einem lebensfreundlichen Kunstharzlack. Auch schwarze Silofarbe ist geeignet. Mit Silokitt oder Silikon verschließen wir die wasserableitenden Löcher am Boden. Für alle diese Arbeiten muß der Untergrund staub- und fettfrei sein.

Am natürlichsten wirken wohl Behälter aus Holz. Sie sind nur nicht so einfach in passender Größe zu bekommen (Obstkisten).

Im Bodengrund wurzelnde Unterwasserpflanzen setzen wir bei der Neuanlage am besten frei in unser Pflanzsubstrat auf den Teichboden. Ist unser Teich bereits mit Wasser gefüllt, versenken wir sie an der vorgesehenen Stelle. Wir umwickeln jeweils fünf Stück am unteren Ende einige Male mit einem Zwirnsfaden und verbinden beide Schnurenden gefühlvoll zu einem Knoten. Unser »Gebinde« müssen wir nun noch entsprechend beschweren, damit es auf den Grund unseres Teiches hinabsinkt. Am einfachsten befestigen wir es auf die eben geschilderte Weise an einem länglichen Kieselstein. Alle Unterwasserpflanzen lassen sich nicht gerne »einsperren«. Im übrigen sollen die Pflanzbehälter nie bis zum oberen Rand gefüllt sein.

Einheimische Wassernuß kurz nach dem Austrieb mit ihrer bizarr geformten Frucht.

Pflanzenauswahl und -beschaffung

Vielleicht haben uns einige Unsicherheitsfaktoren bisher davon abgehalten, einen Miniteich in Form einer eingegrabenen, größeren Waschschüssel anzulegen. Allerdings lassen sich hier nur kleinbleibende Wassergewächse mit Erfolg pflegen. Hier gilt ferner die Parole: In der Beschränkung zeigt sich der Meister. Entweder wir nehmen nur Pflanzen mit Schwimmblättern oder wir bepflanzen unser Gefäß mit zarten Unterwassergewächsen.

Pflanzen für den Miniteich

Schwimmpflanzen

Zwergseerosen (*Nymphaea tetragona,* kleinwüchsige Hybriden)
Kleine Teichmummel (*Nuphar pumila*)
Seekanne (*Nymphoides peltata*)
Froschbiß (*Hydrocharis morsus-ranae*)
Wasserstern (*Callitriche palustris*)
Schwimmender Hahnenfuß (*Ranunculus aquatilis*)
Büschelfarn (*Salvinia natans*)
Moosfarn (*Azolla caroliniana*)
Schwimmendes Lebermoos (*Ricciocarpus natans*)

Unterwasserpflanzen

Zwerg-Wasserschlauch (*Utricularia minor*)
Durchwachsenblättriges Laichkraut (*Potamogeton perfoliatus*)
Kammförmiges Laichkraut (*Potamogeton pectinatus*)
Dichtes Laichkraut (*Groenlandia densa*)
Teichfaden (*Zannichellia palustris*)
Wasserpest (*Elodea canadensis*)
Wasserhahnenfuß (*Ranunculus circinatus*)
Wasserlebermoos (*Riccia fluitans*)
Dreiteilige Wasserlinse (*Lemna trisulca*)

Diese Aufzählung ist nur als Hinweis gedacht, welche Arten hier in Frage kommen. Im übrigen wählen wir nur Pflanzen aus, die uns besonders gut gefallen. So sind z. B. eine Seerose, zwei Arten Unterwasserpflanzen und vielleicht eine Sumpfpflanze für eine Badewanne vollauf genug. Wir müssen uns immer vor Augen halten, daß diese Pflanzen nicht nur größer werden, sondern sich auch vermehren. In relativ kurzer Zeit wird eine kleine Wasserfläche von ihnen vollkommen in Besitz genommen, so daß wir nicht umhin können, lichtend einzugreifen. Gerade so etwas aber tut unserem Weiher – sprich dem Wasser – ungemein weh. Deshalb ist es besser, unseren Teich nicht gleich von vorneherein mit Pflanzen zu überladen.

Andererseits soll er aber auch von Anfang an nicht zu kahl wirken. Hier müssen wir eben mit Einfühlungsvermögen und Fingerspitzengefühl an die Sache herangehen. Wenn es auch im ersten Jahr noch nicht so klappen sollte, wie wir uns das vorstellen, so sammeln wir zumindest über das Wachstum unserer Wasserpflanzen Erkenntnisse, die wir im nächsten Jahr erfolgreich verwerten können. Gerade bei einem Miniteich ist es nicht ganz einfach, ohne störenden Eingriff einige Quadratzentimeter Wasserfläche offenzuhalten.

Leider sind einige der uns interessierenden Arten bereits am Aussterben oder stehen unter Naturschutz. Sie dürfen nicht der Natur entnommen werden, selbst wenn ihre anderweitige Beschaffung oft einige Mühe bereitet.

Da die Idee eines Wassergartens erst in neuerer Zeit immer mehr Anhänger findet, müssen wir oft lange nach einer Spezialgärtnerei fahnden, die uns die gewünschte Pflanze liefern kann. Dies trifft natürlich nur für ausgefallene Pflanzen zu. Viele Seerosen, Sumpf- und Unterwasserpflanzen kann uns fast jeder Gartencenter und jedes einschlägige Zoofachgeschäft während der Saison liefern. Passende Gewächse für die Umgebung unseres Gartenteiches ersehen wir aus den zahlreichen Abbildungen und der Tabelle ab S. 134. Ihre Beschaffung bringt meist keine sehr großen Probleme mit sich. Die Bezugsquellen seltener Sorten erfragen wir über die

Gesellschaft der Staudenfreunde e.V.
Justinus-Kerner-Str. 11, 7250 Leonberg
Tel. 07152/27464

Seerosen – Wildformen

Die **Zwergseerose** (*Nymphaea tetragona*) ist selbst für kleinste Becken bestens geeignet. Leider ist sie etwas schwer zu bekommen. Ihre Heimat sind die nordischen Länder, das Verbreitungsgebiet reicht von Skandinavien über Rußland bis nach China. Sie stellt demzufolge keine großen Temperaturansprüche an ihre Umgebung.
Schon im zeitigen Frühjahr wiegen sich die olivgrünen Schwimmblätter auf der Wasseroberfläche, und es dauert nicht lange, dann erscheinen die kleinen, zarten Blütenknospen. Die ersten wärmenden Sonnenstrahlen bringen die Knospen zur Entfaltung. Eine kleine Blüte von 2–3 cm Durchmesser kommt zum Vorschein, die sehr bald von Insekten besucht wird. Denn nur drei Tage lang währt dieses Wunder. Am vierten Tag sinkt die Blüte unter.
Im Blütenboden aber reifen die Samen zu dunklen, kugeligen Gebilden heran. Wenn sie reif sind, verfault die Samenkapsel, und die einzelnen Samenkörner sinken auf den Grund des Gewässers. Sie verbringen den Winter geschützt im Bodenschlamm. Erst im nächsten Frühjahr regt sich in ihnen neues Leben. Ein einsames Würzelchen und ein winziges Blättchen sind die ersten Lebenszeichen. Bald werden ihrer jedoch mehr sein.
Wenn die Wassertiefe stimmt und der junge Keimling nicht von anderen Pflanzen überwuchert wird, entwickelt sich daraus im Laufe des Sommers eine neue, kräftige Pflanze. Ihre Blüten entfaltet sie aber erst im zweiten Lebensjahr.
Im Gegensatz zu ihren Verwandten besitzt sie keinen Wurzelstock und vermehrt sich leider nicht durch Bildung von Tochterpflanzen. Die Zwergseerose ist jedoch mehrjährig. Wir brauchen sie nicht alljährlich neu aus Samen zu ziehen. Dem versierten Liebhaber möchte ich allerdings aus eigener, trüber Erfahrung raten, jedes Jahr auch einige Sämlinge großzuziehen.
Bereits wesentlich größer in Blüte und Blatt ist unsere sagenumwobene einheimische **Weiße Seerose** (*Nymphaea alba*). Die herzförmigen Blätter zeigen eine grünolivfarbene Tönung. Ihr Durchmesser hängt vom Nährstoffgehalt des Untergrundes ab. Bieten wir ihr nur mageren Bodengrund, bleibt sie klein und ist in diesem Fall auch bedingt für kleine Behälter zu verwenden. Sie besitzt allerdings einen Wurzelstock, aus dem immer wieder neue Pflanzen hervorkommen. Ein Kleingewässer kann sie somit im Laufe eines Sommers vollständig ausfüllen und bedecken.
In diesem Fall bleibt es uns nicht erspart, diese Pflanze durch Abtrennen von Trieben mit einem scharfen Messer im Zaume zu halten. Als Wildform bildet unsere Seerose Samen aus. Sie kann sich also auf zweierlei Weise vermehren.
Ebenfalls in Europa beheimatet ist die **Glänzende Seerose** (*Nymphaea candida*). Ihre Blüten sind kleiner als bei *Nymphaea alba*.

Seerosen-Wildformen

Deutscher Name	Botanischer Name	Blütenfarbe	Blütezeit	Wassertiefe
Zwergseerose	*N. tetragona*	weiß	Mai–Sept.	20–30 cm
Weiße Seerose	*N. alba*	weiß	Juni–Sept.	50–80 cm
Glänzende Seerose	*N. candida*	weiß	Juni–Sept.	50–80 cm
Wohlriechende Seerose	*N. odorata*	weiß	Juni–Sept.	50–80 cm
Knollenseerose	*N. tuberosa*	weiß	Juni–Sept.	50–80 cm
Mexikanische Seerose	*N. mexicana*	gelb	Juli/Aug.	40–60 cm
Sternblütige Seerose	*N. stellata*	blau	Juli/Aug.	40–60 cm
Tigerlotos	*N. lotus*	weiß	Juli/Aug.	40–60 cm

Einheimische Weiße Seerose mit leicht rosafarbenem Akzent.

Die **Wohlriechende Seerose** (*Nymphaea odorata*) und die **Knollenseerose** (*Nymphaea tuberosa*) kommen aus Nordamerika zu uns. Die letztgenannte Art erhielt ihren Namen von der Form ihres Wurzelstocks. Beide Wildformen sind übrigens winterhart. Die **Mexikanische Seerose** (*Nymphaea mexicana*) dagegen scheint etwas empfindlicher zu sein. Wir pflanzen sie wegen ihrer starken Ausläuferbildung in einen großen Kübel mit Henkel, damit wir sie im Herbst entweder herausnehmen oder auf den Grund des Weihers verbringen können. Bei mir überwintert sie in einer Wassertiefe von 80 cm anstandslos. Geblüht hat sie im Freiland leider noch nicht.
Die **Sternblütige Seerose** (*Nymphaea stellata*) kommt aus Asien zu uns, die **Tigerlotos** (*Nymphaea lotus*) ist in Afrika beheimatet. Als rein tropische Seerosen überdauern sie wohl den Sommer bei uns und bilden auch Blätter. Wegen der fehlenden Wasserwärme kommt es jedoch kaum zu einer Blütenbildung. Vielleicht klappt es im solarbeheizten Freiland- oder Gewächshausteich besser. Beide Arten sind im Zoofachhandel erhältlich.

Seerosen-Hybriden

Durch Kreuzung von Seerosen der kalten Zone mit Wildformen aus tropischen Gebieten ist es nach anfänglichen Fehlschlägen gelungen, einige winterharte Sorten mit gelben Blütenfarben oder aber rotfarbene Seerosen herauszuzüchten. Besondere Verdienste hat sich dabei ein Franzose namens Marliac erworben, der im 19. Jahrhundert lebte. Ihm verdanken wir heute rot- und gelbblühende Seerosentypen, die auch bei uns den Winter in frostfreien Wassertiefen unbeschadet überstehen. Mit der Zeit kamen natürlich noch eine Reihe von Zwischenfarben hinzu, so daß wir heute bereits über eine stattliche Farbenpalette verfügen. Eigentlich fehlt nur noch eine winterharte blaublühende Art in der Sammlung.
Natürlich ging der Trend hier auch dahin, Zwergformen für kleine Behälter herauszuzüchten. So gibt es heute Zuchtformen mit weißen, gelben und roten Blüten, die oft als *Pygmaea*-Seerosen bezeichnet werden. Der Durchmesser der offenen Blüte ist unterschiedlich, die Blattspreite liegt im Mittel bei 10 cm.
Bezüglich ihrer Entstehung lassen sich die Züchter nicht so leicht in die Karten blicken. Bei allen dreien mag jedoch die nordische *N. tetragona* eine Rolle gespielt haben. Durch Kreuzung mit *N. alba* dürfte die Sorte 'Alba' entstanden sein. Bei der gelbblühenden 'Helvola' wird vermutlich die Wildform *N. mexicana* ihren Anteil beigetragen haben. Nur bei der 'Ellisiana' ist es schwer zu sagen, welche Seerosenarten hier gekreuzt wurden.
Das ist im Grunde für uns Wassergartenliebhaber auch gar nicht von entscheidender Bedeutung. Für uns geht es einzig und allein darum, welche Seerosenfarbe uns besonders gefällt. Erst in zweiter Linie müssen wir auf unsere

Teichausmaße Rücksicht nehmen und uns überlegen, ob wir auf Zwergformen zurückgreifen müssen oder ob unser Teich gar schon farbige Seerosen mittleren Formates verträgt.
Wie wir aus der nachfolgenden Aufstellung ersehen, bieten sich besonders auf dem rosablühenden Sektor eine Reihe von Farbvarianten an. Sie alle zählen jedoch bereits zu den größer werdenden Arten. Lediglich ein weniger freudiges Wachstum macht die eine oder andere Art für kleinere Becken bedingt tauglich. Ein einfacher Kunstgriff ist, unsere Seerose in mageren Bodengrund zu setzen. Selbst große Seerosen müssen sich dann in ihrer Ausdehnung bescheiden. Über ihre Blühwilligkeit konnte ich gegenüber fetterem Untergrund keinen nennenswerten Unterschied feststellen. Blüten und Blätter blieben lediglich etwas kleiner. Aber gerade diesen Effekt wollen wir ja bei kleinen Becken erreichen, wenn wir noch etwas von der Wasseroberfläche sehen wollen. Unter Umständen schneiden wir die äußeren Blätter, die ohnedies die älteren sind, vollständig weg. Aber bitte so, daß nicht anschließend die ihres Blattes beraubten Stengel als stumme Zeugen unserer »Amtshandlung« über die Wasseroberfläche hinausragen!
Wenn wir alte oder gar absterbende Blätter, die die äußere Grenze einer Seeroseninsel umsäumen, den ganzen Sommer hindurch regelmäßig entfernen, ist dies wohl die einfachste Methode, unsere Seerosen ohne einen größeren störenden Eingriff unter Kontrolle zu behalten. Auch alte Blüten sind zu entfernen, da sie ohnedies keine Samen enthalten.
Einen tropischen Vertreter, nämlich *Nymphaea × daubenyana* konnte ich schon im Freiland zum Blühen bringen. Sie ist aus einer

Oben: *Nymphaea* 'James Brydon' zählt zu den farbenprächtigsten rotblühenden Hybriden.

Mitte: *Nymphaea* 'Marliacea Chromatella' ist die dankbarste Sorte unter den gelben Seerosen.

Unten: Diese unbekannte Schönheit besticht durch Farbbeständigkeit und lange Blühdauer.

natürlichen Kreuzung von *N. micrantha* × *N. caerulea* entstanden. Einen Überwinterungsversuch durch Absenken des Pflanzgefäßes in tieferes Wasser habe ich jedoch noch nicht unternommen.
Außer durch die hellblauen Blüten ist diese Seerose durch ihre Jungpflanzenbildung am Übergang des Stieles in das Blatt bemerkenswert. Ich habe dieses bisher nur aus Blüten bei *Nymphaea odorata* 'Sulphurea' erlebt. Besonders nett anzusehen ist, wenn diese Jungpflanzen gar mit Blüten aufwarten. Die Bildung von Tochterpflanzen scheint jedoch nur im geheizten Gewächshaus zu erfolgen.

Am Übergang vom Stiel zum Blatt bildet *Nymphaea × daubenyana* bereits Jungpflanzen, die – wie hier zu sehen – auch schon blühen können.

Seerosen-Hybriden

Deutsche Namen	Botanische Namen und Sorten	Blütenfarbe	Wassertiefe
Zwergformen	*N.* 'Alba'	weiß	30–40 cm
	N. 'Helvola'	gelb	20–30 cm
	N. 'Ellisiana'	rot	30–40 cm
Mittelgroße Arten	*N.* 'Moorei'	gelb	40–60 cm
	N. odorata 'Sulphurea'	gelb	40–60 cm
	N. 'Mme. Wilfron Gonnere'	hellrosa	40–60 cm
	N. odorata 'Rosennymphe'	hellrosa	60–80 cm
	N. tuberosa 'Rosea'	rosa	40–60 cm
	N. 'Formosa'	rosa	60–80 cm
	N. 'Laydeckeri Lilacea'	lilarosa	40–60 cm
	N. 'Aurora'	kupfer	40–60 cm
	N. 'James Brydon'	himbeerrot	40–60 cm
	N. 'Escarboucle'	rubinrot	40–60 cm
	N. 'Laydeckeri Fulgens'	weinrot	40–60 cm
	N. 'Froebeli'	karminrot	30–50 cm
	N. 'Laydeckeri Purpurata'	karminrot	30–50 cm
Große Arten	*N.* 'Gladstoniana'	weiß	60–80 cm
	N. 'Marliacea Albida'	weiß	60–80 cm
	N. tuberosa 'Pöstlingsberg'	weiß	70–90 cm
	N. 'Marliacea Chromatella'	gelb	60–80 cm
	N. 'Marliacea Rosea'	zartrosa	50–80 cm
	N. 'Candidissima Rosea'	zartrosa	60–80 cm
	N. 'Attraction'	granatrot	60–80 cm
	N. 'Atropurpurea'	granatrot	60–80 cm
	N. 'William Falkoner'	rubinrot	60–80 cm
	N. 'Charles de Meurville'	weinrot	50–80 cm
Tropische Arten	*N. × daubenyana*	hellblau	40–60 cm
	N. caerulea	blau	40–60 cm

Teichrosen

Neben den verschiedenen Seerosenarten sind auch winterharte Vertreter aus der Gruppe der Teichrosen nennenswert. Während die ersteren unter der botanischen Bezeichnung *Nymphaea* geläufig sind, dürfte der Name *Nuphar* etwas weniger bekannt sein. Wir unterscheiden zwischen der **Großen** (*Nuphar lutea*) und der **Kleinen** (*Nuphar pumila*) **Teichmummel**, wie sie auch genannt werden.
Ersterer begegnen wir noch häufig in stehenden Gewässern unserer Heimat. Aus einem oft armstarken Wurzelstock entsendet sie noch aus 2–3 m Wassertiefe ihre hellgrünen, großen Schwimmblätter. Sie ist demnach nur für größere Becken geeignet, bildet aber mit ihren hellgrünen Blättern einen guten Kontrast zu den übrigen Seerosengewächsen.
Die Blüten selbst erheben sich mehrere Zentimeter über den Wasserspiegel. Wenn sie auch im Verhältnis zu einer Seerosenblüte unscheinbar wirken und auch nicht so reichlich blühen, verleihen sie doch unserem Teich eine besondere Note.
Die Kleine Teichrose eignet sich ihrer Größe nach für Miniteiche, wünscht aber mehr weiches und saures Wasser.
Die **Nordamerikanische Teichrose** (*Nuphar advena*) entspricht in ihrem Habitus wiederum unserer Großen Teichmummel. Ein wesentliches Unterscheidungsmerkmal wird für uns lediglich bei der Blüte offenbar. Unsere Teichrose besitzt gelbe Staubgefäße, bei der Nordamerikanerin sind sie dagegen orangefarben gefärbt.

Im Handel kommt noch eine vierte Art vor. Die **Japanische Teichrose** (*Nuphar japonica*) liegt größenmäßig zwischen der Großen und der Kleinen Teichrose, ist also für mittlere Teiche empfehlenswert. Auch sie erzeugt zu Beginn des Frühjahres erst eine Reihe von zarten Unterwasserblättern unter der Wasseroberfläche, bevor sich das erste pfeilspitzenähnliche Schwimmblatt zeigt.
Bald erheben sich auch die ersten Blütenkronen über die Wasseroberfläche. Da alle genannten Teichrosen-Arten Wildformen sind, erfolgt bald der Besuch zahlreicher Insekten. Sie bewirken die Befruchtung der Blüte. Nach wenigen Tagen fallen die Blütenblätter ab, der Blütenboden aber schwillt im Laufe der nächsten Wochen zu einem birnenförmigen Gebilde heran. Sehr nett sind dabei die sternförmig abstehenden, verbliebenen Kelchblätter anzusehen. Schließlich taucht der Fruchtstand in das Wasser ein.

Teichrosenblüten.

Teichrosen

Deutscher Name	Botanischer Name	Blütenfarbe	Blütezeit	Wassertiefe
Große Teichrose	*Nuphar lutea*	gelb	Juni–Sept.	80–120 cm
Kleine Teichrose	*Nuphar pumila*	gelb	Juni–Sept.	30– 50 cm
Nordamerikanische Teichrose	*Nuphar advena*	gelb	Juni–Sept.	80–120 cm
Japanische Teichrose	*Nuphar japonica*	gelb	Juni–Aug.	50–100 cm

Schwimmblattpflanzen

Seekanne (*Nymphoides peltata*)

In der Schwimmblattform an eine Teichrose erinnernd präsentiert sich die Seekanne. Eine Pflanze, die wegen ihrer Kleinheit für Miniteiche geeignet ist. Ein Nachteil ist allerdings ihr Ausbreitungsdrang im Laufe des Sommers. Sie vermehrt sich durch einen oft meterlangen Ausläufer. Auf seiner »Wanderung« bildet dieser unterwegs eine Reihe von Tochterpflanzen.
Am Ende dieser Kette erscheint im Juli plötzlich eine Gruppe von Blütenknospen. Aus ihnen gehen enzianähnliche Blüten mit gelber Farbe hervor.
Einmal eingesetzt wird sie fast mit jeder »Lebenslage« fertig. Heil über den Winter kommen allerdings meist nur die Ausläufer, die im Bodengrund Fuß fassen konnten. Die Mutterpflanze stirbt im Herbst ab. Ihre Funktion übernehmen im nächsten Jahr die »Töchter«. Die großen, eigenartigen Samenkapseln enthalten viele bräunliche Früchte, die anfänglich gerne längere Zeit auf der Wasseroberfläche schwimmen.

Blüten und Schwimmblätter der Seekanne.

Unterwasserbanane (*Nymphoides aquatica*)

Dieses im Zoofachhandel als Aquarienpflanze erhältliche Gewächs ist in den tropischen Gebieten Südamerikas zuhause. Aus einem bananenbündel-ähnlichen Wurzelstock erscheinen im späten Frühjahr die Schwimmblätter. Die Blüten sitzen auf langen Stielen am Übergang vom Stengel zum Blatt. Die Pflanze ist nach meinen Erfahrungen winterhart, wenn wir sie im Herbst von ihrem Sommerstandort in tiefere Wasserschichten verbringen.

Wassernuß (*Trapa natans*)

Eine Schwimmblattrosette aus rautenförmigen, olivgrünen Blättern, die durch einen blasenförmig aufgetriebenen Stiel mit dem Vegetationszentrum verbunden sind, charakterisiert das Erscheinungsbild der Wassernuß ab Ende Mai. Zum Boden führt ein einsamer Stiel, dem gelegentlich einige verästelte Saugwurzeln entspringen. Im Bodengrund selbst wurde unsere *Trapa* aus einem an eine Nuß erinnernden Gebilde mit vier hakenartigen Auswüchsen geboren. Es ist der Same bzw. die Frucht dieser Pflanze, die ihr auch den Namen gegeben hat.
Früher war die Wassernuß weit verbreitet, die Frucht selbst wurde gesammelt und diente als willkommene Speise. In den Pfahlbauten am Bodensee wurden z. B. größere Mengen dieser stärkehaltigen Nüsse gefunden. Auch die Mönche in den Klöstern kannten ihren Wert. Sie sollen sie in ihren Klosterweihern sogar angebaut haben. Heute ist diese Schwimmpflanze in Deutschland praktisch ausgestorben, da sie an den wenigen Stellen, wo sie noch vorkommt, als lästiges Unkraut unnachsichtig ausgerottet wird.

Dabei gehört sie nicht gerade zu den einfach zu pflegenden Wasserpflanzen. Ich möchte fast sagen, sie ist mit eine der schwierigsten. Die Wassernuß benötigt neben einem nährstoffreichen Wasser für ihr Wohlbefinden mindestens eine Wassertiefe von 1 m und sehr viel freien Wasserraum. Die unmittelbare Nähe von Seerosen oder anderen Wasserpflanzen bringt sie aus dem Konzept.
Für ihr Wohlbefinden ist außerdem die Wasserwärme ausschlaggebend. Wenn sich das Wasser in unserem Teich durch starke Beschattung nur sehr zögernd erwärmt, erscheinen auch die unscheinbaren weißen Blüten sehr spät am Ursprung der Blattstengel. Meist erheben sie sich gar nicht über die Wasseroberfläche. Es kommt zur Selbstbestäubung unter Wasser. Der Zeitraum bis zur Ausbildung der reifen Nuß ist aber meist zu kurz. Der erste Frost versetzt der Mutterpflanze den Todesstoß. Jede zu diesem Zeitpunkt noch mit der Pflanze verbundene unreife Nuß ist für die Natur und für uns verloren. Fürwahr eine nicht ganz problemlose Pflanze!
Wenn wir ihr nicht die notwendige freie Wasseroberfläche und zusagende Temperaturverhältnisse bieten, werden wir uns nur in dem Jahr an der Blattrosette erfreuen, in dem wir im zeitigen Frühjahr eine bereits angekeimte Nuß aussetzen. Sollte uns der Trieb bei dieser Gelegenheit abbrechen, ist es mit der Herrlichkeit vorbei. Ein zweites Mal keimt sie nicht mehr. Vorsicht ist aber auch mit Nüssen geboten, die nicht ausgetrieben haben. Durch Keimverzögerung geschieht dies oft erst zwei oder drei Jahre später.
An der Wasseroberfläche bildet unsere Wassernuß zu Anfang zwei Blattrosetten. Nur die stärkere wird jedoch voll ausgebildet; die schwächere verkümmert im Laufe der Zeit. Sollte jedoch die große Rosette zu Schaden kommen oder abbrechen, übernimmt fortan die kleinere ihre Aufgabe. Eine Vorsichtsmaßnahme der Natur! Blattrosetten, die keine Verbindung mehr mit ihrem Ursprung, der Nuß, haben, bilden keine Blüten, also auch keine Nüsse mehr. Sind bereits Früchte ausgebildet, können wir noch Glück haben.

Gerade über diese gefährdete Pflanzenart sollen wir eben alles wissen. Vielleicht gelingt es dem einen oder anderen von uns, sie erfolgreich zu kultivieren, weitere Erfahrungen zu sammeln und so eine in Freiheit bedrohte Pflanze wenigstens in unserem Gartenteich zu erhalten.
Bei den zumeist angebotenen Wassernußrosetten handelt es sich leider nicht um die einheimische Art, sondern um *Trapa bicornis* aus dem tropischen Asien. Aber es ist trotzdem ein erhebendes Gefühl, wenigstens einen Sommer lang eine Wassernuß besessen zu haben.

Schwimmendes Laichkraut (*Potamogeton natans*)

Zu den Schwimmblattpflanzen müssen wir aus der meist untergetaucht lebenden Gruppe der Laichkräuter diese Art rechnen. Aus einem im Boden kriechenden Wurzelstock werden elliptische, olivfarbene Schwimmblätter zur Oberfläche entsandt. Der ährenartige Blütenstand ist dicht mit kleinen Blüten besetzt. Die im Wasser befindlichen Teile fühlen sich durch Kalkablagerungen oft hart und rauh an.
Eine Pflanze, die noch relativ häufig ist, aber bei den Gartenteichliebhabern bisher wenig Anklang findet. Es gibt noch eine Reihe weiterer Laichkrautarten mit Schwimmblättern.

Wasserähre (*Aponogeton distachyos*)

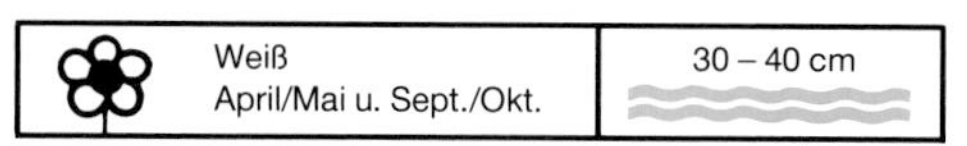

Etwas mehr Interesse verdient wiederum die Schwimmende Wasserähre. Obwohl die Pflanze aus Südafrika stammt, kann sie bei uns im Freien überwintert werden. Wir müssen nur darauf achten, daß die Wurzelknolle bei Eintritt des Frostes mindestens 50 cm unter der

Die Wasserähre, eine Pflanze mit Extremen: Die Südafrikanerin ist winterhart.

Der Goldkolben gehört zur Familie der Aronstabgewächse.

Wasseroberfläche zu liegen kommt. Am besten pflanzen wir sie aus diesem Grunde nicht frei, sondern in ein Gefäß, das wir je nach Bedarf höher oder tiefer stellen können. Während der Wachstumsperiode wünscht diese Pflanze nämlich einen niedrigeren Wasserstand.
Bald liegen die ersten, länglichen Blätter auf der Wasseroberfläche und je nach Witterung erheben sich bereits im zeitigen Frühjahr die ersten Blütenstände über den Wasserspiegel. Nach einer Art Sommerruhe beginnt sie im Herbst erneut auszutreiben und zu blühen, und das zuweilen bis zum ersten Frost. Als ursprünglicher Südafrikaner eine beachtliche Leistung, wenn wir bedenken, daß sie auch bei uns keimfähige Samen bildet, die im gleichen Jahr noch austreiben.

Goldkolben
(*Orontium aquaticum*)

Der Goldkolben, auch Goldähre oder Goldkeule genannt, stammt ursprünglich aus dem atlantischen Nordamerika. Die deutschen Bezeichnungen charakterisieren wohl am besten Form und Farbe des Blütenstandes.
Diese Pflanze vermehrt sich durch zahlreiche Ausläufer. Als sogenannten Tiefwurzler setzen wir *Orontium* ausnahmsweise in einen Kübel, den wir ca. 30 cm hoch mit lehmiger, nahrhafter Erde füllen. Zum Schutz gegen die allzu neugierigen Goldfische decken wir die Oberfläche gut mit einer Lage der bereits mehrfach erwähnten groben Sand/Kies-Mischung ab.
Der Goldkolben wünscht untergetaucht 20 bis 40 cm Wassertiefe. Seine oberseits blaugrünen Blätter liegen hierbei meist der Wasseroberfläche auf. Das Wachstum ist entsprechend seiner Herkunft von der Wasserwärme abhängig. Der Winter kann ihm im wassergefüllten Freilandteich wenig anhaben. Er ist absolut winterhart, so daß wir ihn auch nicht in tiefere Wasserschichten verbringen müssen.
Oftmals erscheint der Blütenkolben im Frühjahr noch vor den ersten Blättern. Seine volle Schönheit entfaltet der Goldkolben als Sumpfpflanze bei niedrigem Wasserstand, voller Sonnenbestrahlung und nahrhaftem Untergrund. Nach der Befruchtung reifen die Samen an den nunmehr auf der Wasseroberfläche ruhenden Kolben bis zu Kirschkerngröße heran und bilden im Mai neue Pflänzchen.

Wasserknöterich (*Polygonum amphibium*)

Zu den seltener gepflegten Wasserpflanzen zählt der Wasserknöterich. Aus einem im Bodengrund kriechenden Wurzelstock wird ein langer Stengel zur Oberfläche entsandt. Diesem entwachsen an der Wasseroberfläche sattgrüne Schwimmblätter von elliptischer Form, welche an langen Stielen sitzen. Frühestens im Juni entfaltet sich bei dieser hübschen Pflanze eine rosarote Blütenähre über dem Wasserspiegel. Wie viele kleinere Schwimmblattpflanzen kommt er am besten in einer größeren Gruppenpflanzung zur Geltung.
Leider wünscht diese Schwimmblattpflanze wie die Wassernuß viel freie Wasseroberfläche. Nur wenn wir diese Forderung erfüllen, wird der Wasserknöterich uns jedes Jahr von neuem erfreuen. Haben wir für ihn im Wasserteil keinen angemessenen Platz, ist vielleicht in der Sumpfpflanzenecke oder Feuchten Wiese noch ein Eckchen frei. Hier fühlt er sich sicherlich auch wohl. Ist er doch als »Landform« nicht so anspruchsvoll wie im Wasser. Ein sehr schönes Beispiel der Anpassungsfähigkeit, das sehr vielen Sumpfpflanzen überhaupt erst ein Überleben ermöglicht. Die Landform ist allerdings sehr blühunwillig.

Wasserstern (*Callitriche palustris*)

Als leuchtend hellgrüne Sternchen schwimmen die zuletzt gebildeten Blätter des Wassersterns auf der Wasseroberfläche. Schon ihre Farbe und Zartheit lassen auf ein empfindliches Pflänzchen schließen. Bewegtes Wasser oder starke Sonneneinstrahlung bedingen rasch den Zerfall dieses zierlichen Gewächses. Bieten wir ihm dagegen ein ruhiges, gut beschattetes Plätzchen, haben wir genau das Richtige getroffen.
Durch seinen Zwergwuchs (einzelner Pflanzendurchmesser 2 cm) ist er selbst für kleinste Wasseransammlungen zu empfehlen. Ein kleiner Behälter, an einem schattigen Platz aufgestellt und nur mit dieser Pflanze besetzt, ist allein ein Erlebnis für den Kenner.

Schwimmender Wasserhahnenfuß (*Ranunculus aquatilis*)

Reizende gelappte Schwimmblätter bildet der Wasserhahnenfuß, sobald die im Schlamm wurzelnde Pflanze mit langem Stengel die Oberfläche erreicht hat. Auf ihrem Weg nach oben bildet sie eine Reihe feinfiedriger Unterwasserblätter aus. Da sie gerne in Nachbarschaft mit ihresgleichen wächst, pflanzen wir sie zu mehreren. Die weiße Blüte ist im Verhältnis zur übrigen Pflanze als groß zu bezeichnen.
Diese Wasserhahnenfußart – wir werden noch andere kennenlernen – kommt in ihrer Schönheit natürlich nur zur Geltung, wenn sie nicht allzusehr von anderen Pflanzen bedrängt wird.

Der Schwimmende Wasserhahnenfuß ist von den untergetaucht lebenden Hahnenfuß-Arten die attraktivste.

Wassermohn
(*Hydrocleys nymphoides*)

Obwohl seine Heimat das tropische Südamerika ist, gedeiht der Wassermohn oder »Teichrosenähnliche Wasserschlüssel« während der Sommermonate auch in unserem Gartenteich. Wir müssen ihm nur ein möglichst sonniges und damit warmes Plätzchen in unserem Wasserteil zuweisen. Zeigt unser Thermometer 17° C im Wasser an, setzen wir ihn ins Freie. Bei einer Wassertemperatur von ca. 20° C erscheinen sodann die ersten herzförmigen, grünglänzenden Schwimmblätter an der Wasseroberfläche. Unter Wasser aber treibt die Pflanze einen langen, stengelartigen Ausläufer, der in gewissen Abständen immer wieder Wurzeln in Richtung Bodengrund entsendet.
An einem sonnigen Tag im Hochsommer stehen wir staunend vor der ersten entfalteten Blüte, die auf hohem Stengel über dem Wasserspiegel thront. Drei runde, gelbe Blütenblätter umrahmen das dunkle Innere dieser exotischen Blume. Die Herrlichkeit währt jedoch nur einen Tag. Aber keine Angst – bis zum Ende des Sommers wird sie uns nunmehr täglich mit ein oder sogar zwei Blüten erfreuen und mit ihren Ausläufern weiter durch unseren Gartenteich »wandern«. Mitte September verbringen wir einige kräftige Jungpflanzen in einen mit Teichwasser gefüllten Blumenkasten, den wir an einen hellen Standort, am besten auf das Fensterbrett, stellen. Vielleicht gelingt es uns, die eine oder andere Pflanze bei normaler Zimmertemperatur in das nächste Wassergartenjahr hinüberzuretten.

Hydrocleys martii, eine südamerikanische Wassermohnart.

Verwandte Art:
Neben dieser beliebten Pflanze eignet sich auch der ebenfalls aus Südamerika stammende Wasserschlüssel *Hydrocleys martii* für eine sommerliche Freilandhaltung. Er besitzt ganz andersgestaltige Blüten.

Wasserkleefarn
(*Marsilia quadrifolia*)

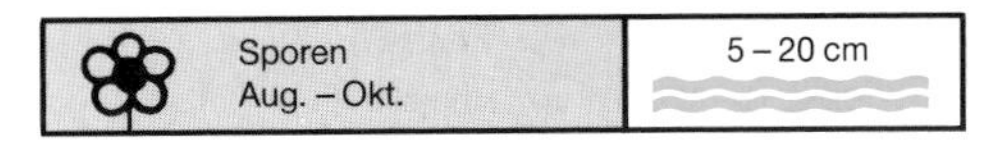

Als vierblättriges Kleeblatt schwimmen seine Blätter bei tiefem Wasserstand auf der Wasseroberfläche. Als Sumpfpflanze erheben sie sich auf dünnen Stengeln ruhend über das Wasser und nehmen in diesem Stadium jeden Abend ihre Schlafstellung durch Hoch- und Aneinanderklappen der Blatteile ein.
Ein attraktives Pflänzchen, das sich durch Ausläufer rege vermehrt. Leider ist es nicht winterhart. Wir müssen es deshalb in ein Pflanzgefäß verbannen, damit wir ihm im Herbst einen frostfreien Platz zuweisen können. Gleiches gilt auch für alle anderen Kleefarn-Arten.

Schwimmpflanzen

Froschbiß (*Hydrocharis morsus-ranae*)

Nicht minder interessant und ebenfalls sehr vermehrungsfreundlich ist diese Schwimmpflanze. Aus einem knapp unterhalb des Wasserspiegels liegenden Vegetationszentrum werden in rosettenförmiger Anordnung rundliche Schwimmblätter zur Wasseroberfläche entsandt. Frei nach unten hängen die feinfiedrigen, hellen Wurzeln, die dem Wasser die für das Wachstum notwendigen Nährstoffe entziehen.
Diese Pflanze ist an und für sich ein guter Nahrungskonkurrent der Algen. Leider erwacht sie erst spät (Mai) aus ihrer kornähnlichen Winterknospe. Dafür bietet sie später Jungfischen einen ausgezeichneten Schutz vor Räubern.
Im Juni bis August erscheinen dann auch die hübschen Blüten. Drei weiße Blütenblätter umgeben das gelbe oder grüne Zentrum. Bei genauerem Hinsehen werden wir dabei entdecken, daß die einzelnen Pflanzen entweder männlicher oder weiblicher Natur sind. Diese Schwimmpflanze ist also getrenntgeschlechtlich. Weibliche Pflanzen dürften ziemlich selten sein. Aber die vegetative Vermehrung der männlichen durch Ausläufer ist so enorm, daß wir großzügig auf weibliche Exemplare verzichten können. Auch die Bildung von Winterknospen ist so reichlich, daß wir um den Bestand keine Sorge zu haben brauchen. Nur zu oft müssen wir sogar einen Teil dieser herrlichen Pflanzen herausnehmen und verschenken, weil sie uns sonst die ganze Wasseroberfläche verdecken.
Ihm sehr ähnlich ist der aus Nordamerika stammende Froschbiß, *Limnobium spongia*, der eine schwammige Blattunterseite besitzt. Seine kornähnlichen Winterknospen überwintern wir am besten frostfrei am Teichgrund.

Zwergwasserlinse und Kleine Teichlinse.

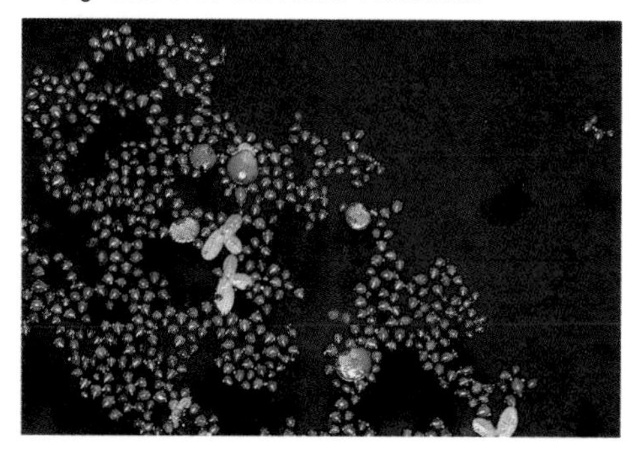

Wasserlinsen

Ebenfalls nicht zu verachtende Nahrungskonkurrenten der Algen sind die verschiedenen Wasserlinsen. Am auffälligsten ist die Große Teichlinse (*Spirodela polyrhiza*) mit ihren hellgrünen, runden, linsenähnlichen Gliedern. Meist sind es ein bis drei Glieder, die eine Pflanzeneinheit ausmachen. Werden ihrer mehr, teilt sich die Wasserlinse in zwei Individuen. Ist das Nährstoffangebot im Wasser groß, bedeckt diese Pflanzenart bald die ganze Wasseroberfläche und muß reduziert werden. Wir tun jedoch gut daran, es gar nicht so weit kommen zu lassen, sondern von vorneherein immer wieder zu lichten. Sicher würden die lichthungrigen Algen unter dem dichten Teppich der Entengrütze, wie diese Pflanzen im Volksmund heißen, bald absterben. Mit ihnen aber auch unsere anderen Unterwasserpflanzen. Sie verhindern des weiteren den Gasaustausch zwischen Luft und Wasser und würden bald auch alles tierische Leben unter Wasser ersticken.
Dem Gedeihen unserer Seerosen schaden sie insofern, als sie die für das Wachstum so notwendige Erwärmung des Wassers blockieren. So interessant und nützlich sie sind, so haben sie dennoch einige Nachteile. In Kenntnis all

dieser Dinge wollen wir sie aber nicht ganz aus unserem Becken verbannen, zumal sie schon im zeitigen Frühjahr den Kampf gegen die Frühjahrstrübung des Wassers und die Algen aufnehmen. Einmal eingeschleppt, lassen sie sich auch kaum mehr gänzlich entfernen.
Das gleiche gilt auch für die Kleine Wasserlinse, *Lemna minor*, die wir manchmal unbeabsichtigt in Einzelexemplaren beim Erwerb von Wasserpflanzen als kostenlose Beigabe erhalten.
Eine ganz und gar nicht nach Wasserlinse aussehende Art ist die Dreifurchige Wasserlinse, *Lemna trisulca*. Ihre durch eine fadenartige Verbindung zusammenhängenden Glieder schwimmen im Sommer nicht auf, sondern knapp unter der Wasseroberfläche. Jedes einzelne Glied sendet im Normalfall an der Unterseite nur eine einzige Wurzel zur Nahrungsaufnahme in das Wasser. Trotzdem ist die Vermehrung unter günstigen Bedingungen enorm, so daß wir sie etwas lichten müssen. Gelegentlich können wir auch den selten erscheinenden, unscheinbaren Blütenstand bewundern. Manchmal sitzt einzelnen Pflanzen an ihrer Unterseite ein braunes, kugelförmiges Gebilde auf. Es handelt sich hierbei um den Eikokon des allgegenwärtigen Schwarzen Strudelwurmes. Die Überwinterung der Pflanzen erfolgt durch nährstoffangereicherte Glieder. Für Liebhaber sei die winzige Zwergwasserlinse (*Wolffia arrhiza*) genannt. Sie ist eine der kleinsten Blütenpflanzen unserer Erde.

Moosfarn mit unterschiedlichen Blattfärbungen.

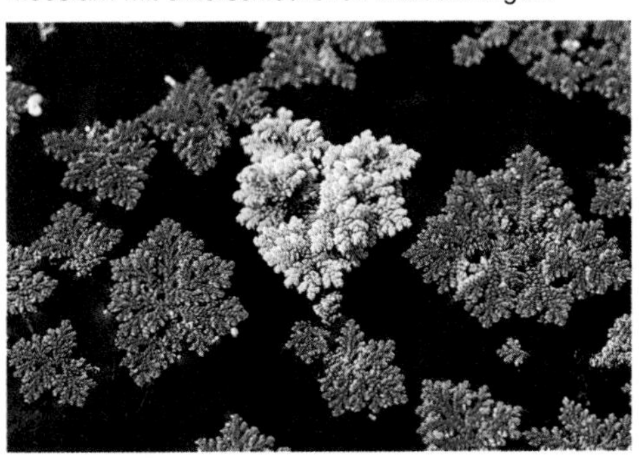

Moosfarn (*Azolla caroliniana*)

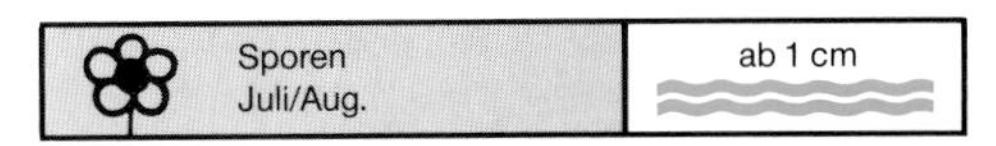

Auch diese Pflanze findet sicherlich den einen oder anderen Interessenten. Als wärmeliebende Form ist sie bei uns allerdings nur im Sommer im Freiland zu kultivieren. Hier kann sie sich unter Umständen genauso unliebsam ausbreiten wie die Wasserlinsen. Deshalb halten wir sie gesondert in einem kleineren Behälter. Den Winter übersteht der Algenfarn, wie er auch genannt wird, im Freiland nur in warmen Klimalagen.

Büschelfarn (*Salvinia natans*)

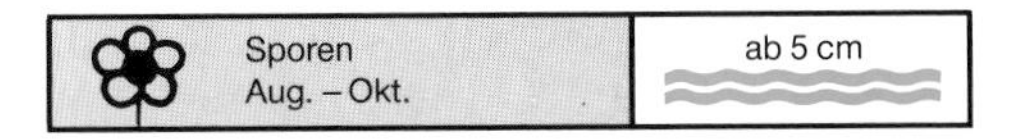

Wasserfarne begeistern uns im wesentlichen durch ihre sehr unterschiedlichen Blattformen (Wasserkleefarn, Pillenfarn, Sumpffarn). In Deutschland soll es die europäische Art in den warmen Rheingegenden geben. Im übrigen wachsen tropische Büschelfarne aus Südamerika, nach entsprechender Umgewöhnung aus dem Gewächshaus ins Freie, auch bei uns in schönen Sommern zufriedenstellend.
In diesem Zusammenhang sei ausdrücklich klargestellt, daß alle Pflanzen bei einer Milieuveränderung mit der Neubildung von Blättern reagieren, die den veränderten Umweltverhältnissen angepaßt werden.
Neben der Frage der Temperatur bei tropischen Gewächsen ist es die anfängliche Sonneneinstrahlung, die selbst unseren Treibhausabkömmlingen den Garaus bereiten kann. Sehr viele Büschelfarne sind schon durch plötzliche, direkte Sonnenbestrahlung verbrannt und haben hierdurch den Eindruck erweckt, diese Art sei nur für das geheizte Gewächshaus geeignet. Diese vermehrungsfreudigen Gewächse finden auch als Aquariumpflanzen Verwendung (Überwinterungsmöglichkeit).

Wasserhyazinthe (*Eichhornia crassipes*)

Sie besitzt sehr viele Freunde wegen ihres bizarren Aussehens und ihres farbenfrohen Blütenschmuckes. Als Tropengewächs ist sie eine Anhängerin warmen Wassers und aus diesem Grunde erst nach den Eisheiligen in den Freilandteich zu verbringen. Da sie zu dieser Zeit aus dem Gewächshaus kommt, ist bei ihrer Umgewöhnung ins Freie eine anfängliche Beschattung in den ersten acht Tagen angeraten, um einen »Sonnenbrand« zu vermeiden.
Diese Schwimmpflanze mit ihren ballonförmigen, luftgefüllten Auftreibungen der Blattstiele, die als Schwimmkörper dienen, wird uns diese Maßnahme meist mit der Bildung des ersten Blütenstandes danken. Im weiteren Verlauf ist sie erst einmal bedacht, sich durch Ausläufer und Tochterpflanzen auszubreiten und zu vermehren.

Die tropische Wasserhyazinthe ist für die sommerliche Freilandkultur geeignet.

Ein dichter, schwarzbrauner, verzweigter Wurzelbart an der Unterseite der Pflanze, der sich bei niedrigem Wasserstand in den Bodengrund hinein fortsetzt, liefert der Mutterpflanze die nötigen Nährstoffe. Im August oder September ist es dann so weit, daß sich an den ältesten Jungpflanzen erneut Blütenstände zeigen. Diese Monate sind praktisch die Hauptblütezeit in unseren Breiten.
Nach dieser Zeit ist das Ende dieser tropischen Schönheit gekommen. Es bilden sich zwar weiterhin gedrungene, niedrige Ausläufer mit einer Art Herbsteinschlag. Der erste Frost bereitet jedoch auch ihnen ein schnelles Ende. Den vielfach gepriesenen Vorschlag, Wasserhyazinthen im Zimmer zu überwintern, wollen wir gleich von Anfang an fallen lassen. Gelingt es doch nur unter Schwierigkeiten, Wasserhyazinthen im tropischen Gewächshaus zu überwintern. Wie sollten wir dann bei einer Kultur im Zimmer erfolgreich sein. Zumindest müßten wir sie zusätzlich beleuchten.

Muschelblume (*Pistia stratiotes*)

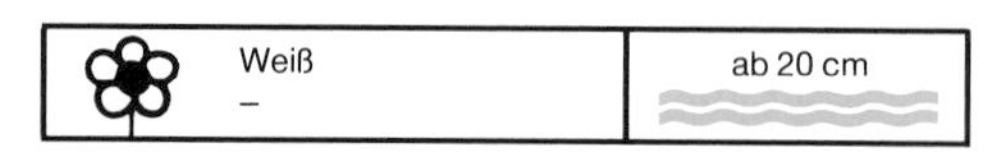

Der Vollständigkeit halber darf natürlich auch die ebenfalls aus den Tropen stammende Muschelblume nicht fehlen. Sie ist jedoch weit wärmeliebender und sonnenhungriger als ihre Vorgängerin. Auch die Blühwilligkeit läßt im Freiland zu wünschen übrig. Wenn sie trotz sachgemäßer Eingewöhnung zerfällt, können wir es höchstens noch einmal mit Pflanzen aus einer anderen Bezugsquelle, und zwar direkt aus dem Gewächshaus, versuchen. Bei anfänglicher Schattierung klappt es jedoch meist. Während dieser Zeit setzen wir die Pflanzen natürlich in einen kleinen Behälter. Früh und abends dürfen sie ruhig etwas Sonne erhalten. Für die Überwinterung gilt dasselbe wie für die Wasserhyazinthe.

Wasseraloe (*Stratiotes aloides*)

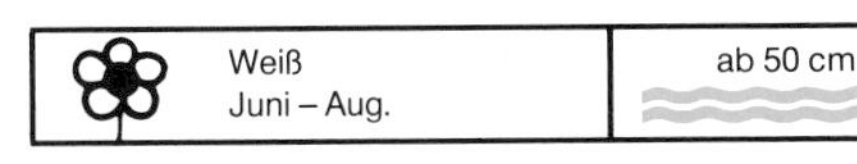

Nicht eigentlich zu den echten Schwimmpflanzen gehört die einheimische Wasseraloe, auch etwas weniger treffend Krebsschere genannt. Die Bezeichnung »Aloe« charakterisiert das Aussehen dieser Pflanze mit ihren gezackten, lanzettförmigen Blättern, die einer gemeinsamen Basis entspringen. Nach unten entsendet das Keimzentrum dieses tropisch anmutenden Gewächses 1–2 mm starke, lange Wurzeln in Richtung Bodengrund, um sich dort einmal zu verankern und zum anderen Nährstoffe zu gewinnen.

Im Frühjahr taucht die Aloe aus der Tiefe des Wassers, wo sie den Winter frostsicher verbracht hat, zur Oberfläche empor. Das Vegetationszentrum bleibt unter Wasser. Nur die hellgrünen Blätter ragen zur Hälfte rosettenartig über den Wasserspiegel hinaus. Meist im Juni entfalten sich die mit drei Blütenblättern geschmückten Blüten. Der gute Beobachter wird auch hier wiederum feststellen, daß die eine Pflanze männliche, eine andere aber ausschließlich weibliche Blüten hervorbringt. Dieses Gewächs ist also ebenfalls getrenntgeschlechtlich.

Wie auch beim Froschbiß werden wir meist nur männliche Pflanzen unser eigen nennen. Mit der Vermehrung brauchen wir uns jedoch keine Gedanken zu machen. Auch die »Männchen« tragen zur Erhöhung der Anzahl ihr Scherflein bei. Gegen Ende des Sommers bringt jede einzelne Pflanze eine Reihe von Ausläufern mit kleinen Tochterpflanzen hervor, die nach allen Seiten hin ausstrahlen. Bis zu zehn Stück können es pro »Vaterpflanze« sein. Im Mittel sind es fünf, die im Herbst zusammen mit der alten Pflanze auf den Boden unseres Weihers sinken, um dort gefahrlos die kalte Jahreszeit zu überdauern. Erst im nächsten Frühjahr bilden sie selbständig Wurzeln aus und wachsen noch im gleichen Jahr zu stattlichen Exemplaren heran.

Mit ihren Blüten erfreuen uns diese Pflanzen sogar noch im selben Sommer. Zwischen ihrer ausgedehnten Blattrosette (Durchmesser bis zu 50 cm) aber werden wir selten anderes pflanzliches Leben beobachten. Besonders Algen können in ihrer unmittelbaren Umgebung kaum Fuß fassen. So hält sie den Wasserspiegel selbst bei dichtem Bestand frei zum Eintritt der wärmenden Sonnenstrahlen und ausreichender Luft-Wasser-Zirkulation. Zwischen den durch Randzacken bewehrten Blättern aber finden Jungfische selbst vor den Nachstellungen ihrer eigenen Eltern guten Schutz. Alles in allem also eine empfehlenswerte und äußerst dekorative Pflanze, die nur durch das leichte Abbrechen besonders der äußeren Blattlagen beim Transport und Hantieren etwas Sorge bereiten kann.

Auch die Wasseraloe wird durch Behinderung der Fischerei immer seltener. Vielleicht können wir sie unseren Kindern wenigstens noch im Gartenteich zeigen.

In diesem verkrauteten Teich dominiert die Wasseraloe.

Großer Wasserschlauch (*Utricularia vulgaris*)

Aus einem unscheinbaren, kugeligen Knäuel wird im Frühjahr der Wasserschlauch geboren. Der lange, dünne Stengel ist allseitig von gabelig gefiederten Blättern umgeben, an denen eigenartige, blasige Gebilde sitzen. Es sind dies die Fangblasen dieser Pflanze, die sich zum Teil von kleinen Wasserlebewesen ernährt. Durch einen speziellen Klapporganismus gelangen die Nährtiere in die Blase, werden dort zurückgehalten und schließlich verdaut.
Natürlich bestreitet der Wasserschlauch nicht allein hierdurch sein Fortkommen, sondern nimmt als wurzellose Schwimmpflanze einen Großteil seiner Nährstoffe über die feinfiedrigen Blätter auf. Algen kommen deshalb in seiner Umgebung kaum hoch. Auch können wir von ihm eine starke wasserklärende Funktion bei Wassertrübungen erwarten, wenn diese auf eine Massenentwicklung von Mikroorganismen tierischer Herkunft zurückzuführen sind.
Eine einzelne Pflanze kann natürlich hier wenig ausrichten. Auch gilt hier mehr die Parole »Vorbeugen ist besser als heilen«.
Unter zusagenden Bedingungen, worunter neben Sonne auch ein entsprechender Regenwasserzusatz zu verstehen ist, werden sie uns an einem Tag im Hochsommer mit einem weit über den Wasserspiegel hinausragenden Blütenstand beglücken, an dem sich nach und nach von unten nach oben knallgelbe Blüten entfalten. Im Herbst bildet sich an der Vegetationsspitze das kugelförmige Winterstadium, das mit einem dunklen, zwirnsförigen Anhang – dem Rest der Mutterpflanze – zu Boden sinkt, um im nächsten Frühjahr zu neuem Leben zu erwachen.

Kleiner Wasserschlauch (*Utricularia minor*)

Er ist eine Miniaturausgabe des Großen Wasserschlauches und kommt somit auch für Miniteiche in Frage. Er ist nicht so einfach zu kultivieren, obwohl er kalkhaltiges Wasser besser verträgt als sein großer Bruder. Alle Arten dieser fleischfressenden Pflanzen sollten wir erst in unseren Teich geben, wenn dieser schon längere Zeit besteht.

Wasserlebermoos (*Riccia fluitans*)

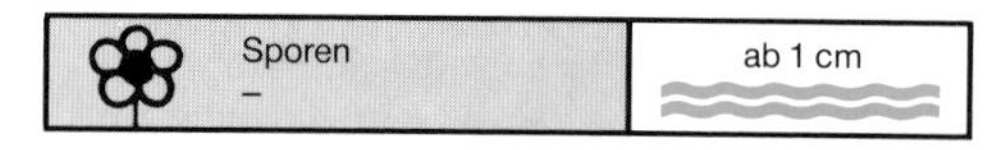

Dichte Polster unter der Wasseroberfläche bildet es an ihr zusagenden, ruhigen Stellen zwischen den Sumpfpflanzen. Die einzelne Pflanze besteht im wesentlichen aus gabeligen Verzweigungen ihrer Körper in Y-förmiger Anordnung.
Im allgemeinen findet das Wasserlebermoos wenig Beachtung. Es dient einmal als Sauerstoffspender, zum anderen tritt es als Nahrungskonkurrent gegenüber den Algen auf. Zusammen mit anderen Wassergewächsen bekommen wir dieses Pflänzlein gelegentlich mitgeliefert.
Das seltenere Schwimmende Lebermoos (*Ricciocarpus natans*) bevorzugt lehmige Gewässer, an deren nassen Uferrand es gerne Fuß faßt.

Unterwasserpflanzen

Unterwasserpflanzen nennen wir hier die Gewächse, die immer vom Wasser bedeckt sein müssen, also ganzjährig untergetaucht leben. Nehmen wir sie heraus, so würden sie selbst im Schatten in Kürze vertrocknen. Lediglich der Blütenstand wird bei einzelnen Arten über den Wasserspiegel erhoben.

Armleuchteralgen (*Characeae*)

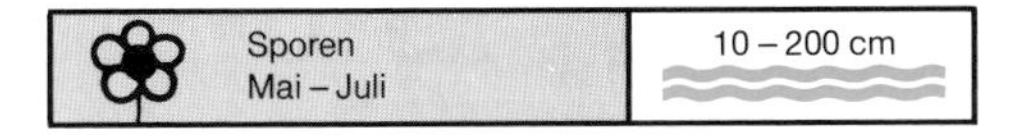

Meist ungewollt bildet sich am Grunde unseres Freilandteiches plötzlich eine Gruppe von Pflanzen, die sich im einzelnen als Stengel mit stengelähnlichen Blättern charakterisieren lassen. Sie sind entweder grau und brüchig und verbreiten einen eigenartigen Duft oder aber grünlich gefärbt und von elastischer, weniger zerbrechlicher Beschaffenheit. Im ersteren Fall haben wir mit Sicherheit eine *Chara*-Art mit ihrem typischen Geruch vor uns. Der leichte Zerfall der Stengel wird durch eine äußere Verkalkung der Oberfläche verursacht. Bei der zweiten Pflanzenart handelt es sich meist um einen Vertreter aus der *Nitella*-Gruppe. Beide Formen gelangen leicht beim Erwerb einer neuen Pflanze als winzige Spore in unseren Gartenteich, und wir freuen uns, daß sie sich bei uns wohlfühlen und weiterwachsen. Sie gedeihen nicht überall. Bei gezielter Ansiedlung erleiden wir meistens Schiffbruch.

Wasserpest (*Elodea canadensis*)

Mit unserem Froschbiß verwandt ist diese ursprünglich aus Kanada stammende Unterwasserpflanze. An grünem Stengel sitzen als Dreierquirl angeordnet die länglichen Blätter. Wenn wir Glück haben, sendet die Pflanze am langen, dünnen »Stiel« ein kleines Blütchen zur Wasseroberfläche.
Die Vermehrung erfolgt in unseren Breiten jedoch durch Verzweigung der Stengel. Jedes abgebrochene Stückchen wird zu einer neuen Pflanze – so stark ist die Lebensenergie dieses Gewächses. Nicht umsonst hat man *Elodea canadensis* in früheren Zeiten die Bezeichnung Wasserpest gegeben. Ihre Hochblüte ist vorüber und ihr Wachstum langsamer geworden. Sie eignet sich sogar für kleinste Behälter.

Verwandte Arten:
Die ebenfalls winterharte *Elodea nuttallii* mit ihren großen, weißen Blüten sowie der sehr ähnliche Wasserquirl (*Hydrilla verticillata*) sind weitere dankbare Teichbewohner.
Die Argentinische Wasserpest (*Egeria densa*) besticht durch ihre Größe. Leider ist sie nicht winterhart. Für unsere Zwecke besser geeignet scheint die aus Südafrika stammende Krause Wasserpest (*Lagarosiphon major*) zu sein, die ich schon erfolgreich in tieferem Wasser überwintert habe.

Rauhes Hornkraut (*Ceratophyllum demersum*)

Das Hornkraut ist eine sehr zerbrechliche Wasserpflanze. In seinem Leben bildet es nie Wurzeln aus, sondern entnimmt seine ganzen Nährstoffe dem Wasser mit Hilfe seiner gegabelten, nadelförmigen Blätter.
In einem Weiher mit viel Hornkraut haben es die grünen Fadenalgen schwer. Wenn sich das Wasser im Frühjahr erwärmt, erwacht die Winterknospe zu neuem Leben und schickt einen langen Trieb in Richtung Wasseroberfläche. Schon auf seinem Weg nach oben wachsen vereinzelt schmächtige Jungpflanzen aus dem Stengel. Die Hauptvermehrung durch Verzweigung geschieht jedoch knapp unter dem Wasserspiegel.

Rauhes Hornkraut in Gesellschaft mit der großen Kaulquappe einer Knoblauchkröte.

Wenn wir im Hochsommer ein Einzelexemplar dieser eigenartigen Pflanze vorsichtig aus dem Wasser heben, hängen oft zehn und mehr Ausläufer büschelartig daran, deren Triebspitzen allesamt im Herbst zu Winterknospen werden. Jedes gesunde, abgebrochene Stengelstückchen liefert außerdem ein neues Hornkraut-Pflänzchen. Fürwahr eine frohwüchsige Unterwasserpflanze, selbst unter gedrängten Verhältnissen. Das gleiche gilt auch für das seltenere Glatte Hornkraut (*Ceratophyllum submersum*).

Schlaffer Wasserhahnenfuß (*Ranunculus trichophyllus*)

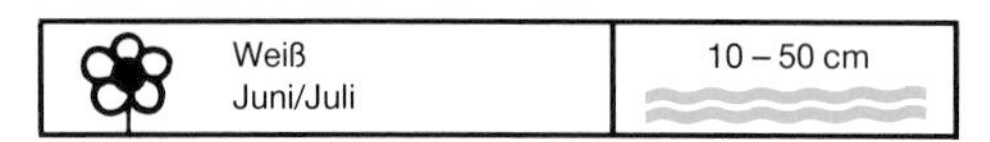

Diese rein untergetaucht lebende Wasserpflanze gleicht in ihrem Aussehen dem Schwimmenden Wasserhahnenfuß. Es fehlen ihr aber die Schwimmblätter. Auch die Blüten sind kleiner.

Verwandte Arten:
Für unseren Gartenteich eignet sich ferner der Spreizende Hahnenfuß (*Ranunculus circinatus*). Der Flutende Hahnenfuß (*Ranunculus fluitans*) ist ein Bewohner fließender Gewässer. Er ist demnach nur für einen Bachlauf zu empfehlen.

Ähriges Tausendblatt (*Myriophyllum spicatum*)

Licht, also freie Wasserfläche, wünscht diese Wasserpflanze in erster Linie. Beide einheimischen Arten, sowohl das zarte Ährige Tausendblatt (*Myriophyllum spicatum*) wie das Quirlblütige Tausendblatt (*Myriophyllum verticillatum*) sind also nicht gerade ideale Gewächse für einen seerosenüberladenen Teich. Wer jedoch Freude an diesen Gewächsen hat, pflanzt sie am besten in seichtes Wasser. Vor allem das etwas leichter zu pflegende Ährige Tausendblatt begrüßt uns bald mit reizenden, kammförmig gefiederten Überwasserblättern, bevor in den Blattachseln die kleinen, rosafarbenen Blütchen erscheinen.
Beide Arten blühen nur, wenn sie aus dem Wasser herauswachsen können. Die rauhe Jahreszeit überdauert das Quirlblütige Tausendblatt in Form keulenförmiger Winterknospen auf dem Bodengrund unseres Teiches.
Nicht winterhart ist dagegen das Brasilianische Tausendblatt (*Myriophyllum aquaticum*). Wegen seiner hübschen Überwasserform treffen wir es jedoch gelegentlich während der Sommermonate im Wassergarten eines Liebhabers an.

Wasserfeder (*Hottonia palustris*)

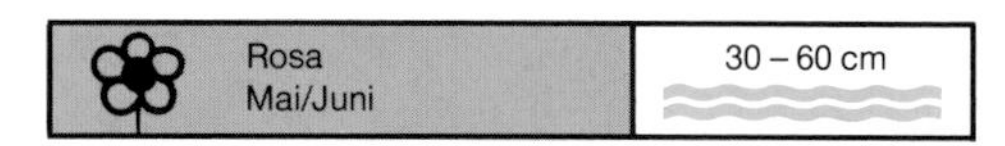

Eine hellgrüne Blattrosette mit kammförmig gefiederten Blättern leuchtet unter dem Wasserspiegel dem Beschauer entgegen. So prä-

Die Wasserfeder entfaltet erst an der Wasseroberfläche ihre volle Belaubung.

sentiert sich uns diese auch Wasserprimel genannte Art. Sie gehört nicht gerade zu den einfach zu pflegenden Wasserpflanzen. Vor allen Dingen wünscht sie freien Raum zu ihrer Entfaltung; nur dann wird sie uns eines Tages mit einem hochaufragenden Blütenstand und leicht rosa angehauchten Blüten erfreuen.
Es ergeht uns Teichliebhabern nicht anders als anderen Pflanzenliebhabern – jedesmal ist es ein Höhepunkt, wenn eine Pflanze das erste Mal ihre Blüten entfaltet! Noch dazu währt diese Herrlichkeit bei der Wasserfeder einige Tage, ehe der Blütenstand nach der Befruchtung zur Samenbildung unter Wasser verschwindet.
In die Tiefe führt auch der brüchige Stengel, mit dem die Pflanze durch wenige Wurzeln im Bodengrund verankert ist. Die Wasserfeder treibt jedoch oft losgelöst vom Boden frei im Wasser und kann auf diese Weise unter einem großen Seerosenblatt durch Lichtmangel leicht ein unrühmliches Ende finden. Sie wächst übrigens auch gut im Sumpf.

Teichfaden
(*Zannichellia palustris*)

Der Teichfaden ist eine zierliche Unterwasserpflanze, die sich unter günstigen Voraussetzungen oft rasenartig auf dem Bodengrund ausbreitet. Wegen seiner dünnen, fadenförmigen Blätter und seiner Kleinheit findet er meist kaum Beachtung. Selten steigt er zur Wasseroberfläche empor, wie das viele andere Unterwasserpflanzen tun. Vielleicht taucht er zufällig einmal in unserem Becken auf. Dann wissen wir, mit wem wir es zu tun haben.

Großes Nixenkraut
(*Najas marina*)

Seine gezackten grünen Blätter und sein verzweigter, stacheliger Stengel mögen den einen oder anderen Liebhaber finden. Die brüchige Struktur bringt es jedoch mit sich, daß diese einjährige Unterwasserpflanze kaum im Handel erhältlich ist. Abgebrochene Stengelstückchen treiben ohne Schwierigkeiten neue Pflanzen. Die Blüten stehen blattachselständig und fruchten unter Wasser.

Krauses Laichkraut
(*Potamogeton crispus*)

Weit weniger empfindlich ist diese Pflanze. Sie sieht dem Großen Nixenkraut in Aufbau und Blättern sehr ähnlich. Nur sind hier die länglichen Blätter nicht gezackt, sondern an den Rändern leicht gesägt und gewellt. Der ährenförmige Blütenstand mit den kleinen, unscheinbaren Blüten ruht auf kurzem Stiel über der Wasseroberfläche. Tieferes Wasser und freie Oberfläche sind die Bedingungen, die das Krause Laichkraut an seinen Standort stellt.

Dichtes Laichkraut
(*Groenlandia densa*)

Der ganze Stengel ist bei dieser Art von oben bis unten mit gegenständigen, breiten Blättern besetzt, die in kurzen Abständen aufeinanderfolgen. Das Dichte Laichkraut hat viel Ähnlichkeit mit dem Durchwachsenblättrigen Laichkraut (*Potamogeton perfoliatus*). Bei letzterem sind die einzelnen Blätter jedoch weit auseinandergezogen und stehen sich nicht paarweise gegenüber. Beide Arten lieben auch etwas bewegtes Wasser.

Kammförmiges Laichkraut
(*Potamogeton pectinatus*)

Dieser zarte Vertreter taucht oft ohne unser Dazutun in unserem Teich auf. Aufgrund seiner Kleinheit schleppen wir es zuweilen mit anderen Pflanzen ein. Als anspruchslose Unterwasserpflanze findet dieses Laichkraut oft ein passendes Plätzchen. Wir aber freuen uns über den unerwarteten Neuzugang mit den schmalen, dünnen Blättern.

Glänzendes Laichkraut
(*Potamogeton lucens*)

Unter den Laichkräutern finden wir große und kleine Vertreter. Diese Art gehört zu den größeren. Dicke Stengel streben aus dem im Bodengrund kriechenden, weißlichen Wurzelstock an die Wasseroberfläche. Große, breite, hellgrüne Unterwasserblätter von zerbrechlicher Natur ruhen unter dem Wasserspiegel. Die Blütenähre ist der einzige Teil der Pflanze, der aus dem Wasser hervorragt.
Dieses Laichkraut benötigt viel freien Raum. Dann kommt auch die volle Schönheit dieser Pflanze so richtig zur Geltung.

Sumpfschraube
(*Vallisneria spiralis*)

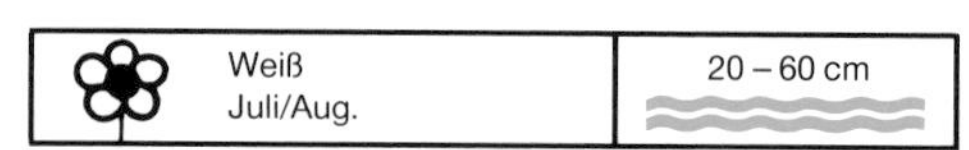

Bereits in Südeuropa können wir der *Vallisneria* begegnen. Darum sollten wir diese Unterwasserpflanze mit ihren langen, grünen, bandartigen Blättern im Frühjahr an einer sonnigen, offenen Stelle in unserem Freilandteich ausprobieren. Sicherlich wird sie sich dort durch Ausläufer vermehren, und vielleicht glückt es dem aufmerksamen Beobachter, einmal die vielgerühmte Hochzeit der Vallisnerie mitzuerleben. In Form kahnähnlicher Gebilde segeln die männlichen Blüten, losgelöst von

Durchwachsenblättriges Laichkraut.

Bei diesem zarten Gewächs handelt es sich vermutlich um das Haarförmige Laichkraut.

der Pflanze, mit dem Winde zu den »Weibchen«, um den Blütenstaub zu überbringen. Wir kennen bisher nur wenige Gewächse mit diesem interessanten Bestäubungsmechanismus (Wasserquirl).
Die kleinbleibende Schraubenvallisnerie (*Vallisneria spiralis* f. *tortifolia*) aus südlichen Gebieten Nordamerikas überdauert an frostgeschützten Stellen unseres Freilandteiches ebenfalls den Winter. Korkenzieherartig gewundene Blätter sind die bemerkenswertesten Kennzeichen dieser in Aquarianerkreisen wohlbekannten Pflanze.

Quellmoos
(*Fontinalis antipyretica*)

Zumeist können wir es festgewachsen an Steinen oder Wurzeln in kalten, schnellfließenden Gewässern bewundern. Es gibt aber auch Formen, die in stehenden, kühlen Gewässern gedeihen. Allein wegen des Temperaturanspruchs ist es deshalb für unseren Gartenteich nur bedingt tauglich.

Grasblättriges Trugkölbchen
(*Zosterella dubia*)

Diese in Nordamerika beheimatete Pflanze erinnert in ihrer Gestalt an das Kammförmige Laichkraut. Sie hat aber wesentlich breitere und längere Blätter und besitzt als eindeutiges Unterscheidungsmerkmal eine sechszipfelige Blüte. Sie ist nicht winterhart, aber eine wertvolle Ablaichpflanze für Fische und Molche.

Hier finden Lurche und Reptilien Schutz und Unterschlupfmöglichkeiten vor.

Tabelle Wasserpflanzen

Deutscher Name	Botanischer Name	Blütenfarbe	Blütezeit
Armleuchteralgen	*Characeae*	(Sporen)	Mai–Juli
Büschelfarn	*Salvinia natans*	(Sporen)	Aug.–Okt.
Froschbiß	*Hydrocharis morsus-ranae*	weiß	Juni–Aug.
Froschbiß, Amerikanischer	*Limnobium spongia*	weiß	Juli/Aug.
Goldkolben	*Orontium aquaticum*	gelb	April/Mai
Hornkraut, Glattes	*Ceratophyllum submersum*	grün	Juni–Aug.
Hornkraut, Rauhes	*Ceratophyllum demersum*	grün	Juni–Sept.
Laichkraut, Dichtes	*Groenlandia densa*	grün	Juni–Aug.
Laichkraut, Durchwachsenblättr.	*Potamogeton perfoliatus*	grün	Juni–Aug.
Laichkraut, Glänzendes	*Potamogeton lucens*	grün	Juni–Aug.
Laichkraut, Kammförmiges	*Potamogeton pectinatus*	grün	Juni–Aug.
Laichkraut, Krauses	*Potamogeton crispus*	grün	Juni–Aug.
Laichkraut, Schwimmendes	*Potamogeton natans*	gelblich	Mai–Aug.
Moosfarn	*Azolla caroliniana*	(Sporen)	Juli/Aug.
Muschelblume	*Pistia stratiotes*	weiß	Juni–Sept.
Nixenkraut, Großes	*Najas marina*	grün	Juni–Aug.
Quellmoos	*Fontinalis antipyretica*	(Sporen)	Mai–Aug.
Schraubenvallisnerie	*Vallisneria spiralis* f. *tortifolia*	weiß	Juli/Aug.
Seekanne	*Nymphoides peltata*	gelb	Juli/Aug.
Seerosen, Wildformen	*Nymphaea* spec.	versch.	versch.
Seerosen, Zuchtformen	*Nymphaea*-Hybriden	versch.	versch.
Sumpfschraube	*Vallisneria spiralis*	weiß	Juli/Aug.
Tausendblatt, Ähriges	*Myriophyllum spicatum*	rosa	Juni–Aug.
Tausendblatt, Brasilianisches	*Myriophyllum aquaticum*	weiß	keine
Tausenblatt, Quirlblütiges	*Myriophyllum verticillatum*	rosa	Juni–Aug.
Teichfaden	*Zannichellia palustris*	grün	Mai–Aug.
Teichrosen	*Nuphar* spec.	gelb	Juni–Sept.
Trugkölbchen, Grasblättriges	*Zosterella dubia*	gelb	Juli/Aug.
Unterwasserbanane	*Nymphoides aquatica*	weiß	Juli/Aug.
Wasserähre	*Aponogeton distachyos*	weiß	April/Mai u. Sept./Okt.
Wasseraloe, Krebsschere	*Stratiotes aloides*	weiß	Juni–Aug.
Wasserfeder	*Hottonia palustris*	rosa	Mai/Juni
Wasserhahnenfuß, Flutender	*Ranunculus fluitans*	weiß	Mai–Aug.
Wasserhahnenfuß, Schlaffer	*Ranunculus trichophyllus*	weiß	Juni/Juli
Wasserhahnenfuß, Schwimmender	*Ranunculus aquatilis*	weiß	Juni/Juli
Wasserhahnenfuß, Spreizender	*Ranunculus circinatus*	weiß	Juni/Juli
Wasserhyazinthe	*Eichhornia crassipes*	hellviolett	Aug./Sept.

Tabelle Wasserpflanzen

/assertiefe	Licht	Bemerkung	Seite
)–200 cm	○	artenreiche Familie	57
ɔ 5 cm	○	bedingt winterhart	53
ɒ 10 cm	○	liebt weiches Wasser	52
b 10 cm	○	Rarität	52
–40 cm	○	Frühblüher, Tiefwurzler, winterhart	49
0–50 cm	○	Algenfeind	58
0–100 cm	○	Algenfeind	57
0–50 cm	○	guter Sauerstoffspender	60
0–50 cm	○	Rarität	60
0–100 cm	○	wenig Ausbreitungsdrang	60
0–50 cm	○	Ablaichpflanze für Fische	60
0–100 cm	○	Ablaichpflanze für Molche, Ausbreitungsdrang, algenfeindlich	59
0–150 cm	○	Wucherpflanze	48
b 1 cm	○	nicht winterhart	53
ɒ 20 cm	○	starker Vermehrungsdrang, nicht winterhart	54
0–200 cm	○	Rarität	59
)–50 cm	○	liebt fließendes Wasser	61
0–40 cm	○	nicht winterharte Art aus Nordamerika	61
0–50 cm	○	Blütenbildung am Ausläuferende	47
ersch.	○	Tabelle S. 42	42
ersch.	○	Tabelle S. 45	43
0–60 cm	○	guter Sauerstoffspender	60
0–50 cm	○	gute Ablaichpflanze für Fische	58
–20 cm	○	nicht winterhart, wird gerne auch als Sumpfpflanze verwendet	58
0–50 cm	○	guter Sauerstoffspender, Ablaichpflanze für Fische	58
–50 cm	○	Sauerstoffspender	59
ersch.	○	Tabelle S. 46	46
0–80 cm	○	nicht winterhart, Ablaichpflanze für Fische und Molche	61
0–40 cm	○	in tieferem Wasser winterhart	47
0–40 cm	○	in tieferem Wasser winterhart	48
b 50 cm	○	liebt tieferen Wasserstand, algenfeindlich	55
0–60 cm	○	gedeiht als Sumpfpflanze oft besser	58
)–100 cm	○	benötigt fließendes Wasser	58
0–50 cm	○	guter Sauerstoffspender	58
0–50 cm	○	liebt weiches Wasser	50
0–30 cm	○	guter Sauerstoffspender	58
b 20 cm	○	dekorative Schwimmpflanze; nicht winterhart	54

Tabelle Wasserpflanzen

Deutscher Name	Botanischer Name	Blütenfarbe	Blütezeit
Wasserkleefarn	*Marsilia quadrifolia*	(Sporen)	Aug.–Okt.
Wasserknöterich	*Polygonum amphibium*	rosa	Juni–Aug.
Wasserlebermoos	*Riccia fluitans*	(Sporen)	keine
Wasserlebermoos, Schwimmendes	*Ricciocarpus natans*	(Sporen)	keine
Wasserlinse, Dreifurchige	*Lemna trisulca*	grün	Mai/Juni
Wasserlinse, Große	*Spirodela polyrhiza*	grün	Mai–Juli
Wasserlinse, Kleine	*Lemna minor*	grün	Mai/Juni
Wasserlinse, Zwerg-	*Wolffia arrhiza*	grün	keine
Wassermohn	*Hydrocleys nymphoides*	gelb	Juli/Aug.
Wassermohn, Brasilianischer	*Hydrocleys martii*	gelb	Juli/Aug.
Wassernuß	*Trapa natans*	weiß	Juni–Sept.
Wassernuß, Asiatische	*Trapa bicornis*	weiß	keine
Wasserpest, Dichtblättrige	*Egeria densa*	weiß	Mai–Aug.
Wasserpest, Kanadische	*Elodea canadensis*	weiß	Mai–Aug.
Wasserpest, Krause	*Lagarosiphon major*	weiß	Mai–Juli
Wasserpest, Nuttall's	*Elodea nuttallii*	weiß	Mai–Aug.
Wasserquirl	*Hydrilla verticillata*	weiß	Juli/Aug.
Wasserschlauch, Großer	*Utricularia vulgaris*	gelb	Juni–Aug.
Wasserschlauch, Kleiner	*Utricularia minor*	gelb	Juli/Aug.
Wasserstern	*Callitriche palustris*	grün	Mai–Sept.

Tabelle Wasserpflanzen

assertiefe		Licht	Bemerkung	Seite
-20	cm	○	nicht winterhart	51
-60	cm	○	wächst auch im Sumpf und am Uferrand	50
1	cm	○	gedeiht nicht überall	56
1	cm	○	Rarität	56
5	cm	○	Vermehrung hält sich in Grenzen	53
1	cm	○	starker Vermehrungsdrang	52
3	cm	○	starker Vermehrungsdrang	53
1	cm	○	bedingt winterhart	53
-10	cm	○	nicht winterhart	51
-10	cm	○	nicht winterhart	51
-150	cm	○	einjährig, Rarität	47
-100	cm	○	einjährig, blüht bei uns nicht	48
-80	cm	○	nicht winterhart	57
-50	cm	○	starker Ausbreitungsdrang, guter Sauerstoffspender, Algenfeind	57
-50	cm	○	guter Sauerstoffspender, Algenfeind	57
-50	cm	○	starker Ausbreitungsdrang, Algenfeind	57
-50	cm	○	guterauerstoffspender, Algenverdränger	57
10	cm	○	liebt weiches, leicht saures Wasser	56
5	cm	○	kein zu kalkhaltiges Wasser verwenden!	56
-30	cm	◑●	Schattenpflanze	50

Sumpf

Neben den – meist das freie Wasser bewohnenden – Schwimm- und Schwimmblattpflanzen sind es vor allem die Sumpfbewohner, die den Betrachter und Liebhaber faszinieren. Es ist ein eigenartiges Völkchen, das sich dem Wasser- und Landleben gleichermaßen anpassen kann.

Wenn nur eben der Untergrund noch feucht ist, haben sie in jedem Fall eine Überlebenschance. Im Sommer aber sitzen sie oft »auf dem Trockenen«. Für solche Fälle bildet eine Reihe von ihnen sogar unterschiedliche Blattformen, wie wir beobachten können. Steht genügend Wasser zur Verfügung, brauchen sich diese Pflanzen nicht vor dem Vertrocknen schützen: Wasser und mit ihm aufgenommene Nährstoffe durchströmen ungehindert die einzelnen Teile der Pflanze von unten nach oben. Vor allem durch unzählige, sogenannte Spaltöffnungen an der Unterseite der Blätter wird das Wasser wieder abgegeben. Es entsteht ein Sog in der Pflanze, der laufend neues, nährstoffhaltiges Wasser über das Wurzelsystem eindringen läßt. Wird das Wasser dagegen knapp, stagniert das Wachstum. Die neuen Blätter bleiben kleiner und werden dickwandiger. Wir finden nur noch wenige Spaltöffnungen an den Blattunterseiten. Die eigentlichen Sumpfpflanzen schützen sich also durch Verkleinerung ihrer Oberfläche und derbere Blattstruktur gegen Wasserverlust. Die alten Triebe aus der wasserreichen Überflutungszeit werden baldigst abgestoßen.

Setzen wir z. B. unsere Gewächse in tiefes Wasser, bilden sie anfangs Unterwasserformen und wachsen nach einiger Zeit mit Überwasserblättern über die Wasserfläche hinaus. Pflanzen wir sie in zu trockene Erde, erhalten

Urwüchsiger Sumpfpflanzenflor: Froschlöffel, Tannenwedel, Fieberklee, Schwanenblume, Pfeilkraut u. and.

wir Zwergformen ohne große Vermehrungstendenz. In beiden Fällen sind die Ausfälle oft groß, da nur bereits angewurzelte, nicht aber frisch eingepflanzte Exemplare derartige Milieubedingungen verkraften. Wir sind demnach dazu angehalten, unseren Sumpfpflanzen anfangs die Bedingungen zu bieten, unter denen sie auch in Freiheit ein optimales Wachstum zeigen, d. h. wenn sie mit den »Füßen« im Wasser stehen.

Ein Teich ist dabei keine Vorbedingung. Wir können uns mit Hilfe der bereits besprochenen Folien ein reines Sumpfbeet schaffen oder gar in noch kleinerem Rahmen wasserdichte Behälter verwenden. Die natürlichste Methode besteht im Anlegen einer runden oder ovalen, flachen Mulde von höchstens 2 m Durchmesser. An der tiefsten Stelle (8–10 cm) in der Mitte soll sich darunter noch eine ursprüngliche, natürliche Erdschicht von 20–30 cm Dicke befinden. Zur schnelleren Verschlammung bringen wir eine Lage Lehm (3–5 cm) ein. Jetzt benötigen wir nur noch eine Wasserzuleitung. Unser Sumpf funktioniert nämlich nach dem Prinzip des tropfenden Wasserhahnes. Wir verlegen den Hahn in die Mitte der Mulde, da sich das Wasser kreisförmig ausbreitet.

Anfänglich werden wir ihn etwas mehr aufdrehen, um eine schnellere Verschlammung zu erreichen. Später genügt es, wenn er nur tropft. In 24 Stunden haben wir dabei einen Wasserverbrauch von ca. 25 Liter. Bei großen Flächen sind natürlich zwei oder mehr Tropfstellen einzuplanen, oder wir lassen etwas mehr Wasser zulaufen. Rund um unsere »Miniquellen« kann sofort mit dem Bepflanzen begonnen werden. Den Hahn installieren wir nicht zu hoch über dem Erdboden. Das »Ufer« gestalten wir entweder mit Trittplatten oder kaschieren den Rand ganz natürlich mit Steinen, Wurzeln und Baumstämmen. Auch unser im Winter entleerbarer Hahn wird getarnt. Bei größeren Anlagen geben wir auch einige Trittplatten in unseren Sumpf, der nur während der Vegetationsperiode, also vom Frühjahr bis zum Herbst bewässert wird.

Bei Kleinanlagen können wir natürlich nur unter bestimmten Pflanzenarten wählen.

Pflanzen für den Minisumpf

Nadelsimse (*Eleocharis acicularis*)
Sumpfsimse (*Eleocharis palustris*)
Borstenmoorbinse (*Isolepis setacea*)
Binseniris (*Juncus ensifolius*)
Zypergras-Segge (*Carex bohemica*)
Gelbes Zypergras (*Cyperus flavescens*)
Braunes Zypergras (*Cyperus fuscus*)
Scheuchzer's Wollgras (*Eriophorum scheuchzeri*)
Sibirisches Wollgras (*Eriophorum russeolum*)
Brennender Hahnenfuß (*Ranunculus flammula*)
Igelschlauch (*Baldellia ranunculoides*)
Fieberklee (*Menyanthes trifoliata*)
Sumpfblutauge (*Potentilla palustris*)
Sumpfkalla (*Calla palustris*)
Tannenwedel (*Hippuris vulgaris*)
Bachbunge (*Veronica beccabunga*)
Sumpfvergißmeinnicht (*Myosotis palustris*)
Kleiner Rohrkolben (*Typha minima*)
Schwimmende Sumpfdotterblume (*Caltha natans*)
Sumpfdreizack (*Triglochin palustre*)
Sumpffetthenne (*Sedum villosum*)
Sumpfjohanniskraut (*Hypericum humifusum*)
Zarter Gauchheil (*Anagallis tenella*)
Zwerg-Igelkolben (*Sparganium minimum*)
Dickblatt (*Crassula granvikii*)
Dickblatt (*Crassula helmsii*)
Laugenblume (*Cotula coronopifolia*)
Tännel (*Elatine alsinastrum*)
Dreimänniger Tännel (*Elatine triandra*)
Sechsmänniger Tännel (*Elatine hexandra*)
Wasserpfeffer (*Elatine hydropiper*)
Schlammkraut (*Limosella aquatica*)
Strandling (*Littorella uniflora*)
Sumpfludwigie (*Ludwigia palustris*)
Sumpfquendel (*Peplis portula*)
Pillenfarn (*Pilularia globulifera*)
Gunnera (*Gunnera hamiltonii*)
Selliera (*Selliera radicans*)

Sumpf

Pflanzen für den Sumpf

Schilfrohr (*Phragmites australis*)

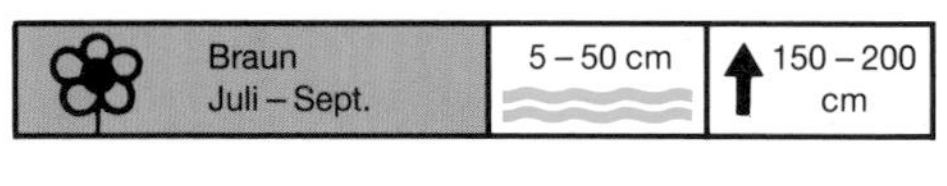

Einfach in seinem Aufbau und doch imposant in seiner Gestalt beeindruckt uns immer wieder dieses einheimische Süßgras mit seinen langen, dunklen Blütenrispen. Sein Rauschen im Winde hat von jeher viele Menschen verzaubert. Zieht es doch weit hinaus in die Verlandungszonen unserer Seen und bildet hier umfangreiche Bestände. Durch seine unterirdische, vegetative Sproßausbildung und seine Größe müssen wir es deshalb in Grenzen verweisen. Nur bei Teichen ab 5 m² Wasseroberfläche mag ihm ein abgeschirmtes Eckchen beschieden sein. Wie erdrückend wirkt es doch auf ein Weiherchen in Badewannenformat.

Verwandte Arten:
Das schilfartige Rohrglanzgras (*Phalaris arundinacea*) sowie die ebenfalls stark wuchernde Reisquecke (*Leersia oryzoides*) oder die beiden Wasserreisarten sind in diesem Zusammenhang zu erwähnen. Der Indianische Wasserreis (*Zizania aquatica*) ist nur einjährig und muß jedes Jahr neu ausgesät werden. Vor der Samenreife umgeben wir die rispigen Blütenstände mit Gaze und fangen so die Samen auf. Die andere Art, der Mandschurische Wasserreis (*Zizania latifolia*) blüht bei uns nicht. Dafür ist er ausdauernd und winterhart.
Der Wasserschwaden (*Glyceria maxima*) und der Blaugrüne Schwaden (*Glyceria declinata*) sind wegen ihrer Größe und ihres starken Ausbreitungsdranges nur bedingt tauglich.

Teichsimse (*Scirpus lacustris*)

Einem ähnlichen Verhalten im Wachstum wie beim Schilfrohr begegnen wir bei diesem Sauergras. Es dringt als Sumpfpflanze wohl am tiefsten ins Wasser vor. Lange, dunkelgrüne, drehrunde Stengel drängen aus 2 m Wassertiefe zum Licht und erheben sich dort noch bis zu 150 cm über den Wasserspiegel. Zu Sommerbeginn erscheinen braune, büschelförmige Blütenstände kurz unterhalb der spitzen Blattenden. Im Gegensatz zum vordem erwähnten Schilfrohr, das auch noch in nassem Untergrund gedeiht, wächst die Teichsimse erst, wenn sie mindestens 10 cm hoch von Wasser bedeckt ist. Im Jugendstadium präsentiert sie sich uns in Form grasähnlicher Büschel mit schmalen Blättern von gelbgrüner Farbe. Auch von dieser Art gibt es übrigens eine abwechselnd gelb und grün gezeichnete Form, die unter dem Namen Zebrasimse (*Scirpus tabernaemontani* 'Zebrinus') vereinzelt bereits Verbreitung gefunden hat.

Die Kugelbinse, auch Kopf-Simse genannt, ist eine bereits selten gewordene Pflanze.

Verwandte Arten:
Liebhaber finden unter der großen Familie der Simsen noch einige brauchbare Arten für das Sumpfgebiet. Zu nennen wäre hier die Sumpf-

simse (*Eleocharis palustris*) sowie die zierliche Nadelsimse (*Eleocharis acicularis*), die sich wegen ihrer raschen Vermehrung auch gut als Bodendecker auf unserer Feuchten Wiese verwenden läßt. Die hochaufragende Waldsimse (*Scirpus sylvaticus*) eignet sich mehr für schattigere Örtlichkeiten.
Eine wertvolle Bereicherung unseres Biotops wäre die seltene Kugelbinse (*Holoschoenus vulgaris*) sowie die zierliche Borstenmoorbinse (*Isolepis setacea*).

Breitblättriger Rohrkolben (*Typha latifolia*)

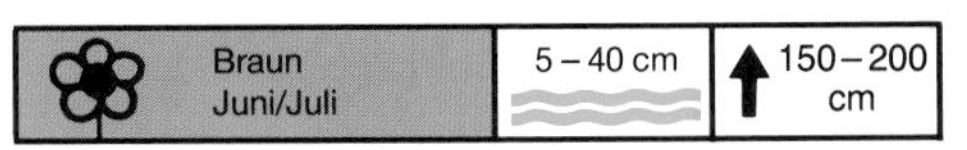

Auch diese Pflanze ist ein Freund tieferen Wassers und kommt aufgrund ihrer Ausdehnung nur bei größeren Anlagen entsprechend zur Geltung. Der in Mannshöhe stehende Blütenstand, der oben die männlichen, darunter die weiblichen Blüten erkennen läßt, bildet nach der Befruchtung den bekannten, schokoladebraunen Rohrkolben aus, der als Vasenschmuck nach entsprechender Vorbehandlung (Tauchen in Glycerin oder Bestreichen mit farblosem Lack) uns auch im tiefen Winter immer wieder an eindrucksvolle Erlebnisse mit unserem Freilandteich erinnert. Im Freien quillt unser Kolben nach Reifung der Früchte im Spätsommer auf und platzt an einer Stelle. In Watteflöckchen verpackt wirbelt nunmehr der Wind die unzähligen Früchte durch die Gegend. Die meisten landen an ungünstigen Orten und nehmen ein unrühmliches Ende durch Vertrocknen.

Verwandte Arten:
Kleiner bleibende Arten stehen uns im Schmalblättrigen Rohrkolben (*Typha angustifolia*), *Typha laxmannii, Typha shuttleworthii* sowie im Kleinen Rohrkolben (*Typha minima*) zur Verfügung. Auch bei Kleinanlagen brauchen wir also nicht auf einen Vertreter aus dieser Pflanzenfamilie zu verzichten.

Der Kleine Rohrkolben besitzt nur ca. 3 cm lange Kolben.

Wasserschwertlilie (*Iris pseudacorus*)

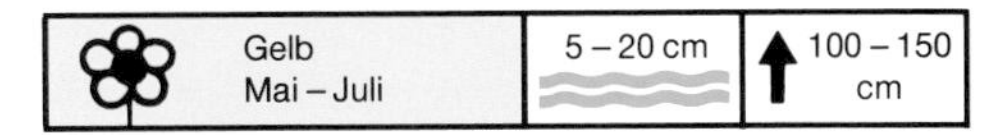

Diese auch Sumpfschwertlilie genannte Pflanze vermehrt sich in erster Linie mit Hilfe ihres kriechenden Wurzelstockes. Auch ihr wird ein Zurückschneiden bei gedrängten Verhältnissen nicht erspart bleiben.
Wir können ihr zwar durch Einsetzen in einen Topf Grenzen setzen. Den Behälter dieser nährstoffbedürftigen Pflanze müssen wir aber jedes Jahr mit neuer Erde versehen. Ein gleichzeitiges Umsetzen und Zurückschneiden aber nimmt jedes Gewächs übel und reagiert darauf anfangs durch bescheideneres Wachstum. Beides zusammen wirkt sich nachteilig auf die Blühwilligkeit aus. Die Blütezeit ist ohnedies von kurzer Dauer. Am längsten währt der hohe Blütenstand mit den großen, bulligen Samenkapseln.
Die aus Ostasien stammende *Iris laevigata* mit ihren blaßvioletten Blüten können wir ebenfalls in den Niedrigwasserteil unseres Sumpfes pflanzen. Alle anderen feuchtigkeitsliebenden Irisarten aber fühlen sich hier auf die Dauer nicht wohl.

Sumpf

Kalmus (*Acorus calamus*)

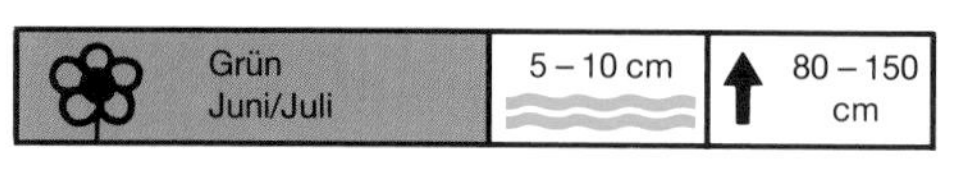

Als Heilpflanze wurde dieses Aronstabgewächs vermutlich aus Asien bei uns eingebürgert und verbreitet. Sein Aussehen entspricht in etwa dem der Wasserschwertlilie. Aus einem kriechenden Wurzelstock entsendet die Pflanze schwertförmige, an den Rändern gewellte Blätter über die Wasseroberfläche. Der gelbgrüne Blütenstand ist kolbenförmig. Auf ihm sitzen unzählige unscheinbare Blütchen, die jedoch nie Samen ansetzen, da bei uns nur triploide Pflanzen, d. h. mit anormaler Erbanlage vorkommen.
Der Kalmus ist bevorzugt eine Pflanze für den Sammler und Kenner. Von ihm existiert allerdings auch eine etwas mehr auffallende Abart mit weißgelben Blatträndern, die sich hübsch zwischen dem satten Grün unserer übrigen Sumpfpflanzen ausnimmt.

Blüten und Blätter des einheimischen Pfeilkrautes.

Pfeilkraut (*Sagittaria sagittifolia*)

Das Pfeilkraut hat unbedingt einen Platz in unserem Teich verdient. Dieses einheimische Gewächs besticht durch seine einmalige Blattform, die sowohl in der deutschen wie auch in der lateinischen Bezeichnung ausreichend charakterisiert ist.
An langem Stengel ragt der Blütenstand hoch über den Wasserspiegel hinaus. Jeweils drei Blüten sitzen an kurzen Stielen quirlartig in einer Etage. In den beiden ersten Reihen sind die Blüten ausschließlich weiblicher, darüber männlicher Natur. Wiederum ein interessanter Fall verschiedengeschlechtlicher Blüten, die dieses Mal jedoch an ein und derselben Pflanze sitzen. Da sich die weiblichen Blüten sehr viel früher öffnen als die männlichen, ist eine Selbstbestäubung so gut wie ausgeschlossen.

Dieses eigenartige Gewächs entsteht in vielen Fällen zumeist nicht aus den Früchten, sondern aus einer kleinen, unscheinbaren Knolle im Bodengrund. Im Laufe des Sommers bildet die Mutterpflanze eine Reihe von Ausläufern, an deren Ende bis zum Herbst jeweils ein neuer Pfeilkrautknollen heranwächst. Aus ihnen gehen im nächsten Frühjahr die neuen Pflanzen hervor, die noch während des Sommers zum Blühen und Fruchten kommen.
Da die Sagittarienknolle erst relativ spät austreibt, werden wir bei einer Pflanzenbestellung im Frühjahr das kugelige Gebilde mit gemischten Gefühlen und einiger Skepsis an den für das Pfeilkraut bestimmten Platz aussetzen. Doch keine Angst! Schlimmstenfalls kann uns passieren, daß wir aus Versehen die Knollen einer anderen Sagittarienart, z. B. vom Grasblättrigen Pfeilkraut erhalten, weil wir nicht ausdrücklich genug auf die gewünschte Blattform hingewiesen haben.

Verwandte Arten:
Weitere für unsere Zwecke brauchbare Arten sind das auch unter Wasser gut wachsende Grasblättrige Pfeilkraut (*Sagittaria graminea*) mit froschlöffelähnlichen Überwasserblättern, sowie das in der Blattform unserer einheimischen Art ähnlich sehende Breitblättrige Pfeilkraut (*Sagittaria platyphylla*) aus den südlichen USA. Das leider nicht winterharte Schwimmende Pfeilkraut (*Sagittaria subulata* syn. *S. natans*) könnten wir durch die gelegentliche Ausbildung von ovalen Schwimmblättern auch unter die Schwimmblattpflanzen einreihen.

Schwanenblume
(*Butomus umbellatus*)

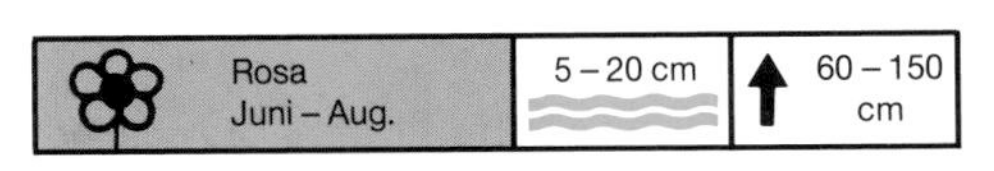

Im Sumpfpflanzenteil unseres Weihers sollte diese Pflanze nicht fehlen! Im Frühjahr erhalten wir zwar nur einen kleinfingerdicken und ebenso langen, rauhen Wurzelstock, an dessen Ende vielleicht einige halmähnliche Triebe baumeln. Unter zusagenden Bedingungen entsteht daraus im Laufe des Sommers jedoch eine rosettenartige Pflanze mit langen, dreikantigen Blättern. Meist noch im gleichen Jahr treibt sie einen runden Blütenschaft, an dessen Spitze doldenartig viele sternförmige Blüten an langen Stielen sitzen.
Bei dieser einen Pflanze bleibt es jedoch nicht. Unser Stückchen Wurzelstock hat nach dem Anwachsen noch an mehreren, anderen Stellen ausgetrieben und neue Pflanzen gebildet. Diese sind zwar noch nicht so kräftig wie die Erstlingspflanze. Aber schon nächstes Jahr werden wir eine ganze Reihe blühfähiger Exemplare besitzen. Die Schwanenblume, auch Blumenbinse genannt, kommt eigentlich erst im Verband so richtig zur Geltung. Unser Wurzelstock aber wächst für uns unsichtbar weiter. Ende des zweiten Jahres werden wir bereits über eine stattliche Anzahl dieser in Freiheit selten gewordenen Pflanzenart verfügen. Es gibt auch eine weißblühende Sorte.

Froschlöffel
(*Alisma plantago-aquatica*)

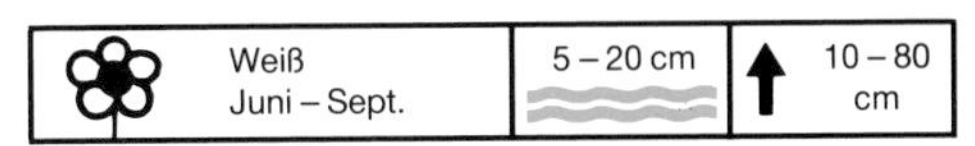

Diese weitverbreitete Pflanze findet bei uns Teichliebhabern ebenfalls viel Anklang. Einmal sind es die löffelähnlichen Blätter, die rosettenförmig auf langen, kräftigen Stielen sitzen, zum anderen aber ist es der imposante Blütenstand, der die übrige Pflanze weit überragt. Viele kleine, zuweilen rosafarbene Blütchen sitzen an den Enden des quirligen Blütenstandes.
Diese Sumpfpflanze kann sich ausnahmsweise nicht durch Ausläufer vermehren. Sie ist deshalb unbedingt auf die Bildung von Samen zur Arterhaltung angewiesen. Dies funktioniert jedoch nur, wenn Blütenstaub aus den gelben Staubgefäßen auf das Zentrum der Blüte gelangt. Angelockt durch Duft und Nektar übernehmen Bienen und andere geflügelte Insekten bei ihrem Aufenthalt auf der Blüte unbewußt diese für die Pflanze so wichtige Aufgabe. An der befruchteten Blüte entstehen nunmehr eine Reihe von Früchten, die nach und nach von der Mutterpflanze abfallen. Im nächsten Jahr ist die Altpflanze schon von einer erklecklichen Kinderschar umgeben. Der Froschlöffel kommt in seiner vollen Schönheit am besten zur Geltung, wenn er einzeln steht oder nur von niedrigwachsenden Sumpfpflanzen umrahmt ist.

Verwandte Arten:
An weiteren winterharten Froschlöffelarten kämen der Grasblättrige Froschlöffel (*Alisma gramineum*), der Lanzettblättrige Froschlöffel (*Alisma lanceolatum*) und der aus Nordamerika eingeführte Froschlöffel (*Alisma subcordatum*) in Frage.
Für flachen Wasserstand eignet sich der kleinbleibende Igelschlauch (*Baldellia ranunculoides*), ein weiß oder leicht rosa blühendes Froschlöffelgewächs.
Der Aquarianer kennt eine Reihe tropischer Vertreter unter der Bezeichnung »Amazonas-

schwertpflanzen« oder *Echinodorus*. Sie lassen sich den Sommer über im sonnendurchwärmten Sumpfteil kultivieren. Ende September stellen wir sie in einen wassergefüllten Blumenkasten ans Fenster.

Wechselblättriges Zypergras (*Cyperus alternifolius*)

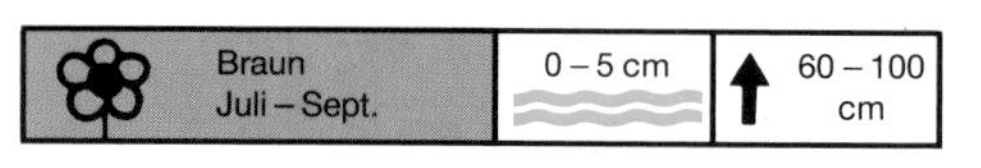

Eine ganze Reihe tropischer Sumpf- und Wasserpflanzen können wir ab Mitte Mai auch im Freiland mit Erfolg pflegen. Dazu zählen unter anderem die verschiedenen Arten des dekorativen Zypergrases mit ihren eigenartigen Blättern auf langem Stengel. Den Winter über verschönern sie unser Blumenfenster. Pflanzen aus Räumen dürfen wir allerdings nicht sofort der prallen Sonne aussetzen. Auch unser Zypergras würde uns dies übelnehmen, wenn wir es im Frühjahr plötzlich vom Zimmer an den Rand unseres Freilandteiches zur Erholung schicken würden. Mindestens 10–14 Tage muß es vorher an einem schattigen, nur von der Morgen- oder Abendsonne beschienenen Platz stehen, damit es später am Weiherrand keinen »Sonnenbrand« bekommt. Ohne diesen kleinen Umgewöhnungskniff würden wir bald vor welken, gelbbraunen Blättern stehen, und ein stiller oder auch hörbarer Groll würde in uns aufkommen über den Menschen, der behauptet, daß man Zypergras während der Sommermonate bei uns auch im Freien pflegen kann. Es klappt, wenn wir es richtig machen. Erwähnenswert ist ferner die Bildung von Tochterpflanzen an Blättern, die in das Wasser hängen oder dem feuchten Boden aufliegen.

Verwandte Arten:
Neben der genannten Art ist noch der kleinbleibende *Cyperus haspan* zu nennen. Den im Altertum der Papierherstellung dienenden Papyrus (*Cyperus papyrus*) müssen wir ebenfalls im Hause an einem hellen Platz überwintern.

Das zwergige Gelbe Zypergras ist eine dankbare Begleitpflanze von Naßbiotopen.

Der bis zu 1 m aufragende *Cyperus eragrostis* aus Nordamerika wirkt sehr dekorativ, ist aber leider auch nicht ganz winterhart. Zu den einheimischen, frostunempfindlichen Arten zählen das Lange Zypergras (*Cyperus longus*), das Braune Zypergras (*Cyperus fuscus*) sowie das Gelbe Zypergras (*Cyperus flavescens*). Besonders letzteres eignet sich infolge seiner geringen Wuchshöhe auch für Kleinanlagen.

Ästiger Igelkolben (*Sparganium erectum* syn. *S. ramosum*)

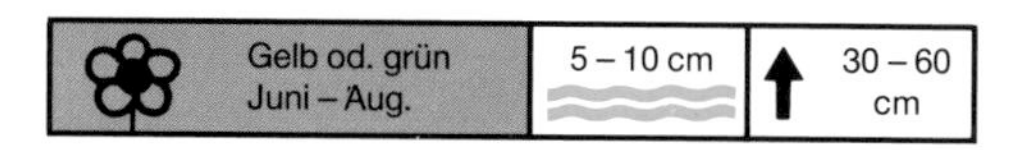

Ein interessanter Bewohner unseres Sumpfpflanzengebietes ist der Igelkolben. Ein schlangenförmig gebogener Stiel entfaltet abwechselnd gekielte, schwertartige Blätter. In den Blattachseln sitzen auf langen Stengeln zuunterst die rundlichen, stachelartig strukturierten, weiblichen Blüten. Nach kurzem Abstand folgen die pelzartig anmutenden, männlichen Kugelblüten. Die Bestäubung erfolgt in diesem Fall nicht durch Insekten. Dem Wind obliegt dieses Mal die Aufgabe, eines der unzähligen Blütenstaubkörner in einer weiblichen Blüte unterzubringen. Wie viele andere Pflanzen vermehrt sich unser Igelkol-

Der Kleine Igelkolben bildet nur im Sumpf oder bei stehendem Wasser Überwasserblätter aus.

ben allerdings leichter und schneller durch längere Seitensprosse, die einen lockeren Pflanzenverband ergeben. Der Igelkolben gehört zur Gruppe der Rohrkolbengewächse.

Verwandte Arten:
Ein Verwandter von ihm ist der Einfache Igelkolben (*Sparganium emersum* syn. *S. simplex*) mit ährenförmig angeordneten Blütenköpfen.
Beim Zwergigelkolben (*Sparganium minimum*) fluten meist hellgrüne, bandförmige Blätter unter der Wasseroberfläche. Nur der einhäusige Blütenstand mit zwei, seltener drei weiblichen Blüten wird über die Wasseroberfläche erhoben.

Seggen (*Carex*-Arten)

Eine Wissenschaft für sich sind die verschiedenen Arten der Ried- oder Sauergräser. Vor allem Vertreter der Gattung *Carex* bestechen unser Auge durch ihre oft eigenartigen Blütenstände und sind im seichten Wasser oder feuchten Uferteil dankbare Pfleglinge. Bei einem Spaziergang in Wassernähe begegnen wir sicherlich der einen oder anderen Art, die uns gefällt. Auch unser Wasserpflanzengärtner wird uns mit einer Reihe schöner Arten behilflich sein können. Für unseren Sumpfteil käme hier vor allem das imposante Schneidried (*Cladium mariscus*) in Frage. Leider breitet es sich schnell aus und kann sehr hoch werden. Außerdem bildet es ein zähes Wurzelgeflecht, das ohne Werkzeug nicht im Zaum zu halten ist. Wir setzen es deshalb niemals frei in den Sumpfteil unseres Folienteiches. Die Sumpfsegge (*Carex acutiformis*), die Steifsegge (*Carex elata*) und die Schlanksegge (*Carex gracilis*) sind weitere geeignete Vertreter der Riedgräser.

Zungenhahnenfuß (*Ranunculus lingua*)

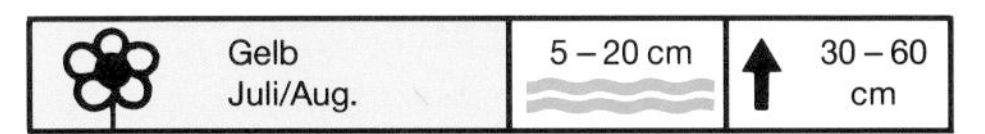

Mehrere Angehörige der Hahnenfußgewächse haben wir bereits bei den Wasserpflanzen kennengelernt. *R. lingua* sieht diesen Arten ganz und gar nicht ähnlich. Ein glatter, rundlicher Stengel liegt dem Bodengrund auf, von dem sich Wurzeln in das Erdreich senken. Seine Vegetationsspitze richtet sich zu Beginn der warmen Jahreszeit senkrecht nach oben und entsendet einen langen, blaugrünen, kräftigen Stengel, dem wechselseitig in kurzen Abständen lanzettförmige Blätter entspringen. Die 3–4 cm großen Blüten erscheinen im Spätsommer und stehen auf kurzen, dünnen Stielen.
Sein Drang zur Vermehrung durch Seitensprosse ist enorm. Man muß sich oft wundern, wo überall plötzlich neue Pflanzen erscheinen. Trotz seines seltenen Vorkommens ist er leider nur wenig gefragt.

Verwandte Art:
Ein zierlicherer Vertreter ist der Brennende Hahnenfuß (*Ranunculus flammula*). Mit seinem Stengel kriecht er ebenfalls über den Boden und schickt von Zeit zu Zeit Wurzeln in den Untergrund. Seine gelben Blüten aber sitzen auf der hochaufragenden Triebspitze.

Straußblütiger Weiderich (*Lysimachia thyrsiflora*)

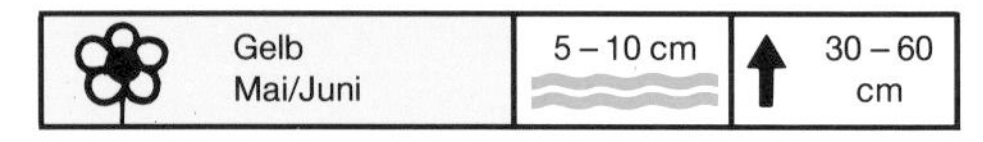

Eine zu seiner Blütezeit seltene Blütenfarbe zaubert dieses Primelgewächs in unser buntes Sumpfpflanzenarrangement. Wenn der Goldkolben bereits verblüht ist, überrascht uns die aufragende Pflanze mit gelben Blütenständen in den Achseln der jeweils gegenständigen Blätter. Die ganze Schönheit dieses Weiderichs entfaltet sich auf einem drehrunden Stengel.

Der Straußblütige Weiderich bleibt viel kleiner als der Gilbweiderich, den wir auch noch kennenlernen werden. Seine unterirdischen Ausläufer lassen hier und dort in unserem Niedrigwasserteil plötzlich eine neue Pflanze entstehen, ohne daß wir dies voraussagen können. Aber er stört uns durch sein wenig Raum beanspruchendes Wachstum nicht weiter. Außerdem ist er stark genug, sich gegen aufdringliche Nachbarn durchzusetzen.

Der Straußblütige Weiderich ist selten in Wassergärten vertreten.

Hechtkraut (*Pontederia cordata*)

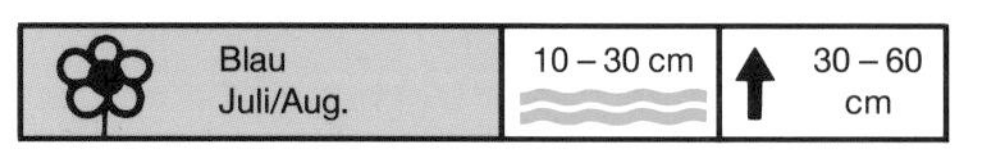

Das Hechtkraut stammt aus dem gemäßigten Nordamerika und ist eine der wenigen Sumpfpflanzen, die mit blauen Blüten aufwarten. Auch auf Grund seines gefälligen Aussehens sollte es an keinem größeren Weiher fehlen. Aus dem im Bodengrund verankerten Wurzelstock werden an langen, drehrunden Stengeln meist breite, oben spitz zulaufende, unten herzförmig eingeschnittene Blätter gebildet. Ein sattes, glänzendes Grün zeichnet alle oberirdischen Triebe aus. Auch der Blütenstengel zeigt dieselbe Farbe. Zuoberst sitzt der ährige Blütenstand mit unzähligen Blüten. Von unten nach oben öffnen sich etagenweise die zarten Blüten, so daß wir uns viele Tage an einem einzigen Blütenstand erfreuen können.

Es bleibt jedoch nicht nur bei einem Exemplar. Auch der Wurzelstock wächst weiter und bildet im Laufe der Zeit eine Reihe neuer Pflanzen. Je üppiger der Bestand wird, desto dekorativer wirkt diese einmalige Sumpfpflanze. Das Hechtkraut überwintert nur in eisfreien Regionen.

Tannenwedel (*Hippuris vulgaris*)

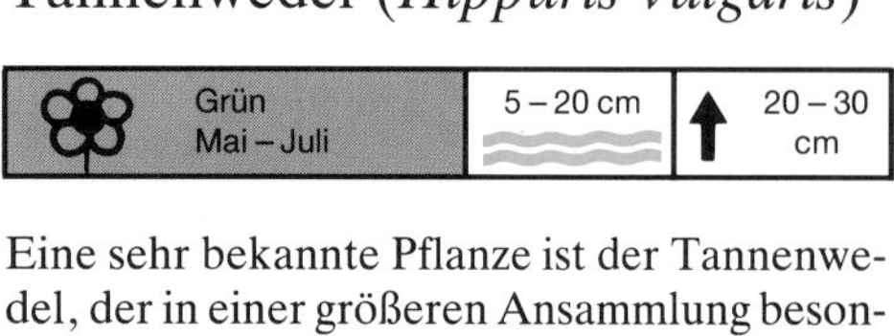

Eine sehr bekannte Pflanze ist der Tannenwedel, der in einer größeren Ansammlung besonders attraktiv wirkt. Da uns vor allem die Überwassertriebe begeistern, versenken wir den weißlichen Wurzelstock im Niedrigwasserteil unseres Beckens, wo er bald zu treiben und sich auszubreiten beginnt. Anfänglich klein, später kräftiger werdend, treibt er Stengel, die ringsum dicht mit tannennadelähnlichen, flachen Blättern besetzt sind. Fühlt er sich heimisch, erscheint im Sommer in jeder Blattachsel eine kleine, unscheinbare Blüte.

Fieberklee
(*Menyanthes trifoliata*)

Weiß April/Mai	5 – 10 cm	15 – 30 cm

Seichtes Wasser ist für diese Pflanze der ideale Standort. Aber auch tieferes Wasser stellt für den Fieberklee kein großes Problem dar. Der Wurzelstock wächst dann eben senkrecht zur Wasseroberfläche, um seine eigenartigen, kleeähnlichen Blätter über den Wasserspiegel zu erheben. Nur das Ende des ansonsten kriechenden Wurzelstockes sitzt noch im Boden fest. Der Fieberklee ist ein Frühblüher. Schon bald nach Schwinden des Eises erhebt sich die Blütentraube mit hellen Blüten aus dem Wasser. Verwandschaftlich gehört er wie die Seekanne zu den Enziangewächsen. Die deutsche Bezeichnung kennzeichnet ihn als alte Heilpflanze.

Sumpfblutauge
(*Potentilla palustris*)

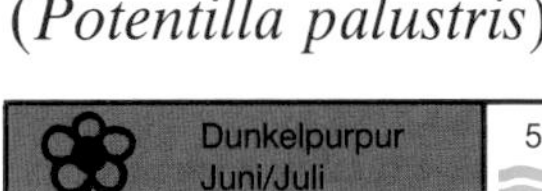

Dunkelpurpur Juni/Juli	5 – 10 cm	15 – 30 cm

Wie der Fieberklee wächst diese Pflanze gerne mit ihrem kriechenden Wurzelstock aus dem Sumpfpflanzenteil in Richtung »offene See«. Deshalb werden wir ihr einen entsprechenden Platz zuweisen. Dieses Rosengewächs liebt des weiteren möglichst kalkarmes, leicht saures Wasser. In der freien Natur begegnen wir ihm nur an moorigen Gewässern, die noch kaum von Menschenhand verändert wurden.

Oben: Die zarte, detailierte Blütenstruktur des Fieberklees nehmen wir oft nur oberflächlich zur Kenntnis.

Unten: Die Farbe der Blütensterne des Sumpfblutauges kann je nach Untergrund heller oder dunkler ausfallen.

Die Sumpfkalla gehört – wie auch der Goldkolben – zu den Aronstabgewächsen.

Sumpfkalla (*Calla palustris*)

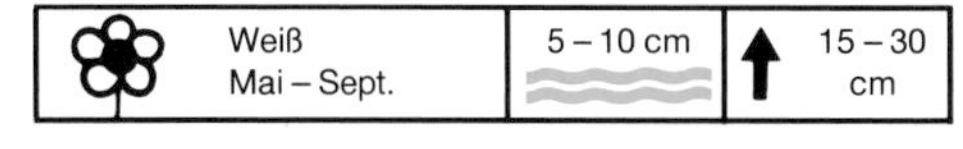

Eine besondere Note bringt dieses einheimische Aronstabgewächs mit seinen eigenartigen Blütenständen und Früchten in unseren Sumpfteil. Ein zerbrechlicher, grünlicher Wurzelstock mit spitzem Vegetationskegel ist der Urheber. Als erstes werden nach dem Auspflanzen weiße Wurzeln zur Verankerung und Ernährung in den Bodengrund geschickt. Da der Wurzelstock sehr viel Auftrieb hat, beschweren wir ihn anfänglich an seinem hinteren Ende mit einem flachen Stein. Zaghaft erscheint an kurzem Stiel das erste, herzförmige Blatt, dem bald weitere, größere folgen. Eines Tages überrascht die Pflanze uns mit dem ersten Blütenstand. Ein grüner, zylindrischer Blütenkolben hebt sich deutlich gegen eine große, weiße Blütenscheide ab. Nach erfolgter Befruchtung erstrahlt der Kolben im Spätsommer in einem satten Rot. Nunmehr besteht er aus zusammengedrängten, großen Beeren, die giftig sind. Die Sumpfkalla, auch Schlangenwurz genannt, breitet sich nur zögernd aus. Auch ist sie kein Freund allzu starker Sonneneinstrahlung.

Bachbunge (*Veronica beccabunga*)

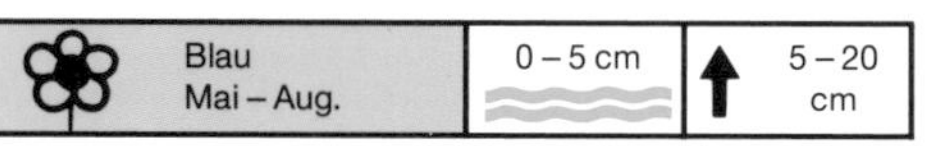

Der flache Uferteil eines Freilandbeckens ist der geeignete Lebensraum für dieses kleinbleibende, blaublühende Pflänzchen. Die Bachbunge besitzt einen runden Stengel mit gegenständigen, fleischigen, ovalen Blättern. Aus den Blattachseln der oberen Blätter entspringen die traubenförmigen Blütenstände. Meist den ganzen Sommer hindurch erfreut uns diese vermehrungswillige Pflanze mit ihren zahlreichen Blütchen. Sie steigt auch gerne aus dem Wasser heraus und ist als niedriger Uferbewuchs zur Bedeckung kahler, störender Stellen gut zu verwenden. Allerdings bildet sie hier keinen dichten Bestand und bleibt niedrig. Sie paßt sich den trockeneren Umweltbedingungen an.

Sumpfvergißmeinnicht (*Myosotis palustris*)

Reizend anzusehen ist diese Pflanze mit ihren himmelblauen Blütenblättern und dem knallgelben Blütenzentrum. Es gibt heute bereits eine Reihe großblumiger Züchtungen für den Garten. Gerade die Wildform aber hat ihren besonderen Reiz und sollte nicht in Vergessenheit geraten.

Teichschachtelhalm
(*Equisetum fluviatile*)

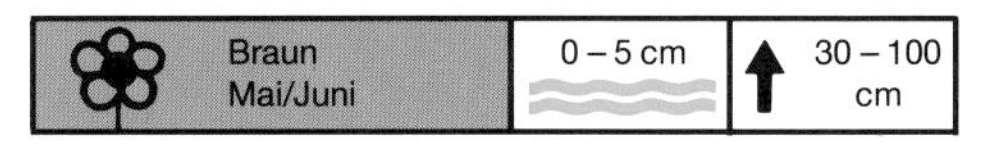

Miniaturformen aus der Steinkohlenzeit sind uns bis heute in einer kleinen Artenzahl erhalten geblieben. Wer etwas an die Urzeit erinnert werden möchte, siedelt in seinem Weiher den eigenartigen Teichschachtelhalm an. Er ist zwar keine berückende Schönheit, aber doch etwas Einmaliges.

Wie schon der Name besagt, besteht diese sporenbildende Pflanze im wesentlichen aus einem stengelartigen Halm, der sich aus einzelnen Gliedern zusammensetzt. Gelegentlich finden wir kleine Seitenäste. An der Spitze der Pflanze aber sitzt ein ährenförmiger Fruchtkörper.

Schachtelhalme besitzen einen großen Ausbreitungsdrang, den wir unterbinden müssen. Hochwerdende Arten können wir durch den Rauhzähnigen Schachtelhalm (*Equisetum trachyodon*) oder gar den Sumpfschachtelhalm (*Equisetum palustre*) ersetzen.

Scheinkalla
(*Lysichiton americanus*)

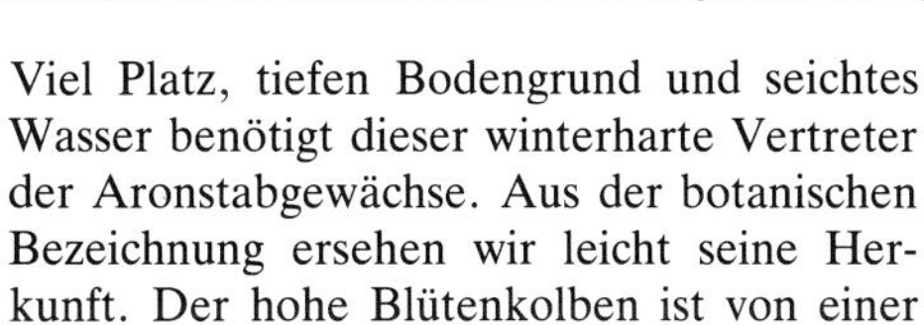

Viel Platz, tiefen Bodengrund und seichtes Wasser benötigt dieser winterharte Vertreter der Aronstabgewächse. Aus der botanischen Bezeichnung ersehen wir leicht seine Herkunft. Der hohe Blütenkolben ist von einer großen Blütenscheide umrahmt. Die Pflanze blüht meist vor dem Erscheinen der ersten Blätter.

Verwandte Art:
Die seltenere Scheinkalla-Art (*Lysichiton camtschatcensis*) ist ebenfalls winterhart, wird nur etwa halb so hoch und besitzt eine weiße Blütenscheide.

Scheinkalla-Arten benötigen nach der Blüte viel Raum für die Entfaltung ihrer großflächigen Blätter.

Sumpfdotterblume
(*Caltha palustris*)

Schon früh im Jahr beglückt uns diese einheimische, sich durch schwimmende Früchte verbreitende Sumpfpflanze mit ihren leuchtenden Blüten. Auf kurzen Stielen ruhen rundliche, am Rande leicht gekerbte Blätter. Die zahlreichen, blütentragenden Stengel überragen die übrige Pflanzenrosette und bringen so die einzelnen Blüten besonders auffallend zur Geltung.

Verwandte Arten:
Die weißblühenden Wildformen *Caltha natans* und *C. palustris* var. *alba* aus dem Himalaya, die gelbblühende *Caltha polypetala* sowie

Biotop der Sumpfdotterblume im Frühjahr.

Sumpfwolfsmilch während der Hochblüte.

Züchtungen mit gefüllten Blüten erweitern das Sortiment. Für den Minisumpf eignet sich die zierliche *Caltha natans*.

Sumpfwolfsmilch (*Euphorbia palustris*)

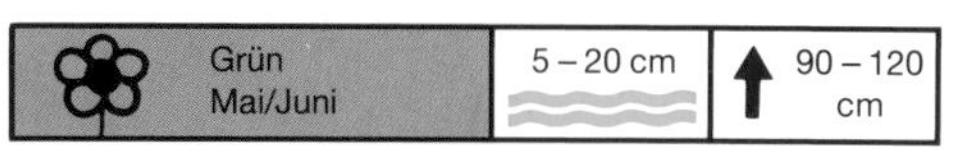

Als Schaustück sollte diese seltene Wolfsmilchart nur in Nachbarschaft niedrigwachsender Sumpfgewächse stehen, wenn wir sie nicht gar alleine pflanzen. Auf langem Stengel sitzen flache Blütenstände in doldenförmiger Anordnung. Besonders reizvoll aber ist die rote Verfärbung der runden Stengel und lanzettförmigen Blätter im Spätherbst.

Gelenkblume (*Physostegia purpurea*)

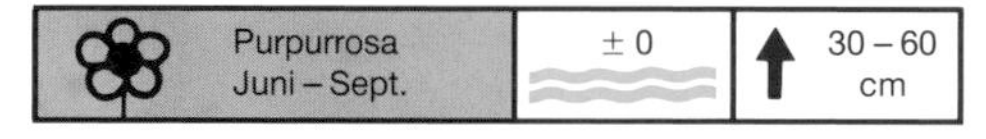

Diese eigenartige Pflanze wurde bereits 1789 aus Nordamerika zu uns eingeführt, war aber bald wieder aus der Kultur verschwunden. Neuerdings ist sie wieder aufgetaucht und zwar als Sumpf, ja sogar als Unterwasserpflanze für Aquarien. Ihr Wuchs ist büschelig. An den aufsteigenden Stengeln mit ovalen, am Rande gewellten Blättern sitzen in kurzen Abständen jeweils zwei Lippenblüten. Jede Einzelblüte ist durch einen gelenkartigen Stiel mit dem Stengel verbunden und läßt sich so in jede beliebige Stellung bringen. Humorige Leute nennen sie aus diesem Grund auch »Fotografenblume«.

Verwandte Arten:
Weniger anspruchsvoll an Bodenfeuchtigkeit ist *Physostegia virginiana,* auch unter dem Namen Etagenerika bekannt. Sie kommt an ähnlichen Standorten (Uferrändern) wie *P. purpurea* vor. Beide Arten sind winterhart.

Gelbe Lotosblume (*Nelumbo lutea*)

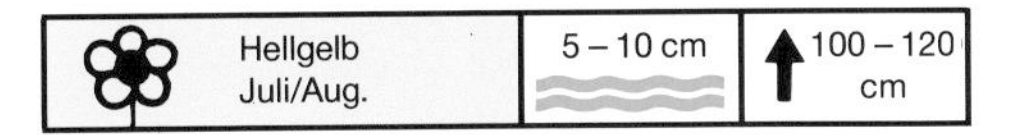

Diese wundersame Pflanze kennen wir sicherlich bereits dem Namen nach. Spielt sie doch in den Erzählungen vieler asiatischer Länder eine ähnliche Rolle wie unsere sagenumwobene Seerose. In all diesen Fällen handelt es sich um die wärmeliebende Indische Lotosblume (*Nelumbo nucifera*), mit weißen oder rötlichen Blüten. Sie ist für unsere Zwecke denkbar ungeeignet. Aus dem gemäßigten Nordamerika stammt die Art, die für unseren Wassergarten in Frage kommt. Allerdings muß auch sie frostfrei, in tieferem Wasser oder gar im kühlen Keller, überwintert werden.
Wer bereits einmal Lotosblüten und ihre ebenfalls auf langen Stielen weit über die Wasseroberfläche hinausragenden, tellerförmigen Blätter gesehen hat, nimmt diese Mühe gerne in Kauf. Leider benötigt diese Pflanze zu ihrem Wohlbefinden nahrhaften Bodengrund aus Erde, Lehm und käuflichen Naturdung. Diese Mischung birgt natürlich die große Gefahr einer starken Wassertrübung oder gar Algenblüte. Außerdem wünscht sie einen Wasserstand von 5 bis höchstens 10 cm Höhe. So besorgen wir uns denn einen ca. 30 cm tiefen, breitausladenden Behälter – vielleicht eine stabile, große Plastikwanne – und schaffen für unsere Lotosblume ein eigenes Reich.
Nach dem Ablassen des Wassers im Herbst können wir den Behälter an den Griffen aus dem Boden herausheben und zur sorgenfreien Überwinterung in den Keller tragen. Natürlich füllen wir anschließend unsere Wanne wieder mit Wasser, um die Lotosblume vor dem Austrocknen zu bewahren. Erst im nächsten Frühjahr erneuern wir erforderlichenfalls den Bodengrund. Es wäre falsch, die Wurzelstöcke im Herbst aus ihrem Winterschlaf zu reißen und neu einzubetten. Ohne Druck- und spätere Faulstellen geht so etwas nicht ab. Verletzungen dieser Art können Pflanzen aber nur im »wachen Zustand« ausheilen.

Diese Faustregel gilt nicht nur für die Lotosblume. Bei ihrem »Umtopfen« im Mai müssen wir sehr vorsichtig zu Werke gehen. Bricht uns die Triebspitze beim Freilegen ab, ist es mit der Herrlichkeit vorbei. Wurzelstockteile ohne Keimanlagen und wenigstens einem Blatt, das nicht vertrocknen darf, brauchen wir gar nicht erst einzupflanzen. Beim Erwerb von Lotosrhizomen achten wir deshalb besonders auf diesen ausschlaggebenden Punkt.

Binsen (*Juncus*-Arten)

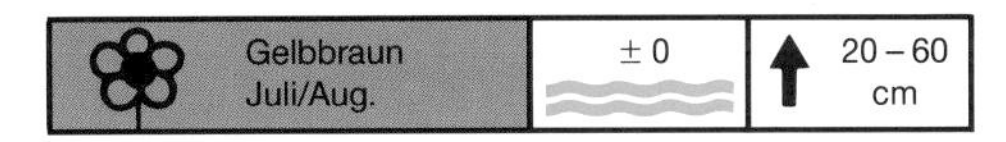

Die Binsen bieten eine Reihe brauchbarer Vertreter für unseren Sumpfteil. Charakteristisch sind die meist runden Stengel und Blätter. Am leichtesten unterscheiden wir sie anhand der Blütenstände. Für unsere Zwecke kommt neben der Blaugrünen Binse (*Juncus inflexus*) die Flatterbinse (*Juncus effusus*) und die Spitzblütige Binse (*Juncus acutiflorus*) in Betracht. Die Fadenbinse (*Juncus filiformis*) können wir nur erfolgreich in kalkfreiem Bodengrund und Wasser ansiedeln. Sehr dekorativ wirkt *Juncus effusus* var. *compactus* mit seinen korkenzieherartig gedrehten Blättern. Eher an eine kleine Schwertlilie erinnert dagegen die Binseniris (*Juncus ensifolius*), die sich rege durch Ausläufer vermehrt.

Ästige Knotenblume (*Leucojum aestivum*)

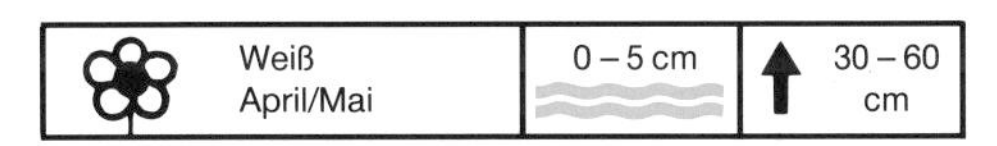

Im Herbst können wir unter dem Blumenzwiebelangebot neben der bekannten Frühlingsknotenblume (*Leucojum vernum*) auch die Sommerknotenblume entdecken. Da diese Art ein Bewohner nasser Gebiete ist, pflanzte ich die Zwiebeln in den Sumpf. Ich hatte noch nie so kräftige und gesunde Pflanzen wie hier.

1

Virginisches Pfeilblatt (*Peltandra virginica*)

Obwohl dieses Aronstabgewächs mit den dunkelgrünen, pfeilförmigen Blättern aus dem atlantischen, gemäßigten Nordamerika stammt, hat es sich bei uns als winterhart erwiesen.

2

Wassergreiskraut (*Senecio aquaticus*)

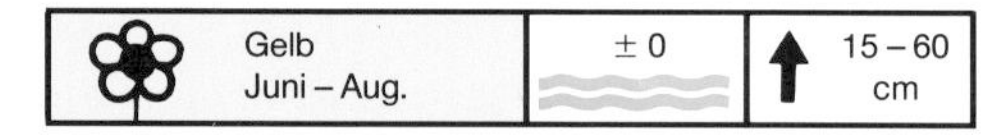

Goldgelbe Blütensterne in doldenartiger Anordnung an bräunlichem Stiel und gewellte Blätter mit tiefen Einschnitten charakterisieren dieses Asterngewächs, das von uns noch immer etwas stiefmütterlich behandelt wird. Ähnlich ergeht es auch anderen wasser- oder feuchtigkeitsliebenden Greiskrautarten.

3

Sumpffarn (*Thelypteris palustris*)

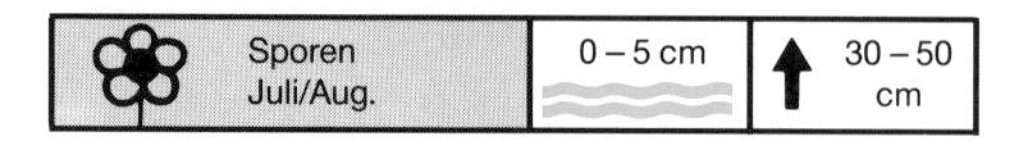

Mit Hilfe unterirdischer Ausläufer »durchwandert« der Sumpffarn seinen Lebensraum. Nur wenige, typisch farnartige Blätter markieren seinen Weg. An ihrer Unterseite entstehen im Sommer unzählige Sporenhäufchen, die fest auf ihrer Unterlage haften.

4

1 Die Gelbe Lotosblume thront hoch über den mit ihr verwandten Seerosenblüten.

2 Eine Kuriosität unter den Binsen, die Korkenzieherbinse.

3 Blütenstand des Glänzenden Eidechsenschwanzes.

4 Nur andeutungsweise läßt sich die wahre Farbenpracht der Kardinalslobelie erahnen.

Glänzender Eidechsenschwanz (*Saururus cernuus*)

Mit bis zu 20 cm langen, weißgelben Blütenähren auf hohem Stiel und herzförmigen Blättern erfreut uns diese aus Nordamerika stammende Pflanze. Hervorgegangen ist die ganze Pracht aus einem reich verzweigten, im Boden kriechenden Rhizom. Bei beengten Platzverhältnissen pflanzen wir es deshalb nicht frei in unseren Sumpfteil. Je nach Herkunft der Pflanze ist sie winterhart oder benötigt einen Kälteschutz. Da wir dies meist nicht in Erfahrung bringen können, versenken wir entweder das Pflanzgefäß in unserem Teich oder graben es ein und decken mit Laub und Nadelreisig ab.

Ostasiatischer Eidechsenschwanz (*Houttuynia cordata*)

Dieses aus Ostasien stammende Gewächs ist vielleicht wegen seiner geringen Wuchshöhe für uns von Interesse. Es wartet nur mit einer 2,5 cm hohen, gelben Blütenähre auf, die allerdings dekorativ von vier weißen Hochblättern umrahmt ist. Allerdings wuchert es und ist nicht winterhart.

Sumpflabkraut (*Galium palustre*)

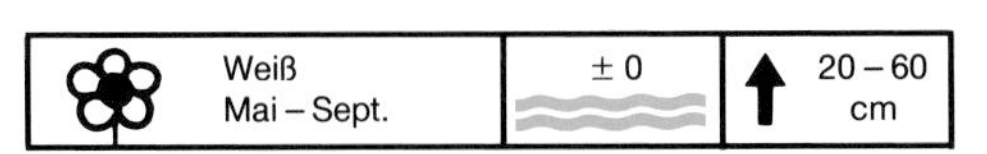

Zart und zerbrechlich mutet uns diese Pflanze an. Wir setzen sie deshalb zwischen höhere, stabilere Sumpfgewächse, die ihr etwas Halt vermitteln. Die nur 4 mm großen Blüten kommen ausreichend zur Geltung, weil sie in einem lockeren Blütenstand angeordnet sind. Dieses Labkraut ist eine dankbare und anspruchslose Pflanze für die Kenner unter uns.

Kardinalslobelie (*Lobelia cardinalis*)

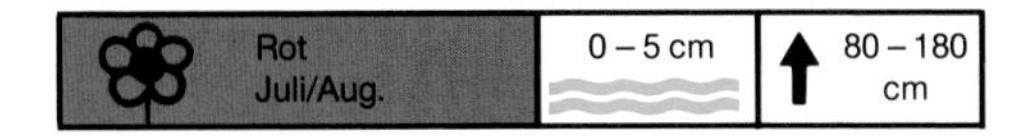

Wir Aquarianer kennen zwar schon lange die Unterwasserform dieser prächtigen Lobelie. Zu einer Blütenbildung kommt es unter diesen Bedingungen jedoch kaum. Erst bei niedrigem Wasserstand und sommerlicher Freilandhaltung zeigt diese schlanke Nordamerikanerin ihre volle Blütenpracht. Vielleicht ein Anreiz, dies auch einmal mit anderen uns interessierenden Aquarienpflanzen zu versuchen. Von dieser Lobelie gibt es übrigens auch eine weißblühende Sorte.

Verwandte Arten:
Blaublühende Arten sind *Lobelia inflata, L. cordigera* und *L. siphilitica. Lobelia × speciosa* entstand durch Kreuzung der beiden letztgenannten. Die untergetaucht wachsende Wasser-Lobelie (*Lobelia dortmanna*) hat weißliche Blüten und ist in Nordamerika und Europa beheimatet. Alle genannten Pflanzen überdauern den Winter im Freien.

Sechszack (*Triglochin maritimum*)

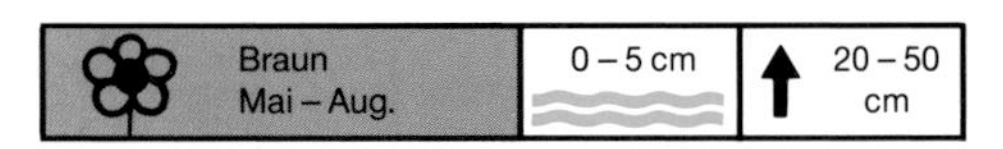

Bei flüchtigem Betrachten erinnert dieser Sumpfbewohner mit seinen runden, büschelartig angeordneten Blättern an eine Binse. Erst der traubige Blütenstand gibt uns genauere Auskunft über die Zugehörigkeit dieses Gewächses.
Der wesentlich kleiner bleibende Sumpfdreizack (*Triglochin palustre*) wäre eine wertvolle Bereicherung unseres Minisumpfes. Leider wird er nur selten angeboten.

Tabelle Sumpfpflanzen

Deutscher Name	Botanischer Name	Blütenfarbe	Blütezeit
Bachbunge	*Veronica beccabunga*	blau	Mai–Aug.
Binse, Blaugrüne	*Juncus inflexus*	braun	Juli/Aug.
Binse, Borstenmoor-	*Isolepis setacea*	braun	Juni–Sept.
Binse, Faden-	*Juncus filiformis*	braun	Juni–Aug.
Binse, Flatter-	*Juncus effusus*	braun	Juni–Aug.
Binseniris	*Juncus ensifolius*	braun	Juli/Aug.
Binse, Korkenzieher	*Juncus effusus* var. *compactus*	braun	Juni–Aug.
Binse, Kugel-	*Holoschoenus vulgaris*	braun	Juli/Aug.
Binse, Spitzblütige	*Juncus acutiflorus*	braun	Juli/Aug.
Dickblatt, Granvik's	*Crassula granvikii*	rosa	Juli/Aug.
Dickblatt, Helms'	*Crassula helmsii*	weiß	Juli/Aug.
Eidechsenschwanz, Ostasiatischer	*Houttuynia cordata*	weiß	Aug./Sept.
Eidechsenschwanz, Glänzender	*Saururus cernuus*	weiß	Juli/Aug.
Fieberklee	*Menyanthes trifoliata*	weiß	April/Mai
Froschlöffel, Gewöhnlicher	*Alisma plantago-aquatica*	weiß	Juni–Sept.
Froschlöffel, Grasblättriger	*Alisma gramineum*	weiß	Juni–Aug.
Froschlöffel, Lanzettblättriger	*Alisma lanceolatum*	rosa	Juni–Aug.
Froschlöffel, Nordamerikanischer	*Alisma subcordatum*	weiß	Juli/Aug.
Gauchheil, Zarter	*Anagallis tenella*	rosa	Juli/Aug.
Gelenkblume	*Physostegia purpurea*	rosarot	Juni–Sept.
Greiskraut, Wasser-	*Senecio aquaticus*	gelb	Juni–Aug.
Gunnera, Hamilton'sche	*Gunnera hamiltonii*	grün	Juli/Aug.
Hahnenfuß, Brennender	*Ranunculus flammula*	gelb	Juli/Aug.
Hahnenfuß, Zungen-	*Ranunculus lingua*	gelb	Juli/Aug.
Hechtkraut	*Pontederia cordata*	blau	Juli–Sept.
Igelkolben, Ästiger	*Sparganium erectum*	grün od. gelb	Juni–Aug.
Igelkolben, Einfacher	*Sparganium emersum*	grün od. gelb	Juni/Juli
Igelkolben, Zwerg-	*Sparganium minimum*	grün od. gelb	Juni–Aug.
Igelschlauch	*Baldellia ranunculoides*	weiß	Juli–Sept.
Johanniskraut, Sumpf-	*Hypericum humifusum*	gelb	Juni–Sept.
Kalmus	*Acorus calamus*	grün	Juni/Juli
Knotenblume, Ästige	*Leucojum aestivum*	weiß	April/Mai
Laugenblume	*Cotula coronopifolia*	gelb	Juli/Aug.
Lobelie	*Lobelia siphilitica*	blau	Juli–Sept.
Lobelie	*Lobelia cordigera*	blau	Juli–Sept.
Lobelie	*Lobelia inflata*	blau	Juli–Sept.

Tabelle Sumpfpflanzen

Vassertiefe	Wuchshöhe	Licht	Bemerkung	Seite
-5 cm	5–20 cm	○	Bodendecker	76
umpf	40–60 cm	○	horstbildend	79
umpf	5–10 cm	○	horstbildend	69
umpf	20–40 cm	○	horstbildend	79
umpf	30–80 cm	○	horstbildend	79
umpf	15–30 cm	○	zahlreiche Seitensprosse	79
umpf	30–80 cm	○	Seltenheit	79
umpf	50–120 cm	○	Seltenheit	69
umpf	30–80 cm	○	zierlicher Wuchs	79
umpf	10–15 cm	○	Bodendecker; nicht winterhart	67
umpf	10–12 cm	○	Bodendecker; nicht winterhart	67
-5 cm	30–50 cm	○	Wucherpflanze; winterhart	81
-10 cm	80–120 cm	○	Wucherpflanze; winterhart	81
-10 cm	15–30 cm	○	kriechender Wurzelstock	75
-20 cm	40–80 cm	○◑	keine Sproßbildung	71
-5 cm	20–80 cm	○	auch als Wasserpflanze verwendbar	71
-5 cm	20–80 cm	○	keine Sproßbildung	71
-5 cm	20–30 cm	○	besitzt fast herzförmige Blätter; winterhart	71
umpf	3–5 cm	○	zierlicher Bodendecker	67
-5 cm	30–60 cm	○	zahlreiche Seitensprosse, winterhart	78
umpf	15–60 cm	○	zweijährig	80
umpf	5–7 cm	○	Blattrosetten; Ausläuferbildung; angeblich winterhart	67
-5 cm	10–20 cm	○	Ausläuferbildung mit Bodendeckerfunktion	73
-20 cm	30–60 cm	○	zahlreiche Seitensprosse	73
0–30 cm	30–60 cm	○	starker Ausbreitungsdrang	74
-10 cm	30–60 cm	○	vereinzelt Tochterpflanzenbildung	72
-10 cm	20–50 cm	○	liebt etwas Wasserbewegung	73
0–20 cm	20–30 cm	○	liebt kalkarmes, leicht saures Wasser	73
-2 cm	7–10 cm	○	mit dem Froschlöffel verwandt	71
umpf	5–15 cm	○	bisher noch wenig angeboten	67
-10 cm	80–150 cm	○	die Abart mit weißgrünen Blättern ist dekorativer	70
-5 cm	30–60 cm	○	Zwiebeln in Gruppen pflanzen	79
umpf	10–15 cm	○	auch als Unterwasserpflanze verwendbar	67
umpf	50–70 cm	○	Gruppenpflanzung mit anderen Lobelien wirkt dekorativ	81
umpf	60–80 cm	○	dito	81
umpf	60–80 cm	○	dito	81

Tabelle Sumpfpflanzen

Deutscher Name	Botanischer Name	Blütenfarbe	Blütezeit
Lobelien-Hybride	*Lobelia × speciosa*	blau	Juli/Aug.
Lobelie, Kardinals-	*Lobelia cardinalis*	rot	Juli/Aug.
Lobelie, Wasser-	*Lobelia dortmanna*	weiß	Juli/Aug.
Lotosblume	*Nelumbo lutea*	gelb	Juli/Aug.
Papyrus: siehe Zypergras			
Pfeilblatt, Virginisches	*Peltandra virginica*	grün	Juni/Juli
Pfeilkraut, Breitblättriges	*Sagittaria latifolia*	weiß	Juni–Aug.
Pfeilkraut, Gewöhnliches	*Sagittaria sagittifolia*	weiß	Juni–Aug.
Pfeilkraut, Grasblättriges	*Sagittaria graminea*	weiß	Aug./Sept.
Pfeilkraut, Schwimmendes	*Sagittaria subulata*	weiß	Juli/Aug.
Pillenfarn	*Pilularia globulifera*	(Sporen)	Juli/Sept.
Reisquecke	*Leersia oryzoides*	grün	Aug./Sept.
Rohrglanzgras	*Phalaris arundinacea*	braun	Juni/Juli
Rohrkolben, Breitblättriger	*Typha latifolia*	braun	Juni/Juli
Rohrkolben, Kleiner	*Typha minima*	braun	Mai–Sept.
Rohrkolben, Laxmann'scher	*Typha laxmannii*	braun	Juni–Aug.
Rohrkolben, Schmalblättriger	*Typha angustifolia*	braun	Juni–Aug.
Rohrkolben,Shuttleworth'scher	*Typha shuttleworthii*	braun	Juni–Aug.
Schachtelhalm, Rauhzähniger	*Equisetum trachyodon*	braun	Juli/Aug.
Schachtelhalm, Sumpf-	*Equisetum palustre*	braun	Juni–Sept.
Schachtelhalm, Teich-	*Equisetum fluviatile*	braun	Mai/Juni
Scheinkalla	*Lysichiton americanus*	gelb	April/Mai
Scheinkalla	*Lysichiton camtschatcensis*	weiß	März/April
Schilfrohr	*Phragmites australis*	braun	Juli–Sept.
Schlammkraut	*Limosella aquatica*	weiß	Mai–Sept.
Schneidried	*Cladium mariscus*	braun	Juni/Juli
Schwaden, Blaugrüner	*Glyceria declinata*	grün	Juni–Aug.
Schwaden, Wasser-	*Glyceria maxima*	grün	Juli/Aug.
Schwanenblume	*Butomus umbellatus*	rosa	Juni–Aug.
Schwertlilie, Wasser-	*Iris pseudacorus*	gelb	Mai–Juli
Schwertlilie	*Iris laevigata*	blau	Juni/Juli
Sechszack	*Triglochin maritimum*	braun	Mai–Aug.

Tabelle Sumpfpflanzen

/assertiefe	Wuchshöhe	Licht	Bemerkung	Seite
umpf	60–80 cm	○	großblütigere Züchtung	81
–5 cm	80–180 cm	○	unter und über Wasser gleich gut geeignet	81
0–30 cm	40–70 cm	○	benötigt kalkarmes, nährstoffarmes Wasser; muß überflutet sein	81
–10 cm	100–120 cm	○	Überwinterung im tieferen Wasser angeraten	79
–10 cm	30–50 cm	○	winterhart	80
–10 cm	30–120 cm	○	mehr für Großanlagen geeignet	71
–10 cm	50–100 cm	○	vermehrt sich im Herbst durch Knollenbildung an langen Ausläufern	70
0–50 cm	60–70 cm	○	Vermehrung durch Ableger und Knollen	71
0–30 cm	4–15 cm	○	meist nur Schwimmblattbildung	71
umpf	3–10 cm	○	zarter Bodendecker	67
–10 cm	50–100 cm	○	meist niederliegend wachsend, starker Ausbreitungsdrang	68
–20 cm	50–200 cm	○	schilfartiger Charakter, zahlreiche Seitensprosse	68
–40 cm	150–200 cm	○	vermehrungsfreudig, nur für größere Teiche geeignet	69
–5 cm	30–70 cm	○	kleinste Art, rundlicher Kolben	69
–10 cm	60–120 cm	○	Pflanze für den Sammler	69
–20 cm	100–200 cm	○	starker Ausbreitungsdrang	69
–20 cm	80–150 cm	○	auch an den Kolben sind die Arten erkennbar	69
umpf	20–50 cm	○	flächige Ausbreitung	77
umpf	20–50 cm	○	weiträumiger Ausdehnungsdrang	77
–5 cm	30–100 cm	○	dem Wasserleben am besten angepaßt	77
–5 cm	50–70 cm	○	imposante Pflanze für Großanlagen	77
–10 cm	30–40 cm	○	Frühblüher	77
–50 cm	150–200 cm	○	starker Ausbreitungsdrang	68
umpf	3–5 cm	○	schnellwachsender Bodendecker	67
)–20 cm	100–150 cm	○	nicht frei in Folienteiche pflanzen, sehr kräftige Sproßbildung, drahtiges Wurzelwerk	73
–5 cm	10–40 cm	○	meist niederliegend wachsend	68
–5 cm	80–150 cm	○	zahlreiche Seitensprosse bildend	68
–20 cm	60–150 cm	○	netzartig sich ausbreitender Wurzelstock (Rhizom)	71
–20 cm	100–150 cm	○	eine Abart mit weißgrünen Blättern ist ebenfalls bekannt	69
umpf	50–60 cm	○	stammt aus Ostasien, winterhart	69
–5 cm	20–50 cm	○	eine Pflanze für den Sammler	81

Tabelle Sumpfpflanzen

Deutscher Name	Botanischer Name	Blütenfarbe	Blütezeit
Segge, Schlank-	*Carex gracilis*	grün	Mai/Juni
Segge, Steif-	*Carex elata*	grünbraun	April/Mai
Segge, Sumpf-	*Carex acutiformis*	braun	Mai/Juni
Selliera	*Selliera radicans*	weiß	Juli–Sept.
Simse, Nadel-	*Eleocharis acicularis*	braun	Juni/Juli
Simse, Sumpf-	*Eleocharis palustris*	braun	Mai–Aug.
Simse, Teich-	*Scirpus lacustris*	braun	Juni/Juli
Simse, Wald-	*Scirpus sylvaticus*	grün	Mai–Aug.
Simse, Zebra-	*Scirpus tabernaemontani* 'Zebrinus'	braun	Juni/Juli
Strandling	*Littorella uniflora*	weiß	Juni/Juli
Sumpfblutauge	*Potentilla palustris*	purpur	Juni/Juli
Sumpfdotterblume, Gewöhnliche	*Caltha palustris*	gelb	März/April
Sumpfdotterblume, Himalaya-	*Caltha palustris* var. *alba*	weiß	Juli/Aug.
Sumpfdotterblume, Schwimmende	*Caltha natans*	weiß	Juli/Aug.
Sumpfdotterblume	*Caltha polypetala*	gelb	Mai/Juli
Sumpfdreizack	*Triglochin palustre*	braun	Juni–Aug.
Sumpffarn	*Thelypteris palustris*	(Sporen)	Juli/Aug.
Sumpfkalla	*Calla palustris*	weiß	Mai/Sept.
Sumpflabkraut	*Galium palustre*	weiß	Mai–Sept.
Sumpfludwigie	*Ludwigia palustris*	grün	Juli/Aug.
Sumpfquendel	*Peplis portula*	rosa	Juli/Sept.
Tännel, Dreimänniger	*Elatine triandra*	rosa	Juni–Sept.
Tännel, Quirl-	*Elatine alsinastrum*	weiß	Juli/Aug.
Tännel, Sechsmänniger	*Elatine hexandra*	weiß	Juni/Aug.
Tannenwedel	*Hippuris vulgaris*	grün	Mai–Juli
Veilchen, Sumpf-	*Viola palustris*	blaßlila	Mai/Juni
Vergißmeinnicht, Sumpf-	*Myosotis palustris*	blau	Mai–Sept.
Wassernabel	*Hydrocotyle vulgaris*	weiß	Juli/Aug.
Wasserpfeffer	*Elatine hydropiper*	rosa	Juni/Sept.
Wasserreis, Indianischer	*Zizania aquatica*	grün	Juni–Okt.
Wasserreis, Mandschurischer	*Zizania latifolia*	grün	Aug.–Okt.

Tabelle Sumpfpflanzen

/assertiefe	Wuchshöhe	Licht	Bemerkung	Seite
umpf	40–100 cm	○	kurze Seitensprosse	73
umpf	30–100 cm	○	große Horste und Blüten bildend	73
umpf	30–100 cm	○	Seitensprosse treibend	73
umpf	2–5 cm	○	winterhart	67
umpf	5–10 cm	○	bildet dichten Rasen	69
–10 cm	20–40 cm	○	Vermehrung durch Sproßbildung	69
0–100 cm	100–150 cm	○	häufigste Art unserer Gewässer	68
umpf	50–100 cm	○	dekorative Pflanze ohne Ausbreitungsdrang	69
–20 cm	50–150 cm	○	nur junge Triebe zeigen die weißgrüne Zeichnung	68
umpf	8–10 cm	○	rosettenartige Blattanordnung, Bodendecker	67
–10 cm	15–30 cm	○	bevorzugt etwas weiches Wasser mit saurem Charakter	75
umpf	20–40 cm	○◑●	Frühblüher	77
umpf	20–30 cm	○	Spätblüher	77
–5 cm	3–5 cm	○	Zwergform, die sogar niedrigen Wasserstand verträgt	77
umpf	40–60 cm	○	hochwerdende Art aus dem Kaukasus	77
umpf	10–30 cm	○	wegen seiner Zierlichkeit nur für Minianlagen zu verwenden	81
–5 cm	30–50 cm	○	Vermehrung durch kriechenden Wurzelstock	80
–10 cm	15–30 cm	◑●	kriechender Wurzelstock mit Sproßbildung	76
umpf	20–60 cm	○	wegen seiner Zartheit wenig im Handel	81
umpf	10–30 cm	○	guter Bodendecker, aber unscheinbare Blüten	67
umpf	5–25 cm	○	wächst besser in kalkarmem Wasser	67
umpf	1–8 cm	○	bevorzugt kalkarmes Wasser, einjährig	67
umpf	10–20 cm	○	großwerdendes Gewächs, ausdauernd, kalkmeidend	67
umpf	2–12 cm	○	kalkmeidend, zarter Bodendecker, ein- bis zweijährig	67
–20 cm	20–30 cm	○	sehr gefragte Sumpfpflanze, die auch im tieferen Wasser gedeiht	74
umpf	5–10 cm	●		--
–10 cm	20–50 cm	○	eignet sich auch für biologische Filter	76
umpf	5–20 cm	○		--
umpf	2–12 cm	○	Kalkmeidender Bodendecker	67
0–20 cm	80–100 cm	○	Vermehrung nur durch Samen	68
0–30 cm	120–160 cm	○	winterhart und ausdauernd	68

Tabelle Sumpfpflanzen

Deutscher Name	Botanischer Name	Blütenfarbe	Blütezeit
Weiderich, Straußblütiger	*Lysimachia thyrsiflora*	gelb	Mai/Juni
Wolfsmilch, Sumpf-	*Euphorbia palustris*	grün	Mai/Juni
Zungenblatt, Australisches	*Glossostigma elatinoides*	weiß	Aug./Sept.
Zypergras, Braunes	*Cyperus fuscus*	rotbraun	Juli/Aug.
Zypergras, Gelbes	*Cyperus flavescens*	gelb	Juli/Aug.
Zypergras, Langes	*Cyperus longus*	braun	Juli/Aug.
Zypergras, Papyrus-	*Cyperus papyrus*	grün	Juli/Aug.
Zypergras, Nordamerikanisches	*Cyperus eragrostis*	grün	Juli/Aug.
Zypergras, Wechselblättriges	*Cyperus alternifolius*	braun	Juli–Sept.
Zypergras, Zwerg-	*Cyperus haspan*	grün	Juli–Sept.

Gefülltblühende Sumpfdotterblume (gelb) und Ästige Knotenblume (weiß) im Sumpfmilieu. Die Wasseroberfläche im Hintergrund ist mit Wasserlinsen bedeckt.

Tabelle Sumpfpflanzen

/assertiefe	Wuchshöhe	Licht	Bemerkung	Seite
-10 cm	30-60 cm	○	ausläuferbildende Pflanze, Seltenheit	74
-20 cm	90-120 cm	○	Rarität	78
-3 cm	2-3 cm	○	zierlicher Bodendecker, bedingt winterhart	--
umpf	10-20 cm	○	büscheliger Wuchs	72
umpf	5-10 cm	○	kleinbleibende Art, wächst büschelig	72
-10 cm	50-100 cm	○	sehr dekorativ	72
0-30 cm	150-250 cm	○	wächst nur in warmen Sommern zufriedenstellend, nicht winterhart	72
-20 cm	100-130 cm	○	nicht winterhart, horstartiger Wuchs, dekorative Blütenstände	72
-5 cm	60-100 cm	○	nicht winterhart, aber sehr dekorativ, kurze Sprosse	72
-5 cm	30-40 cm	○	nicht winterhart, aber dankbare Freilandpflanze, kurze Sprosse	72

Diese Wasserschwertlilien sind von einem natürlichen, geschlossenen Pflanzenteppich umgeben.

Durch kurzsprossige Ausbreitung läßt der Zungenhahnenfuß keine anderen Kräuter aufkommen.

Ufer und Feuchte Wiese

Steht über einer Erdmischung etwas Wasser, so sprechen wir von einem Sumpf. Lassen wir dieses oberflächige Wasser verdunsten und geben eine Erdprobe in ein feines Sieb, so tropft mehr oder weniger Wasser zu Boden. So lange sich noch Tropfen bilden, wird die Erde als naß bezeichnet. Anschließend geht sie in den feuchten Zustand über.

Für Gewächse, die nur feuchtigkeitsgesättigten Untergrund lieben, ist unser Gartenteich also nicht geschaffen. Lediglich bei der Neuanlage eines Wassergartens können wir durch großzügige, flache Uferpartien diese interessante Pflanzenwelt mit einbeziehen. Wir brauchen deshalb jedoch nicht darauf verzichten, sondern legen diese Feuchtgebiete ganz einfach getrennt von unserem Seerosenteich an. Vielleicht begeistert uns ein derartiger Naturausschnitt sogar mehr als ein Gartenteich. Wir heben eine möglichst weitausladende Mulde aus, die im Zentrum ca. 50 cm tief ist und kleiden sie mit wasserdichter, stabiler Plastikfolie aus. Anschließend füllen wir lehmige Erde so ein, so daß in der Mitte eine Senke entsteht. In ihr soll später immer etwas Regenwasser stehen. Sie ist unser Gradmesser für einen ausreichenden Wasserstand. Wenn wir unsere Vertiefung dabei mehr als länglichen, flachen Wassergraben anlegen, gewinnen wir zusätzlich Platz für Uferpflanzen.

Nachdem wir unser Ufer gestaltet haben, dekken wir den Lehmuntergrund an den Stellen, wo später kalkliebende Pflanzen angesiedelt werden, mit einer 1–2 cm dicken Torf-Kalksand-Mischung (3:1) ab. Pflanzstellen für kalkscheue Gewächse versorgen wir mit einer Torf-Quarzsand-Mischung im Verhältnis 3:1. Wenn wir uns über die Bepflanzung noch nicht einig sind, verwenden wir anfangs nur Torfmull. Den entsprechenden Sand verteilen wir nachträglich mit einem Sieb um die Pflanzstellen.

Die gekonnte Randbepflanzung vermittelt den Eindruck eines natürlichen Bachlaufs.

Die biologischste Methode wäre natürlich ein Bachlauf. Genau wie in der freien Natur würde hier das Wasser niemals im Bodengrund stagnieren, sondern dauernd in Bewegung sein.
Technisch ist das Problem einfach zu lösen. Unser Bach endet in einem Miniteich, in dem eine wasserdichte Förderpumpe gerade Platz findet. Ihre Ansaugöffnung versehen wir mit einem leicht auswechselbaren Vorfilter gegen unvermeidliche Verunreinigungen. Von der Auslauföffnung der Pumpe verlegen wir einen Plastikschlauch in Richtung »Quelle«. Er verläuft im Bodengrund unseres Bächleins, der wegen der leichten Aufschwemmbarkeit nicht aus Torfmull oder Lehm, sondern aus einer 2–3 cm hohen Sand-/Kiesmischung bestehen sollte.
Die Uferränder belegen wir mit flachen Steinen, wobei wegen der Ausschwemmgefahr auf möglichst wenig Abstand zwischen den einzelnen Kieseln zu achten ist. Ist der Uferteil erst einmal durchwurzelt, ist diese Gefahr weitgehend gebannt. Natürlich können wir den Bachlauf und den Tümpel auch mit Folie gestalten. Am Ufer stehende Pflanzen haben es dann nicht so leicht, in den Wasserteil hineinzuwachsen. Die Folie verlegen wir etwas überlappt in passenden Einzelstücken. Sie werden wegen der Bodenzirkulation nicht verschweißt und durch besagte Sand/Kies-Mischung fixiert. Überstehende Ränder schneiden wir erst einige Tage nach Inbetriebnahme unseres Baches ab.
Unsere »Quelle« lassen wir naturgemäß unter einem größeren Felsen entspringen. Nun füllen wir unsere Feuchtwiese mit Bachlauf bis zum Uferrand mit Wasser auf und setzen die Pumpe in Gang. Beim ersten Mal können wir ruhig kalkhaltiges Wasser verwenden, später nur noch in Notfällen. Sonst wird unser Biotop mit der Zeit zu kalkhaltig. Das Terrain lassen wir natürlich auch hier vom Bachufer zur Folie hin leicht ansteigen, d. h. unser Bach liegt etwas tiefer als die übrige Gartenfläche. Wir erreichen hierdurch verschiedene Feuchtigkeitsgrade und die Möglichkeit, Pflanzen zu pflegen, denen wir ansonsten kaum in einem Garten begegnen. Viele Pflanzen wachsen ohnedies gerne an Hängen. Bei der Bepflanzung werden wir immer ungefähr gleich hochwerdende Pflanzen nebeneinander setzen, für kleinbleibende Arten reservieren wir ein gesondertes Plätzchen. Vielleicht schaffen wir sogar für Zwergformen ein eigenes Reich in Form einer eingegrabenen Wanne oder Schale.
Unseren Wassergraben oder Bach lassen wir am besten von Ost nach West verlaufen. Hochwerdende Uferpflanzen setzen wir auf der Nordseite bis zum Folienrand, da in ihrem Schatten ohnedies keine Wiesengewächse gedeihen. Bei größeren Anlagen verlegen wir unseren Wasserteil von der Mitte mehr nach Norden oder lassen ihn gar im Bogen verlaufen, damit unsere Uferpflanzung später nicht zu erdrückend wirkt. An den südseitigen Bachrand kommen die niedrigbleibenden Uferpflanzen, an die sich nunmehr unsere sonnige Feuchte Wiese anschließt. Auch die Gestaltung als verlandender Teich ist zu erwägen. Je breiter wir unseren Wassergraben anlegen können, desto weniger schnell wird er uns zuwachsen. Für notwendige Arbeiten verlegen wir gleich zu Anfang einige Trittplatten.
Da die meisten der angegebenen Pflanzen kalkhold sind, werden wir nur bei kalkscheuen Arten im Text einen entsprechenden Hinweis finden.

Pflanzen der Uferregion

Einige der nun folgenden Gewächse können wir auch noch bei niedrigem Wasserstand kultivieren. Andererseits lassen sich am feuchtnassen Uferrand noch viele Sumpfpflanzen ansiedeln. Gerade Ufer- und Sumpfpflanzen sind ja in dieser Hinsicht ungeheuer anpassungsfähig. Die Hauptsache ist, daß der Untergrund noch Feuchtigkeit enthält. Ja, selbst wenn der Boden ganz langsam austrocknet, besteht für kurze Zeit eine Überlebenschance. Wir haben hier eine Reihe ungeahnter Möglichkeiten.
Für Ufer am Minibach eignen sich neben kleinbleibenden Sumpfgewächsen vor allem die nachfolgend genannten Arten:

Ufer und Feuchte Wiese

Pflanzen für das Ufer am Minibach
Kleiner Baldrian (*Valeriana dioica*)
Simsenlilie (*Tofieldia palustris*)
Sumpfherzblatt (*Parnassia palustris*)
Fettkraut (*Pinguicula vulgaris*)
Alpenfettkraut (*Pinguicula alpina*)
Fetthennen-Steinbrech (*Saxifraga aizoides*)
Mehlprimel (*Primula farinosa*)
Alpenglöckchen (*Soldanella alpina*)

Sibirisches Wollgras.

Sauergräser (*Cyperaceae*)

In erster Linie sind es verschiedene Riedgräser, die für den Uferrand in Frage kommen. Es gibt darunter hochwerdende und niedrigbleibende Formen, ganz wie wir es wünschen und benötigen. Sowohl Blätter wie Blütenstand sind ein weiterer Faktor für unsere Wahl. Sie stammen entweder aus der Gruppe der Seggen oder es sind Arten, die zu den Binsen zählen. Allesamt zeigen sie weitgehend büschelartigen Wuchs. Die Blüten sitzen meist ährenförmig und fallen durch ihre großen, gelben Staubgefäße während der Blütezeit auf. Beide Pflanzengruppen sind allein eine Wissenschaft für sich. Bestimmte Arten können wir auch an trockeneren Stellen (Seggen) pflanzen, andere wiederum fühlen sich noch im Niedrigwasser (Binsen) unseres Teiches wohl. Für die nasse Uferregion eignen sich:

Deutscher Name	Botanischer Name
Zypergras-Segge	*Carex bohemica*
Scheinzypergras-Segge	*Carex pseudocyperus*
Hirsesegge	*Carex panicea*
Gelbe Segge	*Carex flava*
Gray'sche Segge	*Carex grayi*
Scheuchzer's Wollgras	*Eriophorum scheuchzeri*
Sibirisches Wollgras	*Eriophorum russeolum*
Schwarze Kopfbinse	*Schoenus nigricans*
Kugelbinse	*Holoschoenus vulgaris*

Gray'sche Segge mit Fruchtständen.

Süßgräser (*Gramineae*)

Auch in dieser Familie gibt es eine Reihe nässeliebender Arten. Sie zeigen allesamt schilfartigen Aufbau. Die ährigen Blütenrispen sind zur Blütezeit durch die herausragenden Staubgefäße gelb gefärbt. Die Bestäubung erfolgt durch den Wind. Wegen ihrer Wuchshöhe und ihres enormen Ausbreitungsdranges sind sie nur für große Anlagen zu empfehlen. Es zählen hierzu:

Deutscher Name	Botanischer Name
Riesenschilf	*Arundo donax*
Rohrglanzgras	*Phalaris arundinacea*
Wasserschwaden	*Glyceria maxima*
Blaugrüner Schwaden	*Glyceria dechinata*

Blutweiderich (*Lythrum salicaria*)

Die Blütenstände dieser Pflanze wirken gleich rosaroten Kerzen. Der Wurzelstock selbst ist mehrjährig, seine Ausbreitung gering. Durch seine Wuchshöhe ist der Blutweiderich als dekorative Hintergrundpflanze am Ufer zu verwenden. Er dirigiert neben dem Gilbweiderich das Sommerorchester des Blütenflors.

Verwandte Art:
Wesentlich kleiner bleibt der sonnenliebende Ysopweiderich (*Lythrum hyssopifolia*). Blühende Pflanzen sterben nach der Samenreife ab. Er erhält sich durch Selbstaussaat.

Gilbweiderich (*Lysimachia vulgaris*)

Hoch ragen die steifen Stengel dieser Pflanze auf, deren Schönheit durch die deutsche Bezeichnung geschmälert erscheint. Sonnen- oder Goldweiderich wäre ein angemessenerer Name. Große, weithin leuchtende Blüten stehen an langen, unbeblätterten Stielen weit ab vom Stengel. Zwei oder vier samtartige, lanzettförmige Blätter sitzen am Hauptstengel in einer Ebene und zeigen nach verschiedenen Richtungen. Seine Blüten werden hauptsächlich von Schwebfliegen besucht. Er treibt gerne Ausläufer, die wir aber nur abschneiden.

Wasserfenchel (*Oenanthe aquatica*)

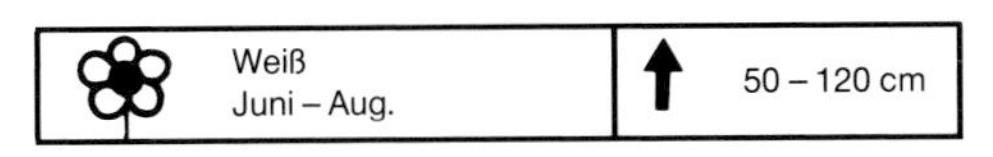

Natürlicher Lebensraum des Blutweiderichs ist der Uferrand.

Durch seine gefiederte Blattform bildet der Wasserfenchel einen guten Kontrast zu den vorherigen Pflanzen. Der bogenförmige Stengel endet im Boden möhrenähnlich und bildet in diesem Abschnitt eine große Zahl feiner, heller Wurzeln. Die gestielten Blütendolden besitzen kleine Blüten und stehen den großen Blättern meist gegenüber.

Wasserminze (*Mentha aquatica*)

Am leichtesten erkennen wir diese Pflanze an ihrem pfefferminzartigen Geruch. Obwohl sie stark wuchert, bezaubert uns doch immer wieder zur Sommerzeit ihr lilafarbener Blütenkopf. Im übrigen besteht sie aus einem kahlen Stengel mit gegenständigen, rundlichen Blättern.

Roßminze (*Mentha longifolia*)

Im Gegensatz zur Wasserminze weist diese Art lanzettliche, gesägte Blätter auf und besitzt einen mehr ährenförmigen Blütenstand. Auch sie wächst gerne am Ufer und treibt Ausläufer.

Ufer und Feuchte Wiese

Großer Baldrian
(*Valeriana officinalis*)

Diese hochaufragende Pflanze liefert dem Pharmazeuten das nervenberuhigende Heilmittel. Uns aber beeindruckt dieses Gewächs mehr durch seine großen, unpaarig gefiederten Blätter und die zahlreichen Blütenrispen mit den vielen kleinen, zuweilen weißen Blüten, die von großer Höhe auf ihre Umgebung herabblicken. Sie sind der Treffpunkt vieler nektarsuchender Insekten.

Kleiner Baldrian
(*Valeriana dioica*)

Wirkt der hochaufragende Große Baldrian zu erdrückend auf unsere Uferpartie, bescheiden wir uns mit seiner ihm sehr ähnlichen Miniaturausgabe. Dieses Pflänzchen müssen wir aber an eine kalkarme Stelle unserer Uferregion pflanzen. Außerdem wünscht es keine unmittelbare Nachbarschaft hoher Gewächse.

Wasserdost
(*Eupatorium cannabium*)

Er wird auch Kunigundenkraut oder Wasserhanf genannt. Dreilappige, grüne Blätter zieren den behaarten, dunklen Stengel. Seine zuweilen auch weißen, dichten Blütenstände sind ein beliebter Treffpunkt der Bienen und anderer nektarsuchender Insekten.

Echtes Mädesüß
(*Filipendula ulmaria*)

Nur der Wasserdost übertrifft die feuchtigkeitsliebende Wiesenkönigin in der Vielfalt seiner fliegenden Besucher. Gerade das Leben auf den noch nicht von Menschenhand veränderten Wildblumen verleiht unserem Garten einen besonderen Reiz. Selbst die gewitzten Bienen wissen dies zu schätzen. Eine rosafarbene, aufragende Gartenform trägt die wissenschaftliche Bezeichnung *Filipendula rubra* 'Venusta magnifica'.

Die Wildform des Wasserdosts.

Echtes Mädesüß am Uferrand.

Gewöhnlicher Abbiß (*Succisella inflexa*)

An langen Stielen wiegen sich die Blütenköpfe im Winde. Sie sind aus vielen Einzelblüten zusammengesetzt. Lanzettliche Blätter sitzen paarweise am Hauptstengel gegenüber.

Teufelsabbiß (*Succisa pratensis*)

Sein kurzer Wurzelstock erscheint am Ende wie abgebissen. Im Volksmund schreibt man dies dem Werk des Teufels zu. Vom Gewöhnlichen Abbiß unterscheidet er sich durch die mehr ovalen Blätter und dunkleren Blüten. Wenn er sich wohlfühlen soll, pflanzen wir ihn an eine kalkfreie, saure Stelle.

Von Insekten gerne besucht: der Teufelsabbiß.

Rauhhaariges Weidenröschen (*Epilobium hirsutum*)

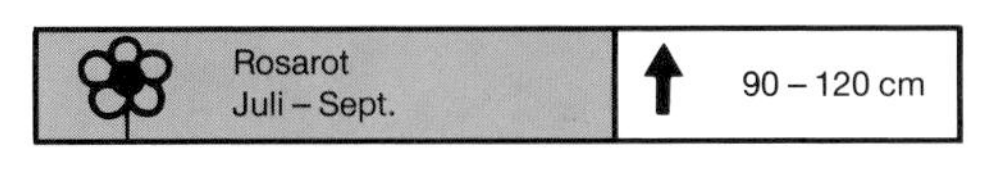

Ein Meer von weithin leuchtenden Blüten beschert uns dieses Nachtkerzengewächs im Spätsommer. An kurzen Stielen sitzen in den oberen Regionen dieser ästigen Pflanze die anfangs hängenden Blüten. Aus langen, schotenähnlichen Früchten fliegen nach deren Aufplatzen die behaarten Samen mit dem Wind davon. Da sie auch an trockeneren Stellen unseres Gartens noch auskeimen, schneiden wir die Samenstände nach der Hochblüte ab. Sonst können wir uns vor lauter Weidenröschen nicht mehr retten.

Verwandte Arten:
Das Vierkantige Weidenröschen (*Epilobium adnatum*) wird nicht so hoch und kann leicht anhand der zwei- oder vierkantigen, unbehaarten Stengel unterschieden werden. Das Kleinblütige Weidenröschen (*Epilobium parviflorum*) ist das kleinste von allen. Bei ihm ist der runde Stengel im unteren Teil stark behaart. Beim Rosaroten Weidenröschen (*Epilobium roseum*) ist der Stengel nur im oberen Teil schwach behaart.

Gauklerblume (*Mimulus luteus*)

Diese Art ist durch ihre leuchtende Blütenfarbe die bekannteste ihrer Gattung. Sie überdauert bei uns den Winter, wie alle anderen Gauklerblumen auch, meist nur in Samenform am Uferrand. Samenpackungen von andersfarbigen Züchtungen erhalten wir in Fachgeschäften.

Die bekannteste Gauklerblumenart: *M. luteus.*

Blaue Gauklerblume
(*Mimulus ringens*)

Diese Zierpflanze stammt ursprünglich aus Nordamerika. Sie vermochte sich bei uns auch erfolgreich in freier Wildbahn durchzusetzen. Bei ihr finden wir spitzlanzettförmige, gegenständige Blätter an geraden Stengeln. Aus den Blattachseln kommen im oberen Bereich die gestielten, relativ großen Blüten zum Vorschein.

Rote Gauklerblume
(*Mimulus cardinalis*)

Einen weniger bekannten Vertreter dieser für uns interessanten Gewächse stellt diese Art dar. Die Form der Blüte erinnert entfernt an die Kopfbedeckung eines Gauklers. Von ihr gibt es mittlerweile mehrere Sorten. Leider wird sie nicht häufig angeboten.

Bachnelkenwurz
(*Geum rivale*)

Sumpfige, nasse Ufer sind der bevorzugte Aufenthaltsort dieses Rosengewächses. Aus einem Wurzelstock stammen die fiedrig beblätterten Stengel dieser buschigen Pflanze, die uns mit hängenden Blüten im Frühjahr erfreut. Vielleicht ein Anreiz für den einen oder anderen Teichliebhaber, dieser Pflanze ein Plätzchen am Ufer freizuhalten, wo sie sich gerne im Wasser spiegelt.

Sumpfstorchschnabel
(*Geranium palustre*)

Seine Erwähnung soll eigentlich mehr einer Erinnerung an eine durch die Kultivierung immer mehr zurückgehende Pflanze dienen. Diese Art wird nur selten mit ihren auffallenden Blüten unseren Bachrand zieren und ihre Früchte weit in die Gegend schleudern. Aber so manch andere Wasser- oder Sumpfpflanze wird vielleicht noch in unserem Wassergarten anzutreffen sein, wenn ihr Vorkommen in der freien Natur bereits mit einem großen Fragezeichen versehen ist.

Trotz seiner lieblichen Blüten ist das Gottesgnadenkraut wenig bekannt.

Gottesgnadenkraut
(*Gratiola officinalis*)

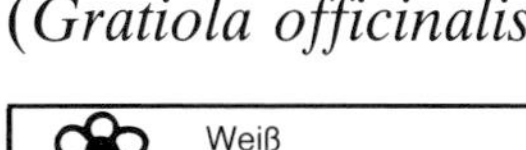

20 – 30 cm

Ein ebenfalls selten angebotener Bewohner der Uferzone ist diese Pflanze. An rundem Stengel stehen sich paarweise am Rand gesägte Blätter gegenüber. Aus den Blattachseln entspringen an kurzem Stengel röhrenförmige Blüten.

Sumpfschafgarbe
(*Achillea ptarmica*)

Weiß
Juli – Sept.

30 – 60 cm

Die Gewöhnliche Schafgarbe ist allgemein jedem von uns ein Begriff. Die nässeliebende Art besitzt jedoch keine geteilten Blätter. Sie sind nur am Rande leicht gezähnt. Die auf langen Stielen sitzenden Blüten sind wesentlich größer als die ihrer Verwandten.

Bittersüßer Nachtschatten
(*Solanum dulcamara*)

Gerne rankt er an benachbarten, kräftigeren Gewächsen empor. Die spitzen Blütenblätter sind zurückgebogen und lassen so die leuchtend gelben Staubgefäße besonders deutlich zutage treten. Die Frucht ist eine rote Beere. Er ist mit der Tomate verwandt, aber giftig.

Beinwell
(*Symphytum officinale*)

Auch heute wird diese alte Heilpflanze noch bei Beinleiden verwendet. Ihre länglichen Blütenkelche sind ein beliebter Treffpunkt der Hummeln und anderer langrüsseliger Nektarsucher. Zuweilen finden wir auch Pflanzen mit gelblich-weißen Blüten.

Der Bittersüße Nachtschatten sucht gerne Halt an benachbarten Gewächsen.

Ufer und Feuchte Wiese

Das Wiesenschaumkraut findet mehr Anklang als das Bittere Schaumkraut.

Dreiteiliger Zweizahn (*Bidens tripartitus*)

Vom Zweizahn gibt es mehrere Arten, die die Ufer von Gewässern besiedeln. Die Früchte werden gerne von hungrigen Fischen aufgenommen. Da sie borstige Anhänge besitzen, bohren sie sich leicht in die Mundschleimhaut ein. Deshalb sollten wir diese Pflanze nicht an das Ufer eines mit Fischen besetzten Teiches setzen.

Sumpfhelmkraut (*Scutellaria galericulata*)

Diese ausläufertreibende Pflanze verdient vor allem als unermüdlicher Blüher Erwähnung. Die Blüten sitzen in den Blattachseln der gegenständigen Blätter.

Bitteres Schaumkraut (*Cardamine amara*)

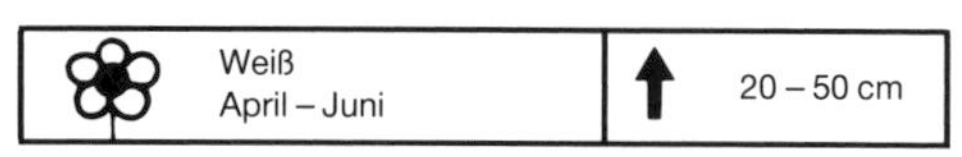

Dieses zarte Gewächs ist leicht mit der in kühlen, fließenden Gewässern vorkommenden Brunnenkresse zu verwechseln. Aber der kantige, Mark enthaltende Stengel und die purpurfarbenen Staubbeutel sind gute Erkennungsmerkmale.

Eisenhutblättriger Hahnenfuß (*Ranunculus aconitifolius*)

Gut in unser bisheriges Uferpflanzensortiment fügt sich diese Pflanze mit ihren fiederteiligen Blättern und einer in diesen Monaten seltenen Blütenfarbe ein. Leider hat sie noch keine große Verbreitung gefunden, da sie kaum angeboten wird.

Sumpfkresse (*Rorippa palustris*)

Von den verschiedenen wasserliebenden Kressearten sei nur dieses ansprechende Gewächs mit seinen gefiederten Blättern und den länglichen Samenschoten genannt.

Sumpfziest (*Stachys palustris*)

Diese an nassen Stellen häufige Pflanze beeindruckt vor allem durch ihre gefleckten Blüten. Unerwünschte Ausläufer halten wir mit Schere oder Messer kurz.

Der Sumpfziest wirkt trotz seiner Einfachheit.

Wolfstrapp (*Lycopus europaeus*)

Weiß Juli/Aug.	20 – 60 cm

Als Kontrast zu den bunten Blütenfarben unserer anderen Uferpflanzen ist uns der Wolfsfuß willkommen. Seine lanzettlichen Blätter sind stark gezähnt und sitzen sich paarig an einem steifen Stengel gegenüber. Leider breitet er sich gerne aus.

Pestwurz (*Petasites hybridus*)

Weiß März/April	10 – 40 cm

Schon früh im Jahr öffnen sich die traubig angeordneten Blüten dieses Gewächses auf einem kurzen Stiel. Nach der Befruchtung aber wächst letzterer weiter, um aus größerer Höhe seinem flugfähigen Samen eine bessere Startmöglichkeit für die Verbreitung mit dem Wind zu geben.

Großer Wiesenknopf (*Sanguisorba officinalis*)

Rotbraun Juni – Aug.	60 – 150 cm

Keineswegs müssen immer nur Seltenheiten unseren Wassergarten schmücken. Wer für natürliche Wildpflanzen ein Plätzchen freihält, beweist eine gesunde Beziehung zur Natur. Braunrote Blütenköpfe wiegen sich im Winde. Wegen seiner Höhe setzen wir ihn in die Ufernähe zu größerwerdenden Gewächsen.

Fettkraut (*Pinguicula vulgaris*)

Violett Mai/Juni	5 – 10 cm

Die Blattrosette dieser zierlichen Pflanze setzen wir am besten an eine nasse, kahle Stelle, wo also das »Grundwasser« unseres Feuchtgebietes gerade noch zutage tritt. Als Begleitpflanzen können wir ihm höchstens den kleinbleibenden Sumpfdreizack, das Sumpfherzblatt, die Simsenlilie und vielleicht noch die Mehlprimel beigesellen. Die breiten, hellgrünen Blätter dieser Pflanze besitzen eine klebrige Oberseite, die kleine Insekten wie ein Fliegenfänger festhält und verdaut. Der nächste Regen wäscht die unverdaulichen Überreste wieder fort.

Das weißblühende Alpenfettkraut hat einen blaublühenden Verwandten im Tiefland.

Ufer und Feuchte Wiese

Lediglich anhand der weißen Blütenfarbe kann das Alpenfettkraut (*Pinguicula alpina*) unterschieden werden.

Simsenlilie (*Tofieldia palustris*)

Diese kleinbleibende Pflanze bevorzugt denselben Lebensraum wie die Mehlprimel. Mit traubig angeordneten Blüten auf hohem Stengel und schwertförmigen Blättern sei ihr Aussehen grundlegend charakterisiert.

Sumpf-Fetthenne (*Sedum villosum*)

Diese büschelig wachsende Pflanze liebt kalkarme, saure Bodenverhältnisse. Am aufsteigenden Stengel sitzen halbstielrunde, längliche Blätter, die eine drüsige Behaarung aufweisen. Die sternförmigen Blüten ragen an langen Stielen senkrecht zum Himmel.

Die Blütenstände der Simsenlilie weisen oft erst auf diese zwergige Pflanze hin.

Sumpfherzblatt (*Parnassia palustris*)

Ebenfalls Ufernähe wünscht dieses zierliche Gewächs, auch Studentenröschen genannt, mit seinen gestielten, herzförmigen Blättern. Um eine auffallendere Wirkung zu erzielen, pflanzen wir es in Gruppen.

Asiatisches Sumpfherzblatt (*Parnassia foliosa*)

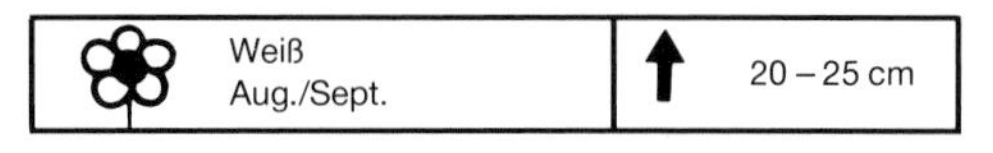

Besonders attraktiv wirkt diese winterharte Pflanze mit ihren tiefgeschlitzten Blütenblättern. Sie ist im Himalaya, in Westchina und Japan beheimatet und bevorzugt dort denselben Lebensraum wie unser Sumpfherzblatt.

Fetthennen-Steinbrech (*Saxifraga aizoides*)

Dieses ausläuferbildende Pflänzlein gehört eigentlich an den Uferrand unseres Alpinumbaches. Wir können es aber ebensogut unserer Zwergpflanzengesellschaft am Rande unseres Wiesenbächleins beigesellen.

Kies-Steinbrech (*Saxifraga mutata*)

Eine wertvolle Bereicherung unseres Bachufers wäre die große Blattrosette dieser einheimischen Pflanze mit dem hochaufragenden

Fetthennen-Steinbrech und Zwergglockenblume zwischen feuchtem Gestein.

Blütenstand. Wir pflanzen sie an eine torffreie Stelle direkt in unseren lehmigen Untergrund. Da dieser Steinbrech nach der Blüte abstirbt, können wir ihn nur durch Aussaat erhalten.

Alpenglöckchen (*Soldanella alpina*)

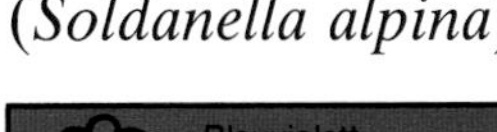

Noch liegt eine dünne Schneedecke auf unserer Feuchten Wiese, da entfaltet neben dem allbekannten Schneeglöckchen, bereits das Alpenglöckchen seine trichterförmigen Blüten mit den fein geschlitzten Kronblättern. Da es sehr feuchtigkeitsliebend ist, setzen wir es in die Ufernähe zu den anderen niedrigbleibenden Pflanzen. Samen dieser reizenden Wildform erhalten wir gelegentlich in Fachgeschäften.

Mehlprimel (*Primula farinosa*)

Diese zierliche Pflanze können wir sowohl in unsere kalkhaltige, alkalische wie in unsere saure Wiesenzone setzen. Da sie zusammen mit dem Stengellosen Enzian blüht, werden wir sie wohl als erstes in seine Nähe pflanzen. In Gärtnerkreisen sind eine Reihe weiterer feuchtigkeitsliebender Primeln bekannt. Auch großblumige Züchtungen und farbenfrohe Sorten sind in den Pflanzenkatalogen zu finden. Wir wollen in diesem Rahmen aber nur die Arten nennen, die für unsere nasse Uferregion in Frage kommen:

Deutscher Name	Botanischer Name
Etagenprimel	*Primula beesiana*
Etagenprimel	*Primula bulleyana*
Glockenprimel	*Primula florindae*
Japanische Primel	*Primula japonica*
Kugelprimel	*Primula denticulata*
Rosenprimel	*Primula rosea*
Sumpfprachtprimel	*Primula helodoxa*

Pflanzen der Feuchten Wiese

Auch hier bestünde wiederum die Möglichkeit, Pflanzen der Uferregion zu verwenden. Die meist hohen Stauden belassen wir aber lieber am Uferrand. Als Bodendecker verwenden wir am besten die sehr vermehrungsfreudige Nadelsimse oder den ebenfalls grasähnlichen Pillenfarn.

Pflanzen für die Feuchte Miniwiese

Mehlprimel (*Primula farinosa*)
Simsenlilie (*Tofieldia palustris*)
Sumpfherzblatt (*Parnassia palustris*)
Sumpfdreizack (*Trichlochin palustre*)
Nadelsimse (*Eleocharis acicularis*)
Stengelloser Enzian (*Gentiana acaulis*)
Schlauchenzian (*Gentiana utriculosa*)
Fetthennen-Steinbrech (*Saxifraga aizoides*)
Pillenfarn (*Pilularia globulifera*)
Borstenmoorbinse (*Isolepis setacea*)

Stengelloser Enzian
(*Gentiana acaulis*)

Dieser allgemein bekannte Enzian soll den Reigen der feuchtigkeitsliebenden Vertreter dieser Pflanzenfamilie eröffnen. Die dem Boden anliegenden Blattrosetten lieben die Sonne. Wir müssen sie deshalb mit ebenfalls niedrigbleibenden Pflanzenarten vergesellschaften. Da er etwas sauren Boden wünscht, pflanzen wir ihn in die Torf-Quarzsand-Zone.

Lungenenzian
(*Gentiana pneumonanthe*)

Wie der Stengellose Enzian wünscht auch diese Art saure Bodenverhältnisse. Er besitzt keine Blattrosette. Die glockenförmigen Blüten weisen innen grünpunktierte Streifen auf.

Schwalbenwurzenzian
(*Gentiana asclepiadea*)

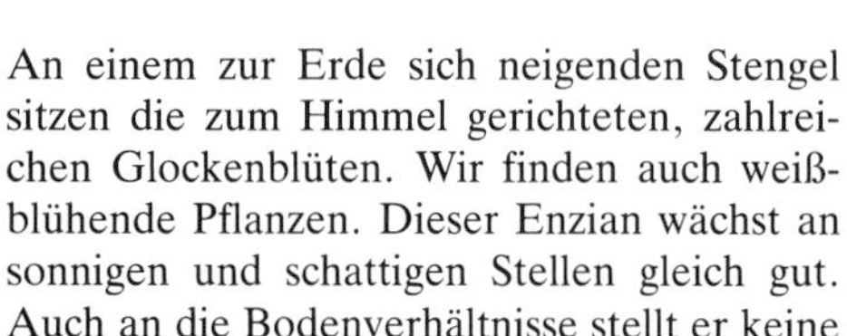

An einem zur Erde sich neigenden Stengel sitzen die zum Himmel gerichteten, zahlreichen Glockenblüten. Wir finden auch weißblühende Pflanzen. Dieser Enzian wächst an sonnigen und schattigen Stellen gleich gut. Auch an die Bodenverhältnisse stellt er keine besonderen Ansprüche. Lediglich die Feuchtigkeit ist für ihn ausschlaggebend.

Oben: Der Schlauchenzian zählt zu den feuchtigkeitsliebenden Arten.

Unten: Der Sumpf- oder Moortarant erinnert ganz und gar nicht an einen Enzian.

Schlauchenzian (*Gentiana utriculosa*)

Leider stirbt dieser herrliche Kleinenzian nach der Fruchtreife ab. Wir müssen ihn also immer wieder aus Samen nachziehen. Selbstgezogene Pflanzen aber bereiten oft mehr Freude als gekaufte Exemplare.

Gelber Enzian (*Gentiana lutea*)

Er ist unser größter einheimischer Enzian. Da er mehr sickerfeuchte Stellen bevorzugt, werden wir ihn an den Rand unserer Feuchten Wiese setzen. Mit der Blütenbildung kann er uns auf eine harte Probe stellen.

Moorenzian (*Swertia perennis*)

Diese auch Blauer Sumpfstern oder Moortarant genannte Art besitzt keine enzianähnlichen Blüten. Sie gleichen eher fünfstrahligen Sternchen. Da er eine Leibspeise der Nacktschnecken zu sein scheint, werden wir des öfteren am Abend mit der Taschenlampe auf Schneckenjagd gehen.

Schachbrettblume (*Fritillaria meleagris*)

Nur selten werden wir dem »Kiebitzei« noch in freier Natur begegnen. Ihre glockenförmigen, hängenden Blüten haben jedoch längst das Interesse der Gärtner geweckt. Heute können wir diese Zwiebelpflanze bereits in vielen Samenhandlungen erwerben. Meist nimmt sie in unserer üblichen Gartenerde ein unrühmliches Ende. Unsere Feuchte Wiese bietet diesem feuchtigkeitsliebenden Gewächs jedoch eine Überlebenschance. Mit ihren weißen oder violett marmorierten Blüten wird die Schachbrettblume unser Einfühlungsvermögen belohnen.

Sumpfgladiole (*Gladiolus palustris*)

Nicht zu naß und nicht zu trocken darf der Untergrund für diese Art sein. Zwischen zwergwüchsigen Riedgräsern fühlt sie sich am wohlsten. Sie schaffen weitgehend die Atmosphäre, die die Sumpfgladiole auch draußen in der freien Natur so liebt. Alljährlich, wenn sich im Sommer ihre glockenförmigen Blüten über den – vielleicht sogar selbst aus Samen gezogenen – Pflanzen öffnen, können wir mit Recht auf uns stolz sein.

Schachbrettblumen brauchen unbedingt feuchte Bodenverhältnisse.

Ufer und Feuchte Wiese

Weißer Germer (*Veratrum album*)

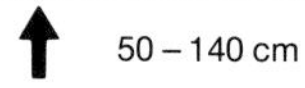

Dieses auffällige Liliengewächs wird leider nur selten angeboten. Breite, stark riechende Blätter sitzen einzeln an dem langen Stiel. Seinen knolligen Wurzelstock versenken wir mindestens 10 cm tief im lehmigen Erdreich unserer Feuchten Wiese. Mit seinem Blütenstand stellt er uns allerdings auf eine harte Probe. Erst nach einigen Jahren erscheint endlich die mit vielen Blüten geschmückte Rispe. Sein übriges Erscheinungsbild stempelt ihn jedoch – wie den ihm ähnlich sehenden Gelben Enzian – zu einem Schaustück unseres Feuchtgebietes. Deshalb weisen wir ihm ein gesondertes Plätzchen zu und nehmen seine anfängliche Blühunwilligkeit gerne in Kauf.

Herbstzeitlose (*Colchicum autumnale*)

Das breite, an Tulpenblätter erinnernde Frühjahrslaub und die auffallende, krokusartige Blüte im Spätsommer sind die oberirdischen Kennzeichen dieses feuchtigkeitsliebenden Zwiebelgewächses.

Sibirische Wieseniris (*Iris sibirica*)

Diese Schwertlilienart ist gegenüber der gelbblühenden Wasserschwertlilie als kleinbleibend zu bezeichnen. Über die schwertförmigen, zum Dunkelgrün neigenden Blätter erhebt sich der hohe Schaft mit herrlichen blauen Blüten. Sehr langsam bildet *Iris sibirica* im Laufe der Zeit horstartige Bestände. Wer ein

Die Wildform von *Iris sibirica* ist trotz des vielseitigen Angebotes sehr gefragt.

Freund von Schwertlilien ist, dem sei gesagt, daß allein von dieser Pflanzenart bisher ca. zehn Zuchtformen mit unterschiedlichen Farben existieren.

Iris versicolor aus Amerika und *Iris sanguinea* aus Ostasien sind beide winterhart. Gemeinsam ist ihnen außerdem, daß sie auf Dauer keinen nassen Untergrund wünschen. Wir setzen sie deshalb mehr an den Rand unserer Feuchten Wiese.

Wiesenalant (*Inula britannica*)

Großblumige Blüten bereichern unsere Feuchte Wiese, wenn wir diese Pflanze bei uns heimisch machen. Die Art gehört zu den Korbblütengewächsen und zählt nicht gerade zu den häufig angebotenen Pflanzen.

Japanische Schwertlilie
(*Iris kaempferi*)

Die eigenartigen Blüten lassen alleine schon die ostasiatische Herkunft dieser Pflanze erahnen. Vor allem japanische Gärtner haben von ihr viele Sorten mit verschiedenen Farben und unterschiedlichen Wuchshöhen herausgezüchtet. *Iris kaempferi* verträgt höchstens vom Frühjahr bis zum Ende der Blütezeit einen nassen Standort. Deshalb pflanzen wir diese winterharten Gewächse am besten gleich an den Rand unseres Biotops. Da sie saure Bodenverhältnisse wünschen, werden wir sie in die Torfmull-Quarzsand-Zone setzen und die Pflanzstellen zusätzlich mit einer Lage Fasertorf bedecken. Jedes weitere Frühjahr wiederholen wir die Fasertorf-Zugabe.

Breitblättriges Knabenkraut
(*Dactylorhiza majalis*)

Diese einheimische Orchidee ist eine der wenigen, die sich für den Anfang besonders gut eignen. Daß wir dieser Pflanze einen besonderen Platz einräumen, versteht sich von selbst.
Sie gedeiht gerne an Plätzen mit niedrigem Bewuchs. Die Nadelsimse oder das Pfennigkraut sind hier z. B. als Bodendecker sehr brauchbar. Wichtig ist vor allem, daß der Untergrund, in den Orchideen gepflanzt werden sollen, bereits mindestens 1 Jahr alt ist. Frische Erdmischungen sind Gift für sie.
Gespannt beobachten wir im Mai die Stellen, wo wir im vergangenen Jahr die Orchideenknollen im Erdreich versenkt haben. Nach schier unerträglichem Warten spitzt endlich der erste Trieb aus dem Boden hervor. Bei warmer Wetterlage geht die Entwicklung rasch weiter. Breite, lanzettförmige Blätter mit dunklen Flecken entfalten sich. Im Zentrum der Pflanze vermeinen wir bereits den Ansatz zur Blütenbildung zu erkennen. Wenn das Breitblättrige Knabenkraut zu wachsen gewillt ist, dürfen wir auch ziemlich sicher mit einer Blütenbildung rechnen, wenn uns nicht eines Nachts die ewig hungrigen Nacktschnekken einen Strich durch die Rechnung machen. Es lohnt sich die Mühe, des Abends mit der Taschenlampe auf Schneckenjagd zu gehen. Chemische Bekämpfungsmethoden jeglicher Art sind in unserem Feuchtbiotop nicht angebracht; gerade unsere Knabenkräuter können hierauf sauer reagieren. Auch mit einer gutgemeinten Düngung stiften wir mehr Schaden als uns lieb ist. Also Finger weg von unbiologischen, künstlichen Eingriffen in den Naturhaushalt unseres Wassergartens! Darunter fällt auch jegliche Störung der Bodenverhältnisse durch Herausreißen unliebsamer Pflanzen. Nur ein Abschneiden dicht über dem Erdboden ist gestattet, wenn wir unsere Orchideen in Bedrängnis glauben. Falls wir uns alle diese Punkte voll zu Herzen nehmen, stehen, nein knien wir eines Tages staunend vor den rotvioletten Blüten unserer erstmals blühenden, einheimischen Orchidee. Ein Höhepunkt in unserem Leben, der es alleine wert ist, einen Teil unseres Gartens in eine Feuchte Wiese zu verwandeln.

Rotes Knabenkraut
(*Dactylorhiza incarnata*)

Auch diese Orchidee würde sich für unsere Feuchtwiese eignen. Bis zur Blütezeit verträgt sie sogar einen relativ nassen Standort. Der Untergrund muß auf jeden Fall kalkhaltig sein und sollte nicht frisch angelegt sein.
Bei dieser Orchidee finden wir auch weiß oder gelblich blühende Exemplare. Leider ist es heutzutage Glückssache, solche Pflanzen zu bekommen, da sie unter strengstem Schutz stehen. Eine Entnahme aus der Natur kann teuer zu stehen kommen.

Ufer und Feuchte Wiese

Sumpfstendelwurz (*Epipactis palustris*)

Sie dürfte wohl die dankbarste Orchidee von allen sein. Wenn ihr das von uns zugewiesene Plätzchen paßt, vermehrt sie sich sogar durch Bildung von Tochterpflanzen. Ihre herabhängenden weißen Blüten sitzen locker angeordnet an einem kräftigen Stengel.

Trollblume (*Trollius europaeus*)

Dieses Hahnenfußgewächs ist mit eine der Charakterpflanzen der Feuchtwiese. Besonders auffallend sind ihre kugeligen Blüten. Samen der Wildform führen Fachgeschäfte.

Chinesische Trollblume (*Trollius chinensis*)

Mit großen, fast goldglänzenden Blüten auf langem Stengel macht sie auf sich aufmerksam. Besonders wirkungsvoll kommt dieses winterharte Gewächs bei einer Gruppenpflanzung zur Geltung.

Prachtnelke (*Dianthus superbus*)

Filigranartige Wesen schweben gleichsam über unserer Wiese, wenn diese Pflanze ihre vielfach geschlitzten Blütenblätter entfaltet. Die Blüten selbst sind auf einem lockeren Blütenstand vereint.

Kuckuckslichtnelke (*Lychnis flos-cuculi*)

Eine Gruppenpflanzung bringt diese Blumen am besten zur Geltung. Die fünf Blütenblätter enden jeweils in vier Zipfeln.

Verwandte Art:
Die Rote Lichtnelke (*Silene dioica*) unterscheidet sich durch zweilappige Blütenblätter.

Schlangenknöterich (*Polygonum bistorta*)

Rosarote Blütenähren stehen in kontrastvollem Gegensatz zu weiß-, blau- und gelbblühenden Gewächsen unserer Feuchtwiese. Drei Monate lang erfreut uns die »Natternwurz« als schier unermüdlicher Blüher.

Kantenlauch (*Allium angulosum*)

Wir erkennen dieses Liliengewächs leicht an seinem scharfkantigen Stengel und den gekielten, flachen Blättern. Dieser Lauch besitzt außerdem keine kugelige Blütendolde, sondern einen ziemlich flachen Blütenstand. Seine Zwiebeln setzen wir nicht einzeln, sondern pflanzen sie in Gruppen.

Verwandte Art:
Der Wohlriechende Lauch (*Allium suaveolens*) liebt ebenfalls einen sonnigen, feuchten Standort. Der typische Lauchgeruch wird während der Blütezeit von angenehm duftenden Blumen übertönt.

Sumpfläusekraut (*Pedicularis palustris*)

Auf langem Stengel mit fiederlappigem Laubwerk sitzen lippige Blüten in den Blattachseln der obersten Blätter. Da das Läusekraut eine Schmarotzerpflanze ist, können wir nur eine Ansiedlung über Samen versuchen. Unser Feuchtgebiet muß in diesem Fall schon mindestens ein Jahr bestehen.

Wiesenraute (*Thalictrum aquilegifolium*)

Hoch thront der rispige Blütenstand über unserer Feuchten Wiese. Wir finden bei dieser Pflanze gelegentlich auch weißblühende Exemplare. Eine etwas windgeschützte Stelle zwischen weniger hoch werdenden Gewächsen sagt ihr am besten zu.

Sumpfakelei (*Aquilegia atrata*)

Als Bewohner von Naßwiesen können wir dieses Hahnenfußgewächs ebenfalls in unser Feuchtgebiet pflanzen. Gespornte Blüten rekken sich an langen Stielen der Sonne entgegen.

Breitblättriges Wollgras (*Eriophorum latifolium*)

Weithin sichtbar leuchten uns die silbrigen Samenköpfe dieses anspruchslosen Riedgrases

Neben dieser Wiesenraute gibt es noch zwei feuchtigkeitsliebende Verwandte.

entgegen, ehe sie vom Winde davongetragen werden. Wir setzen natürlich mehrere Exemplare an eine Stelle, um eine ansprechende Wirkung zu erzielen.

Sumpfplatterbse (*Lathyrus palustris*)

Dieser Schmetterlingsblütler ist leicht an seinem geflügelten Stengel von anderen Platterbsenarten zu unterscheiden. Wir setzen diese bereits selten gewordene Pflanze entweder frei oder in die Nähe höherer Gewächse, an denen sie hochklettern kann.
Die Wiesenplatterbse (*Lathyrus pratensis*) ist häufiger anzutreffen, blüht gelb und bewohnt ebenfalls Naßwiesen und Uferränder.

Ufer und Feuchte Wiese

Sumpfhornklee (*Lotus uliginosus*)

Bei diesem Schmetterlingsblütler sitzen 8–12 Blüten in einem doldenartigen Köpfchen zusammen. Der ähnlich aussehende Wiesenhornklee hat nur 3–6 Blüten und wächst an trockenen Standorten.

Wiesenschaumkraut (*Cardamine pratensis*)

Dieses zarte Gewächs ist mit eine der ersten Pflanzen, die im zeitigen Frühjahr den Blütenreigen auf unserer Feuchtwiese eröffnen. Neben einer lila-violetten Blütenfarbe finden wir auch weiß- oder rosablühende Exemplare.

Frauenmantel (*Alchemilla vulgaris*)

Diese alte Heilpflanze besticht vor allem durch ihre eigenartige, großflächig gelappte Blattstruktur. Auf dem reich verzweigten Blütenstand sitzen in lockerer Anordnung Blumen ohne Blütenblätter. Obwohl nicht sofort erkennbar, zählt diese nässeliebende Pflanze zu den Rosengewächsen.

Kriechweide (*Salix repens*)

Zur Auflockerung des Gesamtbildes sollte wenigstens ein feuchtigkeitsliebender Zwergstrauch in diesem Feuchtbiotop stehen. Wirkt er im Laufe der Zeit durch sein Wachstum zu erdrückend, schneiden wir ihn im Spätherbst oder zeitigen Frühjahr zurück. Vielleicht vermehren wir ihn auch durch Stecklinge.

Etagenprimeln als Blickfang.

Feuchtgebiet im Schatten – der Auwald

Wenn ein Fluß oder Strom bei Hochwasser immer wieder über die Ufer tritt und den angrenzenden Laubwald überschwemmt, wird dieser zum sogenannten Auwald. Verminderte Lichteinstrahlung, Nässe und abgelagertes Material bestimmen den Boden und seine pflanzlichen Bewohner. Ist also die Stelle, an die wir unser Feuchtgebiet placieren wollen, von hohen Laubbäumen beschattet, die nur gelegentlich Sonnenstrahlen durchlassen, so können wir uns den Auwald und seine Pflanzenwelt als Vorbild nehmen. Umgekehrt kann man natürlich bei der Neugestaltung eines Grundstücks ganz bewußt diese Situation schaffen.

Wir verlegen unsere Anlage immer mehr oder weniger an den Laubwaldrand, um aus dem störenden Wurzelbereich herauszukommen. So haben wir leichteres Arbeiten. Im wesentlichen geht es nun darum, ein Terrain zu erhalten, das nie austrocknen darf. Andererseits dürfen wir aber auf die Dauer auch kein Milieu schaffen, das einem Sumpf nahekommt.

Eine bewährte Methode besteht im Eingraben einer Plastikfolie. Wir heben eine ca. 50 cm tiefe Mulde mit schrägen Wänden (45°) aus. Nach Entfernen störender Wurzeln und Glätten der Oberfläche mit nassem Lehm legen wir unsere Senke mit zwei Lagen Plastikfolie (Polyaethylen) aus. Die Bahnen werden nicht verschweißt, sondern nur gut überlappt eingebracht. Sie sollen ca. 3 cm unter der Erdoberfläche enden. Wir schlagen sie entweder nach hinten um und schieben sie zurück in die Senke oder schneiden sie ab. Dies tun wir natürlich erst, nachdem wir mit einer Lehmerde-Kalksandmischung (3:1) unsere Mulde zum Teil aufgefüllt haben. Sonst verrutschen uns die Bahnen bei dieser Arbeit oder sie haben sich noch nicht dem Untergrund angepaßt.

Nach dem restlichen Auffüllen geben wir obenauf eine 1–2 cm dicke Lage Torfmull, den wir vorher mit Rindenmull, zerkleinerten Ästchen und Laub beliebig vermengt haben. Mit dieser Mischung gleichen wir später auch auftretende Unebenheiten aus. Jetzt müssen wir alles mit Gießkanne, Gartenschlauch oder Rasensprenger gut naß halten. Nach etwa vier Wochen ist unser Boden gebrauchsfertig. Jetzt können wir Zwiebeln und Wurzelstöcke von Auwaldgewächsen auspflanzen. Die meisten Arten werden im Herbst angeboten, damit sie im nächsten Frühjahr bereits blühen. Deshalb werden wir schon im Laufe des Sommers dieses Biotop in Angriff nehmen.

Ergänzend ist vielleicht noch zu sagen, daß sich eine Verschweißung der Plastikbahnen erübrigt, weil der Lehm weitgehend abdichtet, andererseits aber doch durch seine geringe Durchlässigkeit keine Staunässe in der Tiefe aufkommen läßt. Die plastikfreien, letzten Zentimeter am Rande unter der Oberfläche dienen dazu, wie ein Docht ein Zuviel an Wasser in die Umgebung abzuleiten. Wir können daher nie überwässern, außerdem aber auch außerhalb noch feuchtigkeitsgebundene Gewächse, wie z. B. Farne, ansiedeln. Nächstes Jahr werden wir bei dieser Art der Anlage nur bei längeren Trockenperioden Wasser zuführen müssen.

Im Herbst belassen wir eine dünne Lage Laub auf der Oberfläche. Bei einer dicken Schicht haben es kleine Pflanzen im Frühjahr schwer, sie zu durchbrechen. Natürlich können wir hier auch unsere Ausgangsmischung verwenden. Eine spezielle Begrenzung durch Trittplatten ist Ansichtssache. Bei natürlichem Belassen sind jedoch Markierungspunkte in Form größerer, fast in die Erde versenkter Steine für den Verlauf der Folie angeraten.

Pflanzen für ein Mini-Feuchtgebiet im Schatten

Schneeglöckchen *(Galanthus nivalis)*
Scharbockskraut *(Ranunculus ficaria)*
Sibirischer Blaustern *(Scilla sibirica)*
Milzkraut *(Chrysosplenium alternifolium)*
Haselwurz *(Asarum europaeum)*
Waldgoldstern *(Gagea lutea)*
Frühlingsknotenblume *(Leucojum vernum)*
Gelbes Buschwindröschen *(Anemone ranunculoides)*

In einer solchen Umgebung fühlt sich der Aronstab wohl.

Pflanzen des feuchten Waldes

Schneeglöckchen
(Galanthus nivalis)

Es ist der erste Frühlingsbote in unserem Naßbiotop. Seine nickenden Blüten blicken oft noch auf den ihn umgebenden Schnee herunter. Daß unser Biotop ihrem eigentlichen Standort in der freien Natur nahekommt, wird sie uns durch kräftige Exemplare sowie durch eine große Anzahl von Tochterpflanzen beweisen.

Frühlingsknotenblume
(Leucojum vernum)

Auch dieses nässeliebende Zwiebelgewächs zählt zu den ersten Frühjahrsblühern. Seine glockenförmigen Blüten neigen sich der Erde zu, als wollten sie das Blüteninnere vor den unguten Witterungsverhältnissen dieser oft noch rauhen, von Schneestürmen begleiteten Jahreszeit schützen.

Scharbockskraut
(Ranunculus ficaria)

Mit langen, immer wieder wurzelnden Stengeln und herzförmigen Blättern überzieht dieser Hahnenfuß den Boden. Nach der Blüte ist er bald wieder verschwunden, um anderen Gewächsen Platz zu machen.

Haingilbweiderich
(Lysimachia nemorum)

Ein kriechender Stengel mit eiförmigen Blättern zeichnet dieses Primelgewächs aus. Zur Blütezeit erhebt er sich über den Erdboden.

Pfennigkraut *(Lysimachia nummularia)*

Erst nach dem Verschwinden des Scharbockskrautes beginnt dieses Primelgewächs mit seinem bodenbedeckenden Wachstum. Dafür verschwindet es nach der Blüte nicht gleich wieder, sondern bewahrt den Boden bis in den Herbst hinein vor zu großer Austrocknung.

Frühlingsblaustern *(Scilla bifolia)*

Er wird auch Sternhyazinthe genannt. Neben dem Blütenstengel werden meist nur zwei grasähnliche Blätter gebildet. Gelegentlich sind auch weißblühende Exemplare anzutreffen.

Sibirischer Blaustern *(Scilla sibirica)*

Anstelle des schwer erhältlichen Frühlingsblausternes wird dieses hübsche Liliengewächs seinen Platz einnehmen. Es vermehrt sich leicht durch Samen. Zwiebeln dieser Pflanze erhalten wir in Fachgeschäften.

Waldgoldstern *(Gagea lutea)*

Aus einer Zwiebel erscheint zuerst ein einzelnes, grasartiges Blatt, ehe der doldenartige Blütenstand gebildet wird. Nach der Samenreife zieht die Pflanze sehr bald ein.

Blaustern, Primeln und Knotenblumen blühen im zeitigen Frühjahr.

Große Waldprimel *(Primula elatior)*

Aus einer dunkelgrünen Blattrosette ragt ein langer Stengel, an dessen Spitze viele kleine Blüten sitzen. Sie blicken allesamt in Richtung Sonne.

Gelbes Buschwindröschen *(Anemone ranunculoides)*

Aus einem kurzen Wurzelstock kommt ein dünner Stengel, an dessen Spitze neben drei dreigeteilten Blättern auch die gestielten Blüten sitzen.

Hohler Lerchensporn *(Corydalis cava)*

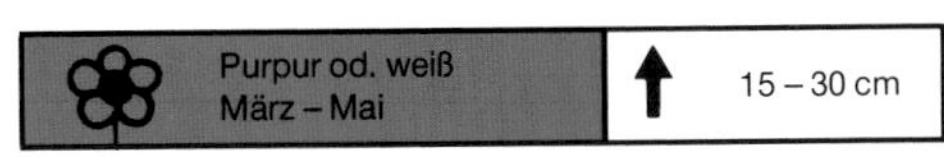

Diese Pflanze wächst aus einer hohlen Knolle. Blaugrüne Blätter sitzen an einem Stengel, der oben den traubigen Blütenstand trägt. Die Blüten können auch weiß gefärbt sein.

Feuchtgebiet im Schatten – der Auwald

Nur auf feuchtigkeitsführendem Untergrund gedeiht die Fingerzahnwurz.

Bärlauch *(Allium ursinum)*

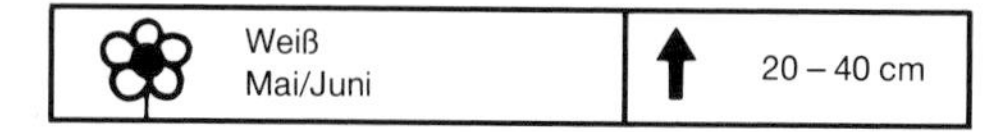

Dieses Liliengewächs erkennen wir vor allem an seinem Lauchgeruch. Aus einer länglichen Zwiebel kommen als erstes zwei breite Blätter. Bald erscheint auch der doldige Blütenstand. Wegen zu starker Ausbreitungsgefahr schneiden wir die Samenstände gleich nach der Blüte ab.

Verwandte Art:
Beim dunkelrot blühenden Wilden Lauch (*Allium scorodoprasum*) werden an der Dolde auch kleine Brutzwiebeln gebildet.

Gefleckter Aronstab *(Arum maculatum)*

Der einheimische Aronstab besitzt pfeilförmige Blätter, die noch vor der Blüte erscheinen. Der Blütenstand ist eine Gleitfalle. Sie besteht aus einem purpurfarbenen Kolben, der die weiblichen und männlichen Blüten trägt. Umgeben ist dieser Kolben von einer trichterförmigen, gelbgrünen Hochblattscheide, die zum Stiel hin in einer Art Kessel endet. Vom Geruch angelockte Fliegen fallen in diesen Kessel und bestäuben die unten am Kolben sitzenden, weiblichen Blüten. Zur Verhinderung der Selbstbestäubung produzieren die männlichen Blüten aber erst Blütenstaub, wenn alle weiblichen befruchtet sind. Bis zu diesem Zeitpunkt werden alle Besucher im Kessel gefangengehalten. Nun gibt ihnen der Aronstab die Möglichkeit, wieder die Freiheit zu »erklimmen«. Auf diesem Weg müssen sie an den reifen, männlichen Blüten vorbei und werden mit Pollen beladen.

Stinkkohl *(Symplocarpus foetidus)*

Dieser Aronstab stammt aus Nordamerika und blüht vor dem Erscheinen der großen, herzförmigen Blätter. Der mehr kugelige, rotbraune Kolben ist von einer hell gefleckten, purpurfarbenen Hochblattscheide umgeben. Dieses ausländische Gewächs benötigt keinen speziellen Frostschutz.

Geflecktes Knabenkraut *(Dactylorhiza maculata)*

Aus einer mehrzipfeligen Knolle erscheint im Frühjahr ein markiger Stengel, an dem in Abständen lanzettförmige Blätter sitzen. Letztere sind mehr oder weniger mit dunklen Flecken durchsetzt. Der pyramidenartige Blütenstand kann purpurfarbene oder weiße Blüten aufweisen. Sie kommt als einzige Orchidee für dieses Biotop in Frage.

Feuchtgebiet im Schatten – der Auwald

Wolfseisenhut
(Aconitum vulparia)

Dieses Hahnenfußgewächs reckt uns seine hochgehelmten Blüten in einer ästigen Traube an langem Stengel entgegen. Wir pflanzen ihn am besten an den Rand unserer Anlage.

Wolliger Hahnenfuß
(Ranunculus lanuginosus)

Bis auf die Blüten ist diese Pflanze in allen Teilen dicht behaart.

Wechselblättriges Milzkraut
(Chrysosplenium alternifolium)

Nur der Fachmann wird diese Pflanze auf Anhieb richtig zuordnen – sie gehört zu den Steinbrechgewächsen. Uns interessiert vor allem die rasenbildende Ausbreitung mit fädigen Ausläufern.

Haselwurz
(Asarum europaeum)

Diese Heilpflanze liebt mehr die Bodennähe. Sowohl der kriechende Stengel wie auch die glockenförmige Blüte erheben sich kaum über den Boden. Lediglich die rundlichen, oft wintergrünen Blätter stehen etwas erhöht. Unter zusagenden Bedingungen breitet sie sich zuweilen aus.

Fingerzahnwurz
(Dentaria pentaphyllos)

Aus einem fleischigen Wurzelstock wächst bei der Fingerzahnwurz ein kräftiger Stengel mit gefiederten Blättern. Die Blüten sitzen in einer doldenartigen Anordnung.

Echtes Springkraut
(Impatiens noli-tangere)

In weitem Bogen schleudert die reife Fruchtkapsel ihre Samen von sich, wenn wir sie berühren.

Einbeere *(Paris quadrifolia)*

Vier ovale Blätter in einer waagerechten Ebene an einem kahlen Stengel charakterisieren die giftige Einbeere. Darüber thront auf einem kurzen Stiel anfangs eine einzelne Blüte, später aber eine schwarze Beere.

Nachtviole
(Hesperis matronalis)

Einem langen, mit borstenförmigen Haaren besetzten Stengel sitzt bei der Nachtviole ein dicht mit Blüten besetzter Blütenstand auf. Die nach oben hin kleiner werdenden, lanzettlichen Blätter weisen einen gezähnten Rand auf. Einzelne Pflanzen können auch lila oder weiß erblühen.

Feuchtgebiet im Schatten – der Auwald

Rundblättriger Steinbrech *(Saxifraga rotundifolia)*

In lockerer Rispe thronen die Blüten über der Pflanze. Die sternförmig angeordneten, zarten Blütenblätter sind rot punktiert.

Große Sterndolde *(Astrantia major)*

Langgestielte, gefiederte, bodenständige Blätter mit gezähnten Rändern umgeben den langen Stengel dieser Pflanze, der sich oben gabelig verzweigt. An jedem Ende sitzt eine Blütendolde, die sternförmig von langen, auffälligen Hüllblättern umgeben ist.

Waldwitwenblume *(Knautia sylvatica)*

Auf borstigen, langen Stengeln sitzen die flachen Blütenköpfe mit vielen Einzelblüten. Unterseits sind sie von einer grünen Hochblatthülle umrahmt.

Seidelbast *(Daphne mezereum)*

Noch vor dem Erscheinen der lanzettlichen Blätter entfalten sich die duftenden, vierzipfeligen Blüten dieses Strauches. Den ganzen Sommer über erinnert uns der Seidelbast noch mit leuchtend roten Beeren an diese blumenarme Zeit.

Nickendes Perlgras *(Melica nutans)*

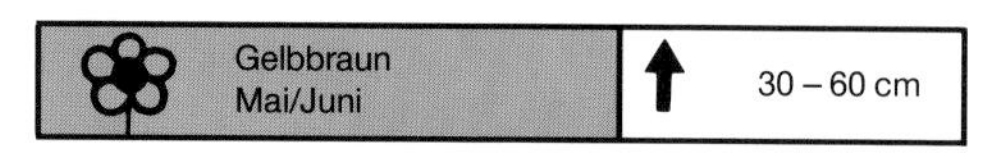

Bei diesem zierlichen Süßgras sitzen die hängenden Blütenährchen übereinander, also in einer Reihe am Stengel.
Weitere geeignete Süßgräser:

Deutscher Name	Botanischer Name
Riesenschwingel	*Festuca gigantea*
Rasenschmiele	*Deschampsia caespitosa*

Hängende Segge *(Carex pendula)*

Horste aus breiten, grasähnlichen Blättern bildet dieses Riedgras. Der ebenfalls beblätterte Stengel trägt an der Spitze die männlichen Blütenähren. Unter ihm sitzen in Abständen die gestielten, weiblichen Blütenähren.
Weitere geeignete Riedgräser:

Deutscher Name	Botanischer Name
Zittergras-Segge	*Carex brizoides*
Winkelsegge	*Carex remota*
Blaugrüne Segge	*Carex flacca*

Waldziest *(Stachys sylvatica)*

Bei diesem Lippenblütler weisen der lange Stengel, die herzförmigen, gezähnten Blätter und auch die quirlständigen Blüten eine dichte Behaarung auf. Zuweilen kann er durch Ausläuferbildung etwas Arbeit bescheren.

Feuchtgebiet im Schatten – der Auwald

Waldgeißbart *(Aruncus sylvestris)*

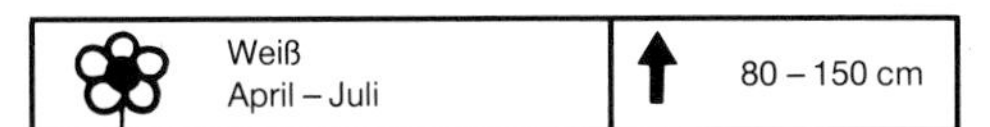

Dieser Strauch zählt zu den Rosengewächsen. Es gibt entweder männliche oder weibliche Pflanzen, die sich durch blütenbesuchende Insekten finden müssen. Seiner Wuchshöhe und Ausdehnung entsprechend werden wir vielleicht gleich neben unserer Anlage einen geeigneten Platz für ein Pärchen finden.

Waldrebe *(Clematis vitalba)*

Diese feuchtigkeitsgebundene Kletterpflanze rankt gerne an Sträuchern hoch und bildet hier schnell ein schier undurchdringliches Dickicht. Wir können sie aber mit Schützenhilfe auch an einem Baum hochklettern lassen.
Dieses Hahnenfußgewächs benötigt viel Wasser. Ihre dem Himmel zugewandten Blüten wandeln sich später in bärtige Samenstände um. Jedes Samenkorn bekommt einen länglichen, behaarten Flugkörper mit auf den Weg.

Efeu *(Hedera helix)*

Dieses bekannte Araliengewächs bevorzugt ebenfalls nasse Standorte. Wir pflanzen den immergrünen Kletterstrauch aber nicht in unser Biotop, sondern an den dicken Stamm eines Laubbaumes und lassen ihn dort hochranken. Im Laufe der Zeit bildet er ein dichtes Geflecht, das bei Kleinvögeln als katzensicherer Nist- und Schlafplatz sehr begehrt ist. Nur mit dem Fernglas werden wir nach Jahren in großer Höhe die halbkugeligen Blütenstände und heidelbeerartigen Früchte genauer erkennen können.

Königsfarn *(Osmunda regalis)*

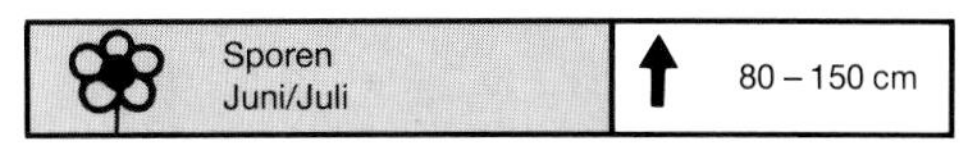

Farne wirken vor allem durch die Eigenart ihrer Wedel. Der Königsfarn zählt mit zu den dekorativsten. Bei ihm sind die fruchtenden Blätter bis auf Stiel und Blattnerven reduziert. Die Sporenbehälter sitzen auf letzteren. Viele der sporenbildenden Gewächse lieben schattige und feuchte Örtlichkeiten.
Weitere geeignete Farne:

Deutscher Name	Botanischer Name
Hirschzungenfarn	*Phyllitis scolopendrium*
Lappenschildfarn	*Polystichum lobatum*
Frauenfarn	*Athyrium filix-femina*
Wurmfarn	*Dryopteris filix-mas*
Straußfarn	*Matteuccia struthiopteris*

Waldschachtelhalm *(Equisetum sylvaticum)*

Von den einheimischen Arten ist neben anderen auch diese dekorative Pflanze für unser Biotop geeignet. Leider mangelt es oft am Platz, diese interessanten Gewächse anzusiedeln, da sie nur in einer Gruppe wirken. Störende Ausläufer schneiden wir ab.

Punktiertes Sternmoos *(Mnium punctatum)*

Auch Laubmoose werden im Laufe der Zeit auftauchen und sich ausbreiten. Wir lassen sie gewähren, ohne durch meist vergebliche Ansiedlungsversuche nachzuhelfen.

Tabelle Pflanzen für Ufer und Feuchtgebiet

Deutscher Name	Botanischer Name	Blütenfarbe	Blütezeit
Abbiß, Gewöhnlicher	*Succisella inflexa*	hellblau	Juni–Sept.
Akelei, Sumpf-	*Aquilegia atrata*	schwarzviolett	Juni/Juli
Alant, Wiesen-	*Inula britannica*	gelb	Juli–Sept.
Alpenglöckchen	*Soldanella alpina*	blauviolett	April–Juni
Aronstab, Gefleckter	*Arum maculatum*	gelbgrün	April–Juni
Bachnelkenwurz	*Geum rivale*	rötlich	Mai/Juni
Bärlauch	*Allium ursinum*	weiß	Mai/Juni
Baldrian, Großer	*Valeriana officinalis*	rosa	Juli–Sept.
Baldrian, Kleiner	*Valeriana dioica*	rosa	Mai–Juli
Beinwell	*Symphytum officinale*	violett	Mai–Juli
Blaustern, Frühlings-	*Scilla bifolia*	blau	März/April
Blaustern, Sibirischer	*Scilla sibirica*	blau	März/April
Blutweiderich	*Lythrum salicaria*	rot	Juli–Sept.
Buschwindröschen, Gelbes	*Anemone ranunculoides*	gelb	April/Mai
Efeu	*Hedera helix*	grün	Sept.–Nov.
Einbeere	*Paris quadrifolia*	weiß	Mai/Juni
Eisenhut, Wolfs-	*Aconitum vulparia*	gelb	Juni/Aug.
Enzian, Gelber	*Gentiana lutea*	gelb	Juni/Juli
Enzian, Lungen-	*Gentiana pneumonanthe*	blau	Juli–Sept.
Enzian, Moor-	*Swertia perennis*	blauviolett	Juni–Aug.
Enzian, Schlauch-	*Gentiana utriculosa*	blau	Mai–Aug.
Enzian, Schwalbenwurz-	*Gentiana asclepiadea*	blau	Juli–Sept.
Enzian, Stengelloser	*Gentiana acaulis*	blau	Mai–Aug.
Fetthenne, Sumpf-	*Sedum villosum*	rosarot	Juni–Aug.
Fettkraut	*Pinguicula vulgaris*	violett	Mai/Juni
Fettkraut, Alpen-	*Pinguicula alpina*	weiß	Mai/Juni
Fingerzahnwurz	*Dentaria pentaphyllos*	violett	April–Juni
Frauenfarn	*Athyrium filix-femina*	(Sporen)	Juli–Sept.
Frauenmantel	*Alchemilla vulgaris*	gelbgrün	Mai–Aug.
Frühlingsknotenblume	*Leucojum vernum*	weiß	April/Mai
Gauklerblume, Blaue	*Mimulus ringens*	blau	Juli–Sept.
Gauklerblume, Gelbe	*Mimulus luteus*	gelb	Juni–Sept.
Gauklerblume, Rote	*Mimulus cardinalis*	rot	Juli–Sept.
Geißbart, Wald-	*Aruncus sylvestris*	weiß	April–Juli
Gelenkblume	*Physostegia virginiana*	weiß	Aug./Sept.
Germer, Weißer	*Veratrum album*	weiß	Juni–Aug.
Gilbweiderich	*Lysimachia vulgaris*	gelb	Juli/Aug.

Tabelle Pflanzen für Ufer und Feuchtgebiet

Vuchshöhe	Licht	Bemerkung	Seite
0–100 cm	○	dankbare Blütenpflanze	95
0–60 cm	○	gedeiht nur im nassen Milieu zufriedenstellend	107
0–70 cm	○	spätblühende Seltenheit	104
–10 cm	○◑	wünscht lange eine Schneebedeckung	101
0–40 cm	◑●	Kesselfallen-Blume	112
0–60 cm	○	geringe Ausbreitung durch kurze Seitensprosse	96
0–40 cm	◑●	Zwiebelpflanze mit sehr keimfähigen Samen (Samenstände reduzieren!)	112
0–160 cm	○	kein Ausbreitungsdrang	94
0–30 cm	○	liebt nicht zu kalkhaltigen Untergrund	94
0–90 cm	○	kriechender Wurzelstock mit Stroßbildung	97
0–20 cm	◑●	geschützt	111
0–20 cm	◑●	häufig angebotene Zwiebelpflanze	111
0–150 cm	○	verträgt auch niedrigen Wasserstand, keine Ausläufer	93
0–20 cm	◑●	zarter Frühlingsblüher	111
00–1000cm	◑●	Kletterpflanze und Bodendecker für kahle, pflanzenlose Stellen	115
0–40 cm	◑●	die Beere ist giftig!	113
0–150 cm	○◑	eigenartige Blüten mit hohen Helmen	113
0–150 cm	○	für Einzeldarstellung geeignet, liebt lehmigen Untergrund	103
0–40 cm	○	benötigt kalkarme, saure Bodenverhältnisse	102
0–40 cm	○	nicht in Neuanlagen pflanzen	103
0–15 cm	○	Pflanze stirbt nach der Samenreife	103
0–80 cm	○◑●	bildet im Laufe der Zeit dichten Horst	102
–10 cm	○	Blattrosette; benötigt kalkarmen, sauren Boden	102
–15 cm	○	Kostbarkeit mit fleischigen Blättern; bevorzugt kalkfreien Boden	100
–10 cm	○	fleischfressende Pflanze	99
–10 cm	○	dem Boden aufliegende Blattrosette, fleischfressend	100
0–50 cm	◑●	keine Pflanze für den Anfänger	113
0–100 cm	◑●	graziler Farn	115
0–30 cm	○	ansprechende Blattform, wenig Ausbreitungsdrang	108
0–25 cm	◑●	ihr natürlicher Lebensraum sind feuchte, schattige Standorte	110
0–80 cm	○	ausdauernd	96
0–60 cm	○	kann durch Selbstaussaat zum Unkraut werden	95
0–50 cm	○	meist ausdauernd, erhält sich auch durch Samen	96
0–150 cm	●	kleinbleibender, getrennt geschlechtlicher Strauch	115
0–90 cm	○	eine rotblühende Sorte ist ebenfalls im Handel	78
0–140 cm	○	bevorzugt Einzelstellung	194
0–120 cm	○	wächst auch noch im Sumpf zufriedenstellend, lange Seitensprosse	93

Tabelle Pflanzen für Ufer und Feuchtgebiet

Deutscher Name	Botanischer Name	Blütenfarbe	Blütezeit
Gilbweiderich, Hain-	*Lysimachia nemorum*	gelb	Mai–Aug.
Goldstern, Wald-	*Gagea lutea*	gelb	April–Mai
Gottesgnadenkraut	*Gratiola officinalis*	weiß	Juni–Aug.
Hahnenfuß, Eisenhutblättriger	*Ranunculus aconitifolius*	weiß	Mai–Juli
Hahnenfuß, Wolliger	*Ranunculus lanuginosus*	gelb	Mai–Juli
Haselwurz	*Asarum europaeum*	braun	März–Mai
Herbstzeitlose	*Colchicum autumnale*	lila	Sept./Okt.
Hirschzungenfarn	*Phyllitis scolopendrium*	(Sporen)	Juli–Sept.
Iris, Amerikanische Wiesen-	*Iris versicolor*	violett	Juni/Juli
Iris, Japanische	*Iris kaempferi*	blauviolett	Juni/Juli
Iris, Ostasiatische Wiesen-	*Iris sanguinea*	blau	Juni/Juli
Iris, Sibirische Wiesen-	*Iris sibirica*	blauviolett	Mai–Juli
Kantenlauch	*Allium angulosum*	rosarot	Juni–Aug.
Knabenkraut, Breitblättriges	*Dactylorhiza majalis*	lila	Mai/Juni
Knabenkraut, Geflecktes	*Dactylorhiza maculata*	lila	Juni/Juli
Knabenkraut, Rotes	*Dactylorhiza incarnata*	rotviolett	Mai/Juni
Knöterich, Schlangen-	*Polygonum bistorta*	rosa	Mai–Juli
Königsfarn	*Osmunda regalis*	(Sporen)	Juni/Juli
Kopfbinse, Schwarze	*Schoenus nigricans*	schwarzbraun	Mai–Juli
Kriechweide	*Salix repens*	grüne Kätzchen	April/Mai
Kuckuckslichtnelke	*Lychnis flos-cuculi*	rosarot	April–Juli
Lappenschildfarn	*Polystichum lobatum*	(Sporen)	Juli/Aug.
Lauch, Wilder	*Allium scorodoprasum*	dunkelrot	Juni/Juli
Lauch, Wohlriechender	*Allium suaveolens*	rosa	Juli–Sept.
Lerchensporn, Hohler	*Corydalis cava*	purpur od.weiß	März–Mai
Lichtnelke, Rote	*Silene dioica*	rot	April–Juli
Mädesüß, Echtes	*Filipendula ulmaria*	weiß	Juni–Aug.
Milzkraut, Wechselblättriges	*Chrysosplenium alternifolium*	gelb	März–Mai
Nachtschatten, Bittersüßer	*Solanum dulcamara*	violett	Juni–Aug.
Nachtviole	*Hesperis matronalis*	violett	Mai-Juli
Perlgras, Nickendes	*Melica nutans*	braun	Mai/Juni
Pestwurz	*Pestasites hybridus*	weiß	März/April
Pfennigkraut	*Lysimachia nummularia*	gelb	Mai–Aug.
Platterbse, Sumpf-	*Lathyrus palustris*	blauviolett	Juni–Sept.
Platterbse, Wiesen-	*Lathyrus pratensis*	gelb	Juni–Aug.
Prachtnelke	*Dianthus superbus*	violett	Juni–Sept.
Primel, Etagen-	*Primula beesiana*	purpur	Juni/Juli

Tabelle Pflanzen für Ufer und Feuchtgebiet

Wuchshöhe	Licht	Bemerkung	Seite
10–20 cm	◑●	lichter Bodendecker durch wurzelnde Stengel	110
10–20 cm	●	Zwiebelpflanze	111
20–30 cm	○	bildet im Laufe der Zeit dichte Bestände, Rarität	97
30–60 cm	○	wenig Ausbreitungsdrang, verdient mehr Beachtung	98
50–70 cm	◑●	auch im Spätherbst blüht er zuweilen noch einmal	113
5–10 cm	◑●	lichter Bodendecker bei passendem Standort	113
10–20 cm	○◑	Zwiebelgewächs, blüht im Herbst	104
15–40 cm	◑●	breite, hellgrün glänzende Blätter zeichnen diese Farnart aus	115
60–80 cm	○	winterhart, bildet mit der Zeit Tochterpflanzen	104
50–80 cm	○	viele Züchtungen mit unterschiedlichen Farben	105
50–60 cm	○	winterhart, Blüte der *I. sibirica* ähnlich	104
40–90 cm	○	Kostbarkeit, viele Gartenformen bekannt	104
20–50 cm	○	Zwiebelpflanze	106
25–30 cm	○	Orchidee, Rarität	105
20–60 cm	◑●	schattenvertragende Orchidee	112
20–50 cm	○	Orchidee, Rarität	105
20–100 cm	○	zahlreiche Blütenkerzen, horstbildend	106
80–150 cm	◑●	sein Name spricht für sich	115
20–40 cm	○	horstbildend	92
30–100 cm	○	strauchähnlicher Wuchs, kleinbleibend	108
30–60 cm	○	dekorative Pflanze mit geschlitzten Blütenblättern, Vermehrung durch Seitensprosse	106
30–80 cm	◑●	typische, aber schmale Farnwedel	115
60–100 cm	◑●	Zwiebelpflanze mit Brutzwiebelbildung am Blütenstand	112
20–50 cm	○	Zwiebelpflanze, Blüten wohlriechend	106
15–30 cm	◑●	besonders wirkungsvoll bei Gruppenpflanzung	111
30–60 cm	○	mehrere Exemplare, aber in Einzelstellung	106
80–150 cm	○	imposante Staude, auffällige Blütenstände	94
5–15 cm	◑●	breitet sich rasenartig aus	113
50–250 cm	○	klettert gerne	97
40–100 cm	○◑	stammt aus Westasien	113
30–60 cm	◑●	auffälliges Ziergras	114
10–40 cm	○	großblättriger Frühjahrsblüher	99
10–30 cm	○◑	guter Bodendecker mit wurzelnden Stengeln	111
30–80 cm	○	seltene Kletterpflanze	107
30–80 cm	○	zarte Kletterpflanze	107
30–60 cm	○	filigranartige, große Blüten, Vermehrung durch Seitensprosse	106
30–40 cm	○◑●	Blüten sind kranzartig angeordnet	101

Tabelle Pflanzen für Ufer und Feuchtgebiet

Deutscher Name	Botanischer Name	Blütenfarbe	Blütezeit
Primel, Etagen-	*Primula bulleyana*	gelb	Juni–Aug.
Primel, Glocken-	*Primula florindae*	gelb	Mai–Juli
Primel, Rosen-	*Primula rosea*	rot	März/April
Primel, Japanische	*Primula japonica*	rot	Mai/Juni
Primel, Kugel-	*Primula denticulata*	blau	April/Mai
Primel, Mehl-	*Primula farinosa*	rosa	Mai–Juli
Primel, Sumpfpracht-	*Primula helodoxa*	gelb	Juli/Aug.
Primel, Große Wald-	*Primula elatior*	gelb	März–Mai
Rasenschmiele	*Deschampsia caespitosa*	grün	Juni/Juli
Riesenschwingel	*Festuca gigantea*	grün	Juli/Aug.
Roßminze	*Mentha longifolia*	lila	Juli–Sept.
Schachbrettblume	*Fritillaria meleagris*	weiß od. violett	Mai–Juli
Schachtelhalm, Wald-	*Equisetum sylvaticum*	(Sporen)	April–Juni
Schafgarbe, Sumpf-	*Achillea ptarmica*	weiß	Juli–Sept.
Scharbockskraut	*Ranunculus ficaria*	gelb	März–Mai
Schaumkraut, Bitteres	*Cardamine amara*	weiß	April–Juni
Schneeglöckchen	*Galanthus nivalis*	weiß	Feb./März
Schwertlilie: s. Iris			
Segge, Blaugrüne	*Carex flacca*	braun	Mai–Juli
Segge, Gelbe	*Carex flava*	braun	Juni–Aug.
Segge, Gray'sche	*Carex grayi*	grün	Juni/Juli
Segge, Hängende	*Carex pendula*	grün	Mai/Juni
Segge, Hirse-	*Carex panicea*	braun	Mai/Juni
Segge, Scheinzypergras-	*Carex pseudocyperus*	gelb	Juni/Juli
Segge, Winkel-	*Carex remota*	braun	Juni/Juli
Segge, Zittergras-	*Carex brizoides*	braun	Mai/Juni
Segge, Zypergras-	*Carex bohemica*	grün	Juni–Sept.
Seidelbast	*Daphne mezereum*	rosa	März/April
Simsenlilie	*Tofieldia palustris*	gelblich	Juni/Juli
Springkraut, Echtes	*Impatiens noli-tangere*	gelb	Juni–Sept.
Steinbrech, Kies-	*Saxifraga mutata*	rötlich	Juni/Juli
Steinbrech, Rundblättriger	*Saxifraga rotundifolia*	weiß	Juni–Sept.
Steinbrech, Fetthennen-	*Saxifraga aizoides*	gelb	Juni–Aug.
Stendelwurz, Sumpf-	*Epipactis palustris*	weiß	Juni/Juli
Sterndolde, Große	*Astrantia major*	rötlich	Juni–Aug.
Sternmoos, Punktiertes	*Mnium punctatum*	(Sporen)	April/Mai
Stinkkohl	*Symplocarpus foetidus*	purpur	März/April

Tabelle Pflanzen für Ufer und Feuchtgebiet

uchshöhe	Licht	Bemerkung	Seite
0–40 cm	○◑●	Blütenkränze sitzen in Abständen am Stengel	101
0–70 cm	○◑	Primeln wirken besonders effektvoll bei Gruppenpflanzung	101
0–20 cm	○◑●	kleinbleibende Art, leuchtende Blütenfarbe	101
0–40 cm	○◑	wertvolle Ergänzung im Primelsortiment	101
5–20 cm	○◑●	niedriger Wuchs, dekorativer Blütenstand	101
-20 cm	○	einheimische Wildform für Minianlagen	101
0–50 cm	◑●	Spähtblüher	101
0–20 cm	◑●	wird auch Große Schlüsselblume genannt	111
0–120 cm	◑●	imposantes, horstbildendes Süßgras	114
0–120 cm	◑●	Gras mit überhängenden Blütenrispen, horstbildend	114
0–80 cm	○	Vermehrung durch lange Seitensprosse	93
0–40 cm	○	Zwiebelpflanze, hängende Blütenglocken	103
5–80 cm	◑●	vermehrt sich durch unterirdische Ausläufer	115
0–60 cm	○	wünscht nicht zu kalkhaltigen Boden	97
-15 cm	◑●	wächst nur im Frühjahr oberirdisch	110
0–50 cm	○	oberflächige Ausbreitung, wurzelnde Stengel	98
0–20 cm	◑●	Zwiebelpflanze, erster Frühlingsbote	110
0–60 cm	●	hängende Fruchtähren	114
0–50 cm	○	horstartiger Wuchs, igeliger Blütenstand	92
0–50 cm	○	interessant durch den stacheligen Fruchtstand	92
0–150 cm	○	horstbildendes Sauergras mit hängenden Blütenähren	114
0–50 cm	○	hirsekorn-ähnliche Einzelblüten in Ährenform	92
0–90 cm	○	hängende, kolbige Blütenstände, horstbildend	92
0–60 cm	●	schmalblättrige Sauergras-Art	114
0–70 cm	●	mit rasenbildenden Ausläufern	114
-30 cm	○	pinselähnlicher Blütenstand, horstartiger Wuchs	92
0–150 cm	◑●	kleinbleibender Strauch mit roten Beerenfrüchten	114
-10 cm	○	irisähnlicher Wuchs, besonders für Mini-Anlagen zu empfehlen	100
0–60 cm	◑●	einjährig, aber willige Vermehrung durch Samen	113
5–30 cm	○	dekorative Blattrosette für den Alpinumbach	100
0–60 cm	○	zart wirkende Seltenheit	114
-10 cm	○	zierlicher Bodendecker	100
0–40 cm	○	empfehlenswerte Orchidee, Vermehrung durch Tochterpflanzenbildung	106
0–100 cm	◑●	an nassen, schattigen Orten häufig	114
-5 cm	◑●	viele Moosarten werden von selbst auftauchen	115
0–60 cm	◑●	winterhartes, ausländisches Aronstabgewächs	112

Tabelle Pflanzen für Ufer und Feuchtgebiet

Deutscher Name	Botanischer Name	Blütenfarbe	Blütezeit
Storchschnabel, Sumpf-	*Geranium palustre*	rosa	Juni–Sept.
Straußfarn	*Matteuccia struthiopteris*	(Sporen)	Juli/Aug.
Sumpfgladiole	*Gladiolus palustris*	purpurrot	Juni/Juli
Sumpfhelmkraut	*Scutellaria galericulata*	blau	Juni–Sept.
Sumpfherzblatt	*Parnassia palustris*	weiß	Juli/Aug.
Sumpfherzblatt, Asiatisches	*Parnassia foliosa*	weiß	Aug.–Sept.
Sumpfhornklee	*Lotus uliginosus*	gelb	Juni/Juli
Sumpfkresse	*Rorippa palustris*	gelb	Juni–Sept.
Sumpfläusekraut	*Pedicularis palustris*	rosarot	Mai/Juni
Teufelsabbiß	*Succisa pratensis*	dunkelblau	Juli–Sept.
Trollblume	*Trollius europaeus*	gelb	Mai/Juni
Trollblume, Chinesische	*Trollius chinensis*	gelb	Juni/Juli
Waldrebe	*Clematis vitalba*	weiß	Juni/Juli
Wasserdost	*Eupatorium cannabium*	rötlich	Juli/Aug.
Wasserfenchel	*Oenanthe aquatica*	weiß	Juni–Aug.
Wasserminze	*Mentha aquatica*	lila	Juli–Okt.
Weidenröschen, Kleinblütiges	*Epilobium parviflorum*	hellrosa	Juni/Juli
Weidenröschen, Rauhhaariges	*Epilobium hirsutum*	rosarot	Juli–Sept.
Weidenröschen, Rosarotes	*Epilobium roseum*	hellrosa	Juli/Aug.
Weidenröschen, Vierkantiges	*Epilobium adnatum*	rosarot	Juli/Aug.
Weiderich, Ysop-	*Lythrum hyssopifolium*	rötlich	Juni–Sept.
Wiesenknopf, Großer	*Sanguisorba officinalis*	rotbraun	Juni–Aug.
Wiesenraute	*Thalictrum aquilegifolium*	hellviolett	Mai–Aug.
Wiesenschaumkraut	*Cardamine pratensis*	blaßlila	April–Juni
Witwenblume, Wald-	*Knautia dipsacifolia*	lila	Juni–Sept.
Wolfsmilch, Glänzende	*Euphorbia lucida*	grün	Mai–Juli
Wolfstrapp	*Lycopus europaeus*	weiß	Juli–Aug.
Wollgras, Breitblättriges	*Eriophorum latifolium*	gelb	April–Juni
Wollgras, Scheuchzers	*Eriophorum scheuchzeri*	weiß	Mai/Juni
Wollgras, Sibirisches	*Eriophorum russeolum*	braun	Juli/Aug.
Wurmfarn	*Dryopteris filix-mas*	(Sporen)	Juli–Sept.
Ziest, Sumpf-	*Stachys palustris*	purpur	Juni–Sept.
Ziest, Wald-	*Stachys sylvatica*	violett	Juni–Sept.
Zweizahn, Dreiteiliger	*Bidens tripartitus*	gelb	Juli–Okt.

Tabelle Pflanzen für Ufer und Feuchtgebiet

Vuchshöhe	Licht	Bemerkung	Seite
0–80 cm	●	Dauerblüher ohne großen Ausbreitungsdrang	96
0–150 cm	◑●	unterirdische Ausläufer bildend	115
0–60 cm	○	Rarität, Zwiebelpflanze	103
0–100 cm	○	starke Sproßbildung	98
5–30 cm	○	kleinwüchsig, Vermehrung durch Samen	100
0–25 cm	○	winterhart, gefranste Blütenblätter	100
0–40 cm	○	fällt durch seine leuchtenden Blüten auf	108
5–50 cm	○	kriechender Wurzelstock mit langen Steitensprossen, liebt Bachrandnähe	98
0–30 cm	○	Schmarotzerpflanze, Ansiedlungsversuch nur mit Samen möglich	107
0–100 cm	○	bevorzugt nicht zu kalkhaltigen, etwas sauren Boden	95
0–50 cm	○	Samen und Pflanzen in Gartenfachgeschäften erhältlich	106
0–70 cm	○	Blütenfarbe noch intensiver als bei der Vorgängerin, winterhart	106
00–800 cm	●	interessante Kletterpflanze	115
20–150 cm	○	dekorativ, aber mit Ausbreitungsdrang	94
0–120 cm	○	Vermehrung durch Samen	93
0–80 cm	○	unterirdische Seitensprosse, wuchert gerne	93
0–60 cm	○	zierlichste Art	95
0–120 cm	○	dekorative, großblütige Art mit langen Seitensprossen	95
20–80 cm	○	kurze Seitensprosse	95
30–90 cm	○	wenig Ausbreitungsdrang	95
10–30 cm	○	flächige Ausbreitung	93
50–150 cm	○	beliebte Schmetterlingspflanze	99
50–120 cm	○	wirkt besonders in Einzelstellung	107
10–30 cm	○	kriechender Stengel mit Wurzelbildung	108
30–100 cm	◑●	Dauerblüher mit unverzweigtem Wurzelstock	114
40–120 cm	○	Rarität, bevorzugt feuchte Uferzone	–
20–60 cm	○	Wucherpflanze mit dekorativen Blättern	99
30–60 cm	○	Gruppenpflanzung, vermehrt sich nur durch Samen	107
10–30 cm	○	geringe Vermehrung, silbrige Samenköpfe	92
20–30 cm	○	gute Vermehrung durch unterirdische Sproßbildung, braune Samenstände	92
30–120 cm	◑●	bekannteste Farnpflanze	115
30–100 cm	○	zuweilen starke Seitensproßbildung	98
30–100 cm	◑●	zuweilen starke Ausläuferbildung	114
15–80 cm	○	nicht an Fischteiche pflanzen, stachelige Früchte	98

Moor

Das Moor ist durch eine stark saure Bodenreaktion gekennzeichnet. Für unser Vorhaben benötigen wir einen sehr sonnigen Platz. Bei der Anlage verfahren wir in wohlbekannter Art und Weise. Nach dem Ausheben der 50 cm tiefen Grube und Auslegen mit Teichfolie benötigen wir als Pflanzsubstrat nassen Fasertorf, den wir zur Auflockerung mit Quarzsand im Verhältnis 3:1 mischen können. Falls erhältlich, decken wir oben mit einer 2–3 cm hohen Schicht Sphagnumtorf ab. Vorher nehmen wir natürlich eine pH-Wert-Kontrolle vor (siehe S. 167).

In die Mitte der Mulde verlegen wir unsere später mit Regen- oder weichem Wasser gefüllte Senke oder unseren Moorgraben. Ein ganz langsam dahinfließendes Moorbächlein würde natürlich auch hier mehr den biologischen Belangen entsprechen. Kein Wassertropfen in der freien Natur bleibt an einer Stelle stehen, laufend ist er in Bewegung. Verweilt er zu lange, kommt es zu unbiologischen, giftigen Zersetzungsvorgängen. Diese Gefahr ist bei Torf besonders groß.

Wie eine Wasserzirkulation zu bewerkstelligen ist, finden wir bereits beim Wiesenbach (siehe S. 91) erläutert. Bei einigem, technischen Geschick können wir hier die Wasserumwälzung aber auch durch eine Durchlüftungspumpe besorgen lassen. Der wiederum mit einem Vorfilter (ein Siebkorb genügt) versehene Ansaugteil des Schlauches muß nur tiefer liegen als die »Quelle«. Er darf aber auch nicht im Torf versinken. Der Lufteintritt in den wasserfördernden Schlauch hat so weit zur »Quelle« hin zu erfolgen, daß keine Luft über die Ansaugöffnung zurückkommt. Wem von uns dies alles zu schwierig erscheint, kann auch durch einfach von unten nach oben aufsteigende Luftblasen eine leichte Wellenbewegung und damit eine – wenn auch geringfügige – Zirkulation bewirken.

Wegen der geringen Eigenschwere des Torfes werden wir bei der Neuanlage vorsichtshalber den Wasserteil gegen das Ufer hin absichern. Zur Uferbefestigung nehmen wir Torfziegel oder -platten, Baumstämme oder dickere Äste, Wurzeln oder notfalls Bretter. All dieses »Dekorationsmaterial« müssen wir vorher wässern, bis es nicht mehr schwimmt. Am schnellsten erreichen wir dies, wenn wir die Teile untertauchen und entsprechend mit Steinen beschweren. Nach ihrem Einbau muß baldigst die erforderliche Wasserhöhe durch Einleitung von weichem Wasser oder Regenwasser erfolgen. Wir können unsere Uferbefestigung aber auch trocken einbauen und durch Steinplatten gegen Auftrieb sichern, bis sie sich voll Wasser gesaugt hat.

Pflanzen für das Moor

Torfmoos
(Sphagnum spec.)

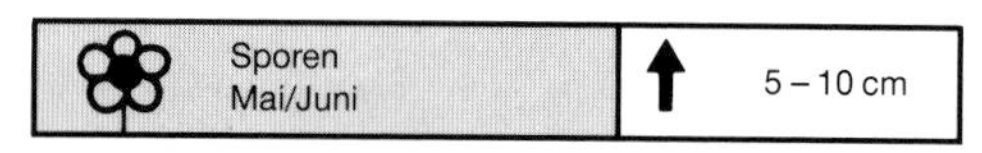

Eine der Hauptpflanzen unseres Moores wird das *Sphagnum* sein. Es überzieht den torfigen Boden, klettert über verrottendes Holz und wächst sogar im braungefärbten Wasser unseres Torfstiches weiter. Seine Anpassungsfähigkeit ist groß. Die Landform wirkt wesentlich gedrungener gegenüber dem breitausladenden Wassertyp. Wenn es »blüht«, ist es mit dunkelbraunen Kugeln übersät, die einzeln auf ca. 1 cm hohen Stielen sitzen. In den Moospolstern aber finden neben Tieren eine Reihe anderer Moorpflanzen geeignete Lebensbedingungen.

Widertonmoos
(Polytrichum commune)

Mit seinen Polstern bedecken wir den Übergang der nassen zur trockeneren Moorregion. Vielfach übernimmt diese dunkelgrüne Moosart hier noch die Aufgabe des Torfmooses als Unterlage für verschiedene andere Moorpflanzen.

Vielleicht kennen wir dieses Laubmoos bereits unter der volkstümlichen Bezeichnung »Goldenes Frauenhaar«. Im Frühjahr wiegen sich rotgelbe Sporenbehälter auf langen Stielen über sternförmig beblätterten Einzelpflanzen.

Blüten der Moosbeere bei starker Vergrößerung. Die Pflanze selbst ist unscheinbar, so daß der Eindruck entsteht, Blüten und Beeren gehören dem darunterliegenden Moospolster an.

Moosbeere *(Oxycoccus palustris)*

Der Lebensraum der Moosbeere ist z. B. das Torfmoospolster. Seine langen, dünnen Triebe mit den wintergrünen, derben Blättchen ruhen auf ihm. Die zierlichen, hellen Blüten heben sich deutlich gegen den dunkleren Moosuntergrund ab. Die kugeligen, anfänglich grünen Früchte färben sich im Spätsommer tiefrot und liegen dem Moos auf. Nach dem ersten Frost sind sie äußerst wohlschmekkend.

Rosmarinheide *(Andromeda polifolia)*

Auch dieses Heidekraut sucht den Kontakt mit dem Moos. Stets wächst dieses immergrüne Sträuchlein mit seinen oben blaugrünen, unten weißlichen Blättern aus einem Moospolster heraus. Besonders wirkungsvoll kommt es zur Geltung, wenn wir es in Gruppen pflanzen. Zur Blütezeit neigen sich glockenförmige Blüten von den Enden der einzelnen Zweige dem Untergrund zu, als wollten sie ihren Dank bekunden.

Scheidiges Wollgras am Torftümpel-Rand.

Scheidiges Wollgras
(Eriophorum vaginatum)

Leuchtend heben sich die silbrigweißen Samenköpfe von der Umgebung ab. Im übrigen dominiert bei dieser Pflanze ein dichter Horst dunkelgrüner, langer, spitzer Blätter. All dies läßt dieses Riedgras zum Blickfang werden, wenn wir es an den Rand unseres wassergefüllten Torfgrabens pflanzen.

Alpenwollgras
(Trichophorum alpinum)

Dieses zierliche Riedgras gedeiht ebenfalls nur auf torfigem Untergrund. Es besitzt weit weniger auffällige Samenstände als die vordem genannte Art. Die Vielzahl der Samenköpfe aber ergibt trotzdem ein gefälliges Bild.

Sumpfbärlapp
(Lycopodiella inundata)

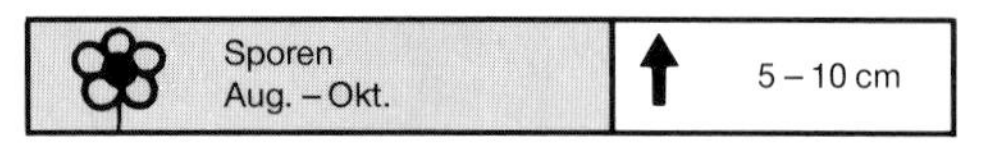

Diese eigenartige Pflanze liebt eine leichte Wasserbewegung bei sehr niedrigem Wasserstand. Sie kriecht knapp über dem Boden dahin. Die Sprosse entsenden unzählige Würzelchen zu ihrer Verankerung in den nassen Untergrund. Dicht an dicht sind sie mit nadelartigen Blättern besetzt. Lediglich zur Zeit der »Blüte« ragen einzelne Triebe mit ihrer Sporenähre aufrecht in die Höhe. Entweder eine flache Stelle in unserem Moorbächlein oder notfalls eine schlammige Torfmulde daneben ist demnach der geeignete Lebensraum für dieses Gewächs, das nicht so ohne weiteres an jeder beliebigen Stelle wächst.

Weiße Schnabelbinse
(Rhynchospora alba)

Dieses sich mit kurzen Ausläufern ausbreitende Sauergras besitzt einen dreikantigen Stengel. Zur Blütezeit ist es schon von weitem an seinem hellen Ährenknäuel zu erkennen. Wir setzen es an den nassen Rand unseres Moorgrabens.

Rasenbinse
(Trichophorum cespitosum)

Dieses Riedgras bildet dichte Polster aus stielrunden Stengeln. Auf ihrer Spitze sitzen im Frühjahr die Blütenähren. Wir pflanzen diese Art an eine trockenere Stelle in unserem Moor. Sie gedeiht aber auch noch in der kalkfreien Torfzone unserer Feuchten Wiese.

Blasenbinse
(Scheuchzeria palustris)

Auf einem kräftigen, beblätterten Stengel sitzen in Trauben die kleinen Blütchen. Die leicht eiförmigen Früchtchen wirken wie aufgeblasen. Diese tief wurzelnde Pflanze gedeiht nur in einer dicken Lage von totem Torfmoos, das sehr naß sein muß. Vielleicht legen wir neben unserem Moorgraben nochmals eine kleine Mulde an, in der sich etwas Wasser ansammelt.

Rundblättriger Sonnentau
(Drosera rotundifolia)

Ausgesprochen nasse Stellen im Moor sind die Lebensräume unserer verschiedenen Sonnentauarten. Sie wachsen am Rande der Moortümpel auf torfigem oder moosigem Untergrund. Entsprechend müssen auch wir sie unterbringen, wenn sie sich bei uns wohlfühlen sollen.
Die einzelnen Sonnentauarten unterscheiden sich im wesentlichen nur in der Blattform. Die langen, klebrigen Drüsenhaare auf den Blättern dienen dem Insektenfang und ihrer Verdauung. Die Blüten sitzen zu mehreren an längeren oder kürzeren Stengeln über der Blattrosette. Alle Arten unterliegen strengen Schutzbestimmungen.

Sumpfjohanniskraut
(Hypericum elodes)

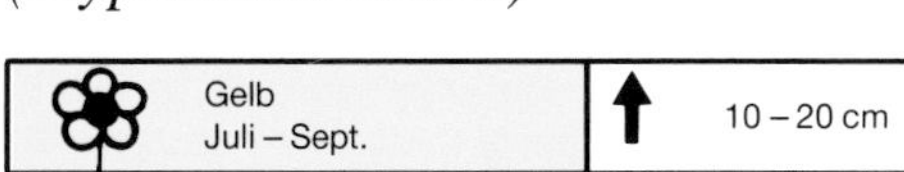

Bei diesem Gewächs sitzen die mit weichen Haaren besetzten Blätter an einem rundlichen Stengel. Es vermehrt sich hauptsächlich durch Bildung von Ausläufern und besitzt mehr oder weniger bodenbedeckende Funktion. Die beste Pflanzstelle ist der Übergang vom Naß- zum Feuchtteil.

Moorsteinbrech
(Saxifraga hirculus)

Diese arktische Pflanze entsendet ihre beblätterten Stengel aus einem Wurzelstock. Die sternförmigen Blüten entfalten sich an langen Stielen. Da dieser durch kurze Ausläufer sich vermehrende Steinbrech feuchten Untergrund bevorzugt, werden wir ihm einen entsprechenden Platz zuweisen.

Beinbrech
(Narthecium ossifragum)

Bei dieser auch Ährenlilie genannten Pflanze kommt der mit grasförmigen Blättern umsäumte Stiel aus einem Wurzelstock. Sie steht gerne an nicht zu nassen Stellen.

Pflanzen für die Randzone des Moores

Das an ein Moor angrenzende, trockenere Gebiet stellt gewissermaßen die »Verlandungszone« dieses Biotops dar. Im eigentlichen Sinn hat es mit unserem Thema nicht mehr viel gemeinsam. Und doch gehören beide zusammen. Der plötzliche Übergang unseres an Pflanzenarten armen Moorteils zum angrenzenden Gartenmilieu würde auch nicht harmonisch wirken. Deshalb haben wir dies schon bei der Gestaltung des Moores mit eingeplant, indem wir den Moorteil tiefer gesetzt haben.

Moor

Die oberen Zonen bis zur Folie hin bepflanzen wir nunmehr mit Heidegewächsen.

Heidekraut *(Calluna vulgaris)*

Diesen Zwergstrauch dürfte wohl jeder von uns aus der Gärtnerei kennen. Es handelt sich hier meistens um blühwilligere Sorten. Da unser Heidekraut auch Trockenheit verträgt und sich durch Ausläufer vermehrt, eignet es sich besonders für die Randbepflanzung unseres Moores und bedingt als Bodendecker.

Preißelbeere *(Vaccinium vitis-idaea)*

Diese mehr Schatten liebende Pflanze zählt ebenfalls zu den Heidekrautgewächsen. Ihre wintergrünen, derben Blätter glänzen und sind an der Spitze abgerundet. Die glockigen Blüten sitzen in kleinen Trauben. Die roten Früchte dürfte jeder von uns schon einmal gegessen haben. Die Preißelbeere wächst gerne in Gemeinschaft mit ihresgleichen.

Heidelbeere *(Vaccinium myrtillus)*

Im Gegensatz zur Preißelbeere ist dieser Zwergstrauch nicht wintergrün. Die eiförmigen, hellgrünen Blätter laufen in eine Spitze aus und sind am Rand gesägt. Die mehr kugeligen Blüten sitzen einzeln in den Blattachseln. Die blauen Früchte sind allgemein bekannt. Sie liebt einen halbschattigen Standort und Geselligkeit.

Krähenbeere *(Empetrum nigrum)*

Dieser wintergrüne Zwergstrauch mit seinen nadelartigen Blättern bringt entweder nur männliche oder nur weibliche Blüten hervor. Um die schwarzglänzenden, kugeligen Beeren bestaunen zu können, benötigen wir also ein »Pärchen«. In den Bergen wächst aber auch eine Art mit Zwitterblüten.

Rauschbeere *(Vaccinium uliginosum)*

Die strauchförmige Rauschbeere mit ihren hellen, sommergrünen Blättern kommt infolge ihrer Größe natürlich nur bei ausgedehnteren Mooranlagen entsprechend zur Geltung. Die glockenförmigen Blüten bescheren uns im Spätsommer blaubereifte Beeren, die berauschend wirken sollen, also als giftig zu betrachten sind.

Sumpfporst *(Ledum palustre)*

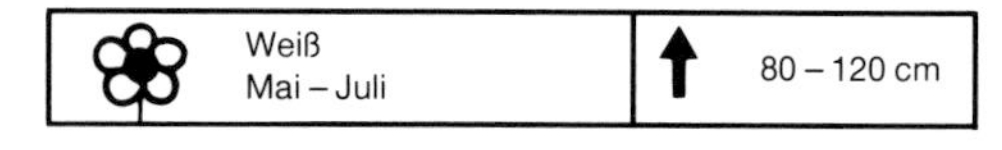

Eine besondere Note verleiht der Porst unserer Moorlandschaft. Seine lederartigen, wintergrünen Blätter mit etwas nach unten gebogenen Rändern sind unterseits rostfarben. Die strauchartige Pflanze weist im übrigen einen eigenartigen Geruch auf.
Der Aufbau der Blüten an den Enden der Zweige bekundet die Verwandtschaft zu unseren Heidekräutern. Wir pflanzen ihn bewußt zwischen die anderen Ericaceen, achten jedoch darauf, daß er als seltene Pflanze entsprechend zur Geltung kommt.

Neben unserem Sumpfporst gibt es eine verwandte Art im hohen Norden.

Torfmyrte *(Pernettya mucronata)*

Dieser kleinbleibende, winterharte Strauch aus den Anden ist im Sommer dicht mit kleinen, glockenartigen Blütchen besetzt. Die einzelne Pflanze ist entweder männlicher oder weiblicher Natur. Im Herbst leuchten uns rötliche Beeren entgegen. Zur Fruchtbildung kommt es natürlich nur, wenn ein »Pärchen« dieser Pflanzenart unser Moor ziert.

Arnika (*Arnica montana*)

Diese bekannte Heilpflanze wird auch Bergwohlverleih genannt. Der aus einer Blattrosette wachsende Stengel trägt ein bis zwei Blütenpaare. Wir pflanzen sie in die trockenere Randzone unseres Moores. Samen von dieser geschützten Pflanze erhalten wir in Fachgeschäften.

Blaues Pfeifengras *(Molinia caerulea)*

Ein einzelner Horst dieses Grases mit seinen blaugrünen Blättern und den hoch darüber hinausragenden Halmen mit schieferblauen oder gar violetten Rispen ist alleine schon ein Blickfang.

Zwergbirke *(Betula nana)*

Dieser seltene Zwergstrauch ist ein ausschließlicher Bewohner des Hochmoores. Bei dieser Birkenart erscheinen die Blätter fast kreisrund, die Ränder sind stumpf gekerbt. Die Blütenkätzchen stehen in den Blattachseln.

Strauchbirke *(Betula humilis)*

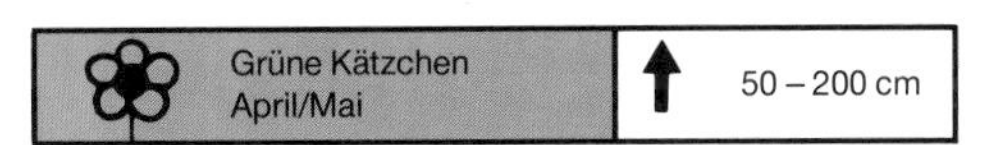

Dieser Strauch unterscheidet sich von der Zwergbirke hauptsächlich durch die mehr eiförmigen Blätter. Der Blattrand ist ungleichmäßig gesägt. Auch hier zeigen die Blütenkätzchen nach oben.

Bergkiefer *(Pinus mugo)*

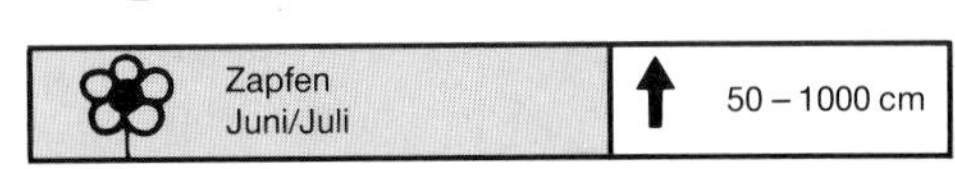

Neben den Birken sind Kiefern, auch Föhren genannt, ein nicht wegzudenkender Bestandteil dieses Biotops. Wenn wir diesem Faktor Rechnung tragen wollen, pflanzen wir eine kleinbleibende Sorte der Bergkiefer an eine passende Stelle unseres Moores.

Tabelle Moorpflanzen

Deutscher Name	Botanischer Name	Blütenfarbe	Blütezeit
Arnika	*Arnica montana*	gelb	Juni/Juli
Bärlapp, Sumpf-	*Lycopodiella inundata*	(Sporen)	Aug.–Okt.
Beinbrech	*Narthecium ossifragum*	gelb	Juli/Aug.
Bergkiefer	*Pinus mugo 'Gnom'* od. *'Slavinii'*	grüne Zapfen	Juni/Juli
Birke, Strauch-	*Betula humilis*	grüne Kätzchen	April/Mai
Birke, Zwerg-	*Betula nana*	grüne Kätzchen	April–Juni
Blasenbinse	*Scheuchzeria palustris*	gelbgrün	Mai–Juni
Gagelstrauch	*Myrica gale*	gelb	April–Mai
Glockenheide	*Erica tetralix*	rot	Juni–Sept.
Heidelbeere	*Vaccinium myrtillus*	grün	Mai/Juni
Heidekraut	*Calluna vulgaris*	lila	Aug.–Okt.
Johanniskraut, Sumpf-	*Hypericum elodes*	gelb	Juli-Sept.
Krähenbeere	*Empetrum nigrum*	rosa	April/Mai
Moosbeere	*Oxycoccus palustris*	rosa	Juni–Aug.
Pfeifengras, Blaues	*Molinia caerulea*	blauviolett	Juni–Sept.
Preiselbeere	*Vaccinium vitis-idaea*	weiß	Mai–Aug.
Rasenbinse	*Trichophorum cespitosum*	gelb	Mai/Juni
Rauschbeere	*Vaccinium uliginosum*	rosa	Mai/Juni
Rippenfarn	*Blechnum spicant*	(Sporen)	Juli/Aug.
Rosmarinheide	*Andromeda polyfolia*	rosarot	Mai–Sept.
Schnabelbinse, Weiße	*Rhynchospora alba*	weiß	Juni/Juli
Sonnentau, Rundblättriger	*Drosera rotundifolia*	weiß	Juli/Aug.
Steinbrech, Moor-	*Saxifraga hirculus*	gelb	Juli/Aug.
Sumpfporst	*Ledum palustre*	weiß	Mai–Juli
Torfmoos	*Sphagnum* spec.	(Sporen)	Mai/Juni
Torfmyrte	*Pernettya mucronata*	weiß	Mai/Juni
Widertonmoos, Gewöhnliches	*Polytrichum commune*	(Sporen)	Mai/Juni
Wollgras, Alpen-	*Trichophorum alpinum*	grünlich	April/Mai
Wollgras, Scheidiges	*Eriophorum vaginatum*	grün	April/Mai

Tabelle Moorpflanzen

Wuchshöhe	Licht	Bemerkung	Seite
0–50 cm	○	Samen und Pflanzen erhalten wir in Gartenfachgeschäften	129
–10 cm	○	Tannenzweig-ähnlicher Wuchs an einem kriechenden Stengel	126
0–30 cm	○	Rarität	127
0–180 cm	○	auf Zwergwuchs achten	129
0–200 cm	○	Rarität	129
0–70 cm	○	Zwergstrauch, der die Eiszeit überdauert hat	129
0–20 cm	○	nicht einfach zu kultivieren, Rarität	127
0–150 cm	○	Blüten sitzen in aufrechten Kätzchen; Rarität	–
5–50 cm	○	dekoratives Heidekrautgewächs	–
5–30 cm	○	laubabwerfender Strauch mit den bekannten blauschwarzen Früchten	128
0–40 cm	○	langwachsender Bodendecker, viele Züchtungen	128
0–20 cm	○	mit oberflächlichen Ausläufern überzieht es den Untergrund	127
5–50 cm	○	seltener Kleinstrauch	128
–3 cm	○	zarte Triebe wurzeln im Torfmoos	125
0–80 cm	○	horstbildendes Gras mit blaugrünen Blättern	129
0–30 cm	◑●	wintergrüne Blätter und rote Früchte sind die herausragenden Kennzeichen	128
–20 cm	○	rasenartiger Wuchs	126
0–80 cm	○	wintergrüne Blätter und dunkelblaue Beeren zieren diesen Strauch	128
5–40 cm	○	dekorative Blattrosette einer uralten Pflanzengruppe	–
0–20 cm	○	im Torfmoos wurzelnder Zwergstrauch	125
5–30 cm	○	lockere Rasen bildend	126
0–15 cm	○	eine der Charakterpflanzen des Moores	127
0–40 cm	○	Rarität	127
0–120 cm	○	immergrüner, duftender Strauch	128
–10 cm	○	bildet dichte Polster	124
0–50 cm	○	ausländische, immergrüne Moorpflanze mit roten oder weißen Beerenfrüchten	129
–10 cm	○	orangegelbe Sporenkapseln überragen dunkelgrüne Moospolster	124
0–30 cm	○	kleinbleibende Art mit rasenbildendem Wuchs	126
0–50 cm	○	dichte Horste bildend	126

Trockene Randzone

In einem Garten geht der Teichrand meist unmittelbar in das übliche Gartenmilieu über. Platten begrenzen sehr oft seinen Rand. Dann folgen meist Blumenrabatten oder gar der übliche Rasen. Aber auch bei der Gestaltung einer Teichverlandung ist der Feuchtbereich einmal zu Ende. Dasselbe gilt für andere Feuchtgebiete wie Moor und Feuchte Wiese.
So bleibt uns denn nichts anderes übrig, als in diesen Außenbereichen auf Gewächse zurückzugreifen, die in normaler Gartenerde gedeihen.
Wenn uns der Garten interessiert und wir Arbeit nicht scheuen, können wir in den trockenen Randzonen spezielle Milieus schaffen. Der Nordrand unseres Teiches würde sich als Waldrand mit vorgelagerten Büschen und kleineren Waldpflanzen anbieten. An einer anderen Seite könnten wir mit Lehmuntergrund unter entsprechendem Sandzusatz Trockenrasenpflanzen ansiedeln. Bei entsprechender Torfunterlage lassen sich einige trockenheitsvertragende Heidekräuter unterbringen. Wir haben also auch am trockenen Teichrand die Möglichkeit, natürliche Biotope nachzuahmen.

Rechts: Großflächige Randbepflanzung um einen künstlich angelegten Naturteich.

Unten: Die trockene Randbepflanzung grenzt unmittelbar an den Sumpfteil und läßt sich optisch unauffällig überleiten.

Tabelle Pflanzen für die trockene Randzone

Deutscher Name	Botanischer Name	Blütenfarbe	Blütezeit
Akelei	*Aquilegia vulgaris*	blau	Mai/Juni
Alpenrose	*Rhododendron × praecox*	rosa	März/April
Alpenveilchen	*Cyclamen purpurascens*	rosa	Juli-Sept.
Anemone, Wald-	*Anemone sylvestris*	weiß	April–Juni
Bambus	*Pseudosasa japonica*	grün	Juli/Aug.
Bambus, Zwerg-	*Pleioblastus pygmaeus*	grün	Juli/Aug.
Bergenie	*Bergenia purpurascens*	rot	Mai/Juni
Blaukissen	*Aubrieta deltoidea*	blau	April/Mai
Blauschwingel	*Festuca glauca*	blaugrün	Mai/Juni
Blumenrohr	*Canna indica*	rot	Juli–Sept.
Buschwindröschen	*Anemona nemorosa*	weiß	März/April
Chinaschilf	*Miscanthus sinensis*	grün	Sept./Okt.
Christophskraut	*Actaea spicata*	weiß	Mai/Juni
Dreimasterblume	*Tradescantia × andersoniana*	blau	Juni–Aug.
Eisenhut	*Aconitum napellus*	blau	Juli/Aug.
Enzian	*Gentiana septemfida*	dunkelblau	Juli–Sept.
Federborstengras	*Pennisetum japonicum*	braun	Aug./Sept.
Federgras	*Stipa pennata*	grün	Mai/Juni
Fetthenne, Kaukasus-	*Sedum spurium*	weiß	Juli/Aug.
Fingerhut	*Digitalis lutea*	gelb	Juni–Aug.
Gänsekresse	*Arabis caucasica*	weiß	April/Mai
Ginster	*Genista germanica*	gelb	Mai/Juni
Gladiole	*Gladiolus communis*	rot	Juni/Aug.
Glockenblume	*Campanula ranunculoides*	blauviolett	Juni–Sept.
Glockenblume, Zwerg-	*Campanula cochleariifolia*	blau	Juni–Aug.
Graslilie	*Anthericum ramosum*	weiß	Juni-Aug.
Grasnelke	*Armeria maritima*	weiß u. rosa	Mai/Juni
Greiskraut	*Ligularia przewalskii*	gelb	Aug./Sept.
Hakenlilie	*Crinum × powellii*	rosa	Juli/Aug.
Himmelsleiter	*Polemonium caeruleum*	blau	April–Juni
Immenblatt	*Melittis melissophyllum*	weiß	Mai–Juli
Immergrün	*Vinca minor*	blau	April/Mai
Kaiserkrone	*Fritillaria imperialis*	orange	April/Mai
Knöterich	*Polygonum amplexicaule*	rot	Aug.–Okt.
Königskerze	*Verbascum bombyciferum*	gelb	Juni/Juli
Krötenlilie	*Tricyrtis pilosa*	weißrot	Okt./Nov.
Krokus	*Crocus albiflorus*	weiß	März/April
Küchenschelle	*Pulsatilla vulgaris*	violett	März/April

Tabelle Pflanzen für die trockene Randzone

'uchshöhe	Licht	Bemerkung
0–80 cm	○◑●	gespornte, hängende Blüten
50–200 cm	◑●	Frühblüher, benötigt Torfuntergrund
0–15 cm	●	Knollenpflanze; früh und spätblühende Arten im Handel
5–40 cm	●	löst das Buschwindröschen bei der Blüte ab
00–250 cm	○	sprossebildendes Süßgras, selten blühend
0–50 cm	○	für kleine Anlagen geeignet
0–40 cm	○	großblättrige, wintergrüne Staude
0–15 cm	○	Bodendecker
0–20 cm	○	beliebtes, horstbildendes Gras
0–80 cm	○	nicht winterhart
0–15 cm	●	zierliche Waldpflanze
50–250 cm	○	gut geeignete Uferrandpflanze mit Seitensprossen
0–60 cm	●	Schattenstaude
0–60 cm	○	etwas feuchtigkeitsbedürftig
0–100 cm	○	liebt Wassernähe
0–15 cm	○	normaler Boden
0–100 cm	○	Blütenstand mit abstehenden Grannen
0–60 cm	○	geschützte Grasart mit flugfähigen Samen
0–15 cm	○	Bodendecker
0–80 cm	○	mehrjährige Pflanze
0–20 cm	○	Bodendecker
0–50 cm	○	blattabwerfender Kleinstrauch
0–100 cm	○	winterharte Zwiebelpflanze
0–100 cm	○	artenreiche Gattung mit kleinbleibenden Bodendeckern
–10 cm	○	Bodendecker
0–70 cm	○	zarte Wildpflanze
0–15 cm	○	Bodendecker
00–150 cm	○	viele Arten mit unterschiedlichen Wuchshöhen
0–60 cm	○	bedingt winterharte Zwiebelpflanze, Winterschutz!
0–80 cm	○	wächst gerne an trockenen Uferrändern
20–60 cm	◑●	nesselartiger Wuchs, Rarität
0–15 cm	●	lockerer Bodendecker, wintergrün
0–60 cm	○	dekorative Zwiebelpflanze mit hängenden Blütenglocken
50–100 cm	○	zahlreiche Blütenkerzen
140–180 cm	○	Blattrosette mit hoch aufragendem Blütenstand
50–100 cm	◑●	seltenere Pflanze mit gepunkteten Blüten, winterhart
3–15 cm	○	Blütenzauber im Vorfrühling
20–30 cm	○	geschützte Pflanze

Tabelle Pflanzen für die trockene Randzone

Deutscher Name	Botanischer Name	Blütenfarbe	Blütezeit
Kugellauch	*Allium sphaerocephalon*	violett	Juni/Juli
Leberblümchen	*Hepatica nobilis*	blau	März/April
Lein	*Linum perenne*	blau	Mai–Juli
Lobelie, Blut-	*Lobelia fulgens*	rot	Aug./Sept.
Lungenkraut	*Pulmonaria angustifolia*	rot	April/Mai
Maiglöckchen	*Convallaria majalis*	weiß	Mai/Juni
Mauerpfeffer	*Sedum acre*	gelb	Juni/Juli
Milchstern	*Ornithogalum umbellatum*	weiß	April/Mai
Nachtkerze	*Oenothera odorata*	gelb	Juli–Okt.
Narzisse	*Narcissus pseudonarcissus*	gelb	März/April
Orchidee, Bletilla-	*Bletilla striata*	rosa	Juni/Juli
Pampasgras	*Cortaderia selloana*	grün	Sept.–Nov.
Pechnelke	*Lychnis chalcedonica*	rot	Juni/Juli
Phlox, Teppich-	*Phlox subulata*	rot	April–Juni
Prachtspiere	*Astilbe rivularis*	gelbweiß	Aug./Sept.
Rharbarber, Zier-	*Rheum palmatum*	rot	Juni/Juli
Salbei, Wiesen-	*Salvia pratensis*	blau	Juni–Aug.
Salomonssiegel	*Polygonatum multiflorum*	weiß	Juni/Juli
Sandnelke	*Dianthus arenarius*	weiß	Juli–Sept.
Schafgarbe	*Achillea tomentosa*	gelb	Juni/Juli
Schlüsselblume	*Primula veris*	gelb	März/April
Schneerose	*Helleborus niger*	weiß	Feb.–April
Schwertlilie	*Iris germanica*	violett	Juni/Juli
Segge, Frühlings-	*Carex caryophyllea*	braun	März–Mai
Segge, Zwergpolster-	*Carex firma*	braun	Juni/Juli
Silberwurz	*Dryas octopetala*	weiß	Mai–Aug.
Sonnenröschen	*Helianthemum grandiflorum*	gelb	Mai/Juni
Spornblume	*Centranthus ruber*	rot	Mai–Juli
Steinkraut	*Alyssum saxatile*	gelb	Mai/Juni
Taglilie	*Hemerocallis*-Hybriden	versch.	Mai/Juni
Tamariske	*Tamarix tetrandra*	rosa	April/Mai
Thymian	*Thymus serpyllum*	purpur	Juli/Aug.
Wacholder, Zwerg-	*Juniperus sibirica*	grün	Mai/Juni
Wachsglocke	*Kirengeshoma palmata*	gelb	Sept./Okt.
Wolfsmilch, Kugel-	*Euphorbia polychroma*	hellgelb	April/Mai
Ziest	*Stachys byzantina*	rosa	Juni/Juli

Tabelle Pflanzen für die trockene Randzone

Wuchshöhe	Licht	Bemerkung
0–50 cm	○	Zwiebelpflanze mit kugelförmigem Blütenstand
–10 cm	◑●	Frühblüher mit Bodendeckerfunktion
0–50 cm	○	Frostschutz durch Reisigabdeckung angebracht
0–80 cm	○	kerzenartiger Wuchs
0–30 cm	◑●	Blütenfarbe wechselt von Rot in Blau
5–20 cm	●	Vermehrung durch Seitensprosse
–15 cm	○	licht wachsender Bodendecker für den Kiesrand
0–25 cm	○	einheimische Zwiebelpflanze
0–70 cm	○	große Blüten öffnen sich am Abend
5–30 cm	○	allbekannte Zwiebelpflanze
0 cm	○	verträgt Frost, aber keine Nässe
80–220 cm	○	große, weiße Rispen überragen die Pflanze; Winterschutz durch Zusammenbinden der Halme
0–90 cm	○	wird auch »Brennende Liebe« genannt
0–15 cm	○	Bodendecker
00–150 cm	○	beliebtes Steinbrech-Gewächs
80–220 cm	○	dekorative, großblättrige Staude für die Nordseite
0–50 cm	○	während der Blüte sehr wirkungsvoll
0–60 cm	○	auch unter dem Namen »Weißwurz« geläufig
0–15 cm	○	eignen sich teilweise als Bodendecker
–10 cm	○	zwergwüchsige europäische Art
0–20 cm	○	reichhaltiges Angebot in verschiedenen Farben
0–30 cm	●	sehr früh blühend
0–80 cm	○	langsame Vermehrung durch Seitensprosse
0–30 cm	○	Seitensprosse treibend
–10 cm	○	für die kiesige Randzone geeignet
–10 cm	○	ausgezeichneter, wintergrüner Bodendecker
0–30 cm	○	breitet sich kreisförmig aus
0–80 cm	○	gedeiht auch in unserer kiesig-sandigen Teichumrandung
0–20 cm	○	Bodendecker
0–100 cm	○◑	jede Blüte ist nur einen Tag geöffnet
50–200 cm	○	lichter Strauch für warmen Standort am Nordufer
cm	○	guter, lichter Bodendecker
0–50 cm	○	liebt etwas sauren Boden
0–60 cm	●	attraktiver Herbstblüher
0–40 cm	○	die Farbänderungen während des Jahres sind eindrucksvoll
0–30 cm	○	Bodendecker

Die Tiere

Viele Tiere für unseren Gartenteich können wir uns in einschlägigen Fachgeschäften besorgen. Einige werden auch ohne unser Dazutun in unserem Wassergarten auftauchen, wenn er etwas wildromantisch gestaltet ist und viele Versteckmöglichkeiten an schattigen Orten aufweist. Die meisten einheimischen Wasserbewohner sind ohnedies in ihrem Bestand bereits stark gefährdet und unterliegen entsprechenden Schutzbestimmungen. Wir müssen sie deshalb in ihren natürlichen Lebensräumen belassen. Andererseits bestünde die Möglichkeit, Nachzuchten von bereits in der freien Natur selten gewordenen einheimischen Tieren in unserem Wassergarten anzusiedeln und weiter zu vermehren. Mit überzähligen Exemplaren können wir andere Teichbesitzer beglücken oder sie gar an erfolgversprechenden Standorten aussetzen. Letzteres gilt wohlgemerkt aber nur für einheimische Tiere und Pflanzen.

Fische

Neben farbenprächtigen Seerosen bevölkern meist bunte, gut sichtbare Fischarten unseren Zierteich. In den Zoofachgeschäften finden wir eine Reihe von Kaltwasserfischen, die sich für unsere Zwecke eignen. Sollte die eine oder andere gewünschte Art im Moment nicht erhältlich sein, wird sie uns der Händler sicherlich besorgen können. Meist geht das nicht von heute auf morgen. Das ist auch gut so. Wir neigen am Anfang ohnedies dazu, unseren Gartenteich mit vielen Tieren zu bevölkern.
Als Entschuldigung mag vielleicht gelten, daß uns bisher keine Richtlinie bekannt ist, wieviel Wasser ein Fisch zu seinem Wohlbefinden benötigt. Sicher ist es schwierig, hier ein Rezept anzugeben. So kann denn auch hier nur ein durch langjährige Beobachtung ermittelter Wert Anhaltspunkte liefern. Genauere Angaben hierzu finden wir auf S. 147.

Eine beliebte Kombination – Goldorfen im Seerosenteich.

Goldfisch *(Carassius auratus)*

Den Goldfisch können wir getrost als den bekanntesten aller Fische bezeichnen. Als Kind wußten wir schon, was ein Goldfisch ist, und auch im fortgeschrittenen Alter erinnern wir uns gerne dieser Burschen. Um Futter bettelnd kamen sie angeschwommen, wenn wir an das Goldfischbecken herantraten. Ewig futtersuchend durchstreifen sie gründelnd ihr Revier. Pausenlos wurde der sandige Bodengrund ins Maul genommen und nach genießbaren Stoffen durchgekaut, anschließend das unverdauliche Material, also Sand und Schmutz (Mulm), wieder ausgespuckt. Die dabei unvermeidlichen Wassertrübungen beseitigte ein wirksames Filtersystem. Bei dem öfteren Austausch von Altwasser gegen Frischwasser (¼–⅓) wurde der am Boden liegende Mulm mit einem Schlauch abgesaugt und die Urinkonzentration erniedrigt. Unsere Goldfische belohnten unsere Mühe anschließend mit gesteigertem Temperament. So ist leicht zu verstehen, daß sich dieser Fisch durch seine Zutraulichkeit und Lebhaftigkeit und nicht zuletzt ob der Leuchtkraft seiner Farben sehr schnell die Herzen der Menschen erobert hat.
Bei seiner Liebenswertigkeit allein blieb es aber nicht. Er erfreut uns heute durch eine Vielzahl an Farben und Formen. Nicht rotorange, ja nicht einmal goldgelb waren vermutlich die ersten Goldfische gefärbt. Erst später entstanden die einzelnen Farbschläge. Heute sind wir in der Lage, vom normalen Goldfisch allein bereits eine erkleckliche Farbsammlung in unser Becken zu zaubern. Durchgehend weiß, gelb, rotorange oder dunkelrot sind die einzelnen Exemplare gefärbt. Aber auch buntgefleckte Tiere treffen wir zuweilen an. Während der Jugendzeit kann eine Portion Schwarz den Fisch besonders attraktiv erscheinen lassen. Sie verliert sich mit fortschreitendem Alter.
Mancher Goldfischbesitzer wird sich anfangs gewundert haben, wenn sich plötzlich unscheinbare, dunkle Jungfische in seinem Freilandteich tummelten. Die alten Tiere hatten während eines warmen Sommertages in den Pflanzen unter heftigem Treiben Hochzeit gefeiert. Die Jungfische zeigen anfänglich die Farben der Wildform.
Ursprünglich stammt der Goldfisch nicht von der einheimischen Karausche ab, obwohl es hier auch bereits rotgelb gefärbte Exemplare gibt. Seine Eltern sind die asiatische Silberkarausche, die oberseits dunkelfarben, an den Körperseiten aber silbrig glänzend erscheint. Erst im zweiten Jahr beginnen sich unsere selbstgezüchteten Goldfische umzufärben.
Die Temperatur ist mit ein entscheidender Faktor. Je wärmer das Wasser ist, desto eher verlieren sie ihr unscheinbares Farbkleid. Ein Teil aber wird zeitlebens als Silberkarausche durch unser Becken schwimmen. Nicht alle Tiere wandeln sich zu Goldfischen um, selbst wenn ihre Eltern welche waren. Manche schlagen in die Urform zurück. Andererseits kann es aber passieren, daß bei einem Jungfisch plötzlich abweichende Merkmale auftreten. Mit solchen Tieren arbeiten Züchter weiter. Auf diese Art und Weise wurde z. B. der **Komet-** oder **Langschwanz-Goldfisch** geboren. Wir müssen uns hierunter einen ganz gewöhnlichen Goldfisch mit einer lang ausgezogenen, fahnenartigen Schwanzflosse vorstellen. Der **Schuppenlose Goldfisch** ist eine weitere Zuchtform. Viele Farben können oft auf einem Exemplar vereint sein. Deshalb wird diese Sorte auch als **Bunter Goldfisch** bezeichnet. Beide Zuchtformen sind für unseren Wassergarten geeignet.

Schleierschwänze

Aus dem Goldfisch wurde auch der Schleierschwanz herausgezüchtet. Sein Körper wirkt kürzer und gedrungener, also mehr eiförmig. Die Schwanzflosse ist doppelt vorhanden und in ihrer oberen Partie verwachsen. Segelartig nimmt sich die hohe Rückenflosse aus. Wir finden auch hier wieder eine Anzahl verschiedener Zuchtformen mit höchst eigenartigem Aussehen. Liebhaber müssen für die eine oder andere Art oft tief in die Tasche greifen.
Solche Tiere pflegen wir natürlich nicht im Freien, obwohl ein Aufenthalt in unserem Teich während der Sommermonate Wunder

wirken würde. Durch ihre unbeholfene Schwimmweise und ihre Neugier werden sie jedoch leicht eine Beute streunender Katzen. Die empfindlichen Hochzuchtformen pflegen wir daher besser im Zimmeraquarium.
Den normalen Schleierschwanz können wir dagegen leichter für unsere Zwecke verwenden. Wenn ihm auch nachgesagt wird, daß er warmes Wasser braucht, so stimmt dies nur bedingt. Wir setzen ihn erst in unser Freilandbecken, wenn die Sonne das Wasser auf ca. 18° C erwärmt hat. Kühlt sich im Laufe des Herbstes das Wasser allmählich ab, macht dies dem Fisch gar nichts aus. Er wird – wie alle anderen Fische auch – nur schwimmunlustiger und träger und begibt sich mit ihnen zu Frostbeginn auf den Grund des Teiches, um hier den Winter zu verbringen. Im Frühjahr aber erwacht er zu neuem Leben.
Haben wir mehrere Exemplare eingesetzt, laichen sie sicher im nächsten Sommer im Pflanzengewirr unserer Unterwasserpflanzen ab. Da die Eier gerne von ihren Eltern und von anderen Fischen verspeist werden, bleibt jedoch der Nachwuchs begrenzt.
Für unseren Gartenteich eignen sich im wesentlichen die Sorten, die wir in allen einschlägigen Geschäften kaufen können. Den **Gewöhnlichen Schleierschwanz** selbst erhalten wir schon in einer Reihe von Farbschlägen, so daß wir allein hiermit ein buntes Bild in unseren Weiher zaubern können. Hinzu kommt der **Teleskop-Schleierschwanz** mit seinen hervorstehenden Augen. Durch seine meist dunkle, oft schwarze Färbung hebt er sich im Gegensatz zu farbenprächtigen Fischen leider nur sehr schwer vom Untergrund ab. Anders ist dies wiederum beim **Rotkappen-Schleierschwanz**. Wie beim Goldfisch gibt es auch hier eine mehrfarbige, schuppenlose Züchtung, den **Bunten Schleierschwanz.**
Wenn wir die Fische den Winter über im Zimmeraquarium pflegen wollen, nehmen wir sie schon im Frühherbst ins Haus. Bei einer warmen Überwinterung werden sie allerdings im nächsten Frühjahr kaum Hochzeitsgelüste zeigen. Ihr Organismus benötigt hierzu eine kühle Phase.

Zierkarpfen *(Cyprinus carpio)*

Goldfisch und Schleierschwanz haben wir den Chinesen zu verdanken. Der Koi oder Zierkarpfen aber stammt aus Japan. Er wurde bei uns erst vor einigen Jahrzehnten volkstümlicher, obwohl er geschichtlich älter ist als der Goldfisch. Worin der eigentliche Grund liegt, ist schwer zu sagen. Allein die Farbenpracht reizt schon, sich mit diesem Fisch zu beschäftigen. Ebenso wie beim Goldfisch wurden auch hier in mühseliger Kleinarbeit im Laufe der Jahrhunderte spezielle Farbschläge herausgezüchtet, die zum Teil hoch im Kurs stehen.
Die Ausgangsform ist der Japanische Wildkarpfen, der in seinem Aussehen unserer Flußbarbe ähnelt. Die hochrückige Körperform unseres Wildkarpfens fehlt ihm. Grob unterscheidet man bei den Farbschlägen zwischen einfarbig, zweifarbig und dreifarbig, wobei Schwarz, Weiß, Rot, Gold und Silber die Hauptfarben darstellen.
Für pflanzenreiche Freilandteiche, wie sie uns vorschweben, kommen diese Fische nicht in Frage. Haben wir schon mit den Goldfischen und Schleierschwänzen genug Schwierigkeiten, weil sie bei der gründelnden Futtersuche am Boden laufend den unvermeidlichen Mulm aufwirbeln und das Wasser trüben – der Zierkarpfen übertrifft sie noch in dieser Hinsicht. Als ausgesprochenen Bodenfisch würden wir ihn in dem getrübten Wasser das ganze Jahr kaum mehr zu Gesicht bekommen. Goldfische, Schleierschwänze, besonders aber Kois setzen wir deshalb nicht in ein bepflanztes Becken, wenn wir auf einigermaßen klares Wasser Wert legen.
Der zweite Hinderungsgrund ist neben der Gefräßigkeit des Koi sein schnelles Wachstum. Wir können dies zwar durch sparsame Fütterung etwas hinauszögern, aber eines Tages wird doch ein bratpfannenreifes Exemplar daraus. Wir benötigen also für die Pflege von Zierkarpfen ein großes, stetig mit gefiltertem, klarem Wasser gespeistes Becken mit Sanduntergrund. Ferner wollen sie zwar kalt, aber frostfrei überwintert werden. Wir müßten unseren Gartenteich also im Winter heizen oder

aber die Fische ins Haus nehmen und notfalls im kalten Keller überwintern. Dies sind alles Tatsachen, die es vor der Anschaffung zu überlegen gilt. Es hat keinen Sinn, nur die Schönheit und Farbenpracht eines Fisches zu sehen, für die er eventuell später büßen muß.
Gelegentlich werden auch Grasfische unter der irreführenden Bezeichnung »Graskarpfen« oder »Amurkarpfen« für den Gartenteich angeboten. Neben dem eigentlichen Grasfisch sind dies der Silberfisch und der Marmorfisch. Sie stammen ursprünglich aus dem ostasiatischen Raum und wurden in unseren Gewässern als vermeintliche Pflanzenfresser und leicht mit der Angel zu erbeutende Fische eingebürgert. Alle drei Arten sind äußerst scheu und werden sehr groß, so daß sie für uns kaum in Frage kommen.

Goldorfen sind gesellig lebende, schwimmfreudige Fische.

Goldregenbogenforelle *(Salmo gairdneri)*

Wiederum eine Laune der Natur macht es möglich, daß wir in Zukunft auch eine gelblich gefärbte Variante der bisher nur als Delikatesse geschätzten Regenbogenforelle in unserem Gartenteich pflegen können. Das muntere Leben und Treiben dieser Edelfische haben wir sicherlich schon einmal in einer Fischzuchtanstalt bewundern können. Goldgelb glitzernde Leiber werden nunmehr auch in unserem Teich blitzschnell den hineingeworfenen Futterbrocken nachjagen. Ewig hungrig, sind sie von der ersten Stunde an zutraulich. Schon der herankommende Schritt läßt sie aufmerksam werden und zur Oberfläche eilen. Besonders pflanzenarme Becken mit eingebautem Springbrunnen bieten sich für die Haltung geradezu an.

Goldschleie *(Tinca tinca)*

Die Goldschleie stammt von unserer einheimischen Grünschleie ab. Beide sind schlanke Fische mit drehrundem Körper, der mit vielen kleinen Schuppen bedeckt ist. Die Barteln am Maul und die goldgelb umrandeten Pupillen machen sie besonders liebenswert.
Als Bodenfisch bevorzugt die Goldschleie die unteren Wasserregionen. Ihr Benehmen ist bedächtig. Sie zeigt nicht das ungestüme Verhalten manch anderer karpfenartigen Fische, zu deren Verwandtschaft sie zählt. Wenn sie im Bodengrund nach Futter sucht, wirbelt sie kaum den unvermeidlichen Mulm auf, trübt also nicht nennenswert unser Wasser. Wenn wir unsere anderen Fische füttern, kommen die Goldschleien nicht an die Wasseroberfläche, sondern warten lieber unten am Boden auf absinkendes Futter. Nur zur Laichzeit zeigen sie etwas mehr Temperament. Am liebsten legen sie ihre vielen Eier in feinfiedrigen Pflanzenbüscheln ab.

Goldorfe *(Leuciscus idus)*

Die Orfen sind schnelle, wendige Schwimmer. Schon ihre gestreckte, stromlinienförmige Gestalt läßt dies vermuten. Da sie sehr oberflächenorientiert sind, eignen sie sich für unsere

Zwecke besonders. Sie gewöhnen sich rasch an das auf das Wasser gestreute Futter. Blitzschnell, daß man oft kaum mit den Augen folgen kann, wird es von der Oberfläche geholt. Diese Art der Nahrungsaufnahme entspricht genau ihrer natürlichen Gewohnheit des Beutefangs.
Die einheimische Wildform, die Silberorfe, jagt an der Wasseroberfläche nach Insekten. Sie ist durch ihre dunkle Rückenpartie unter Wasser nur undeutlich zu erkennen. Bei ihren Schwimmkünsten sehen wir höchstens einmal kurz eine der silbrig glänzenden Körperseiten aufblitzen. Der gelbliche oder orangefarbene Rücken der Goldorfe hebt sich dagegen klar und deutlich im Wasser ab. Nur bei großem Hunger suchen beide Arten den Bodengrund nach Futter ab. Dann kommt es zwangsläufig zur Aufwirbelung von Bodenmulm, der zu einer Wassertrübung führen kann. In diesem Fall geben wir nicht viel Futter auf einmal, sondern füttern öfters.

Rotauge oder Plötze
(Rutilus rutilus)

Der Name Plötze ist eine volkstümliche Bezeichnung für unser Rotauge, das noch häufig in stehenden und leicht fließenden Gewässern unserer Heimat anzutreffen ist. Selbst der Angler bezeichnet es meist schlicht als Weißfisch. Unter diesen Begriff fallen der Einfachheit halber eine Reihe weiterer einheimischer Fischarten mit silbrigglänzenden Körperseiten. Rotfeder, Moderlieschen und Ukelei, von denen wir noch hören werden, zählen z. B. hierzu. Das Rotauge erkennen wir leicht an seiner rotumrandeten Pupille und der genau über den Bauchflossen sitzenden Rückenflosse.
Im Zoofachhandel begegnen wir gelegentlich einem Kaltwasserfisch, der als Goldplötze angeboten wird. Vergleichen wir diesen Fisch eingehend mit unserer Plötze, werden wir feststellen, daß er auf keinen Fall vom Rotauge abstammen kann. Bei der Rotfeder finden wir dagegen viele gemeinsame Merkmale.

Rotfeder und Goldrotfeder
(Scardinius erythrophthalmus)

Die Rotfeder ist vergleichenderweise ein »Rotauge mit roten Flossen«. Sie ist hochrükkiger gebaut und besitzt ein etwas nach oben zeigendes Maul. Ihre Rückenflosse beginnt weit hinterhalb der paarigen Bauchflossen. Selbst die Wildform eignet sich gut für unsere Zwecke. Die Rotfeder ist ein ruhiger, angenehmer und friedlicher Pflegling, der die mittleren Wasserschichten bevorzugt. Bedächtig und ohne Hast nimmt sie einen Futterbrocken vom Boden auf, ohne dabei viel »Staub« aufzuwirbeln. Bei der Fütterung kommt sie aber auch gerne an die Wasseroberfläche, so daß wir ihre knallroten Flossen bewundern können.
Eine goldfarbene Abart von ihr ist unter der etwas irreführenden Bezeichnung »Goldplötze« bekannt. Der Rotfeder verdanken wir also eine weitere wertvolle Bereicherung unseres Wassergartens. Die etwas dunkel getönte Rückenpartie der Goldrotfeder erinnert zwar farblich noch etwas an die Wildform, dafür erstrahlen die Körperseiten in einem rotgoldenen Farbton. Hinzu kommt das kräftige Rot der Flossen. Diese ausgeprägte Färbung treffen wir allerdings erst bei ca. 10 cm langen Exemplaren an. Jungfische dieser Farbvariante lassen noch wenig von ihrer späteren Farbenpracht erahnen. Anfänglich sind sie von der Wildform kaum zu unterscheiden. Erst mit 5 cm Länge durchziehen unregelmäßige, hellere und dunklere Zonen die Körperoberfläche. In diesem noch unscheinbaren Stadium bekommen wir die Goldrotfeder beim Händler meistens zu Gesicht. Kein Wunder also, wenn sie bisher so wenig Anhänger fand.

Laube oder Ukelei
(Alburnus alburnus)

Das nach oben gerichtete Maul dieser Fischart zeigt uns an, daß die Laube ihre Nahrung in der Hauptsache an der Wasseroberfläche sucht. Oftmals springt sie auf der Jagd nach

Insekten sogar aus dem Wasser heraus. Dieses elegante, silbrig glänzende Fischlein mit seiner grünlich oder bläulich schimmernden Rückenpartie braucht allerdings viel Schwimmraum, damit es sich austoben kann.

Moderlieschen
(Leucaspius delineatus)

Als eine »verkleinerte Ausgabe« der Laube dürfen wir diese Art ansehen. Sie verdient besondere Erwähnung wegen ihrer interessanten Fortpflanzungsweise. Die Laube laicht in Schwärmen am liebsten an feinfiedrigen Wurzelbärten ab, die am Ufer stehende Bäume in das Wasser entsenden. Die Eier werden zum größten Teil sofort wieder gefressen. Beim Moderlieschen dagegen legt das Weibchen feinsäuberlich seine Eier an den Stengel einer Wasserpflanze. Nach der Befruchtung bewacht und verteidigt das Männchen das Gelege bis zum Schlüpfen der Jungfische. Nun haben sie für sich selbst zu sorgen. Wenn wir diese Fische auch nur dann und wann bei der Fütterung zu Gesicht bekommen, könnte die Brutpflege dennoch ein Anreiz sein, einige Exemplare in unserem Gartenteich auszusetzen. Glücklich schätzen kann sich derjenige, der für solche Fälle ein Freilandbecken mit eingebauter Sichtscheibe sein eigen nennt.

Bitterling
(Rhodeus sericeus amarus)

Eine sehr wirksame Methode, seine Eier vor Laichräubern zu bewahren, finden wir bei diesem kleinen, hochrückigen Karpfenfisch. Eine lebende Teichmuschel wird in den ersten Wochen zur Wiege für Eier und Jungfische.
Sobald die Frühjahrssonnenstrahlen das Wasser etwas erwärmt haben, geht das Männchen auf die Hochzeitsreise. Ruhelos sucht es umher, bis es eine passende Muschel gefunden hat. Die Schalen werden als erstes einem oberflächlichen Frühjahrsputz unterzogen. Zwischendurch gilt es immer wieder, andere vorbeikommende Männchen, die auch auf der Suche nach einer Muschel sind, zu vertreiben. Auch den Weibchen wird noch nicht die gebührende Hochachtung entgegengebracht.
Eines sonnigen Morgens hat Herr Bitterling seinen Hochzeitsfrack angezogen. In den verschiedensten Farben schillern Körper und Flossen. Auf der Nase sitzt beiderseits eine Gruppe weißer, grießkorngroßer Perlen. Er harrt nun der Damen. Doch diese sind noch nicht hochzeitswillig. Ihre häutige Legeröhre, mit deren Hilfe sie die Eier in das Innere der Teichmuschel verbringen, ist noch kurz. Endlich nähert sich ein laichbereites Weibchen mit langer Legeröhre. Aufgeregt zitternd weist ihm der Bitterlingsmann den Weg zur Mu-

Das oberständige Maul kennzeichnet das Moderlieschen als wasseroberflächenorientierte Fischart.

Beim Bitterlingsweibchen (links) können wir deutlich die Legeröhre erkennen.

schel. Das Weibchen begibt sich über die Muschel und versenkt im rechten Augenblick seine Legeröhre in die obere Atemöffnung der Muschel. Blitzschnell werden einige Eier in den Kiemenraum der Muschel abgelegt. Dann schwimmt das Weibchen weiter, als ob nichts gewesen wäre. Das Männchen stellt sich nun seinerseits über die künftige Kinderstätte und ergießt seine Samenmilch darüber. Mit dem Atemwasser, das das Schalentier aktiv durch seine Kiemenhöhle leitet, werden die Eier befruchtet und während der ganzen Entwicklungszeit mit Sauerstoff versorgt. Nach 3 bis 4 Wochen schwimmen die ersten Jungfische aus ihrer »Amme« heraus und begeben sich auf Futtersuche. Natürlich hat das Männchen noch mit einer Reihe weiterer Weibchen Hochzeit gefeiert, so daß jeden Tag einige junge Bitterlinge aus der Muschel herauskommen. So geht es das ganze Frühjahr hindurch bis in den Frühsommer hinein.

Dreistacheliger Stichling *(Gasterosteus aculeatus)*

Wie Moderlieschen und Bitterling eignet sich dieser gepanzerte Ritter besonders für einen Gartenteich mit Beobachtungsschacht, von wo aus wir seine interessante Brutpflege miterleben können.
Dieser kleine, stachelbewehrte Geselle mit seiner schlanken Figur baut sich im Frühjahr am Boden, in ca. 20–30 cm Wassertiefe, ein Nest aus Pflanzenfasern, in dem später die laichbereiten, dicken Weibchen ihre Eier ablegen. Der prächtig rot und blaugrün gefärbte Stichlingsmann übernimmt nunmehr die Bewachung der Eier und auch später der Jungen, bis sie einigermaßen selbständig geworden sind. Jeder auch noch so große Fisch wird aus der Nähe des Nestes verjagt. Selbst unser Finger ist kein Hinderungsgrund, gegen ihn mit aller Wucht anzurennen. Eine große Schnekke, die dem Nest zu nahe kommt, wird mit dem Maul gepackt und weggetragen. Wahrlich ein Ritter ohne Furcht, aber nicht ohne Tadel! Der Dreistachlige Stichling ist ein Raubfisch,

Der farbenfreudige Stichlingsmann führt sein Weibchen zum Nest aus Pflanzenfasern.

der mit Ausnahme seiner eigenen Jungen alles frißt, was er überwältigen kann. Da er jedoch im Aussterben begriffen ist, sollten wir ihm eine kleine Überlebenschance in unserem Gartenteich bieten. Ob es uns hier noch gelingt, ist ohnedies sehr fraglich.

Neunstacheliger Stichling *(Pungitius pungitius)*

Der letztgenannten Fischart fast ebenbürtig ist die zweite Art, die bei uns vorkommt. Der Neunstachelige Stichling errichtet im Gegensatz zu seinem Vetter sein Nest in »luftiger Höhe«. Im dichten Gewirr der Algen feiert er im schwarzen Rock mit seinen Weibchen Hochzeit und beschützt anschließend Eier und Junge. Seine Reaktionen sind unter freiem Himmel natürlicher und ungezwungener als in der Enge eines Zimmeraquariums. Die Farben kommen bei natürlichem Licht erst so richtig zur Geltung. Auch die kalte Jahreszeit dürfen Kaltwasserfische nicht missen, wenn wir uns im Frühjahr ungetrübt an ihrem Hochzeitskleid und der Brutpflege erfreuen wollen. Der Fortbestand seiner Art ist beim Neunstachligen Stichling ebenfalls sehr fraglich.

Elritze *(Phoxinus phoxinus)*

Eine muntere Schar der flinken Elritzen ist gleichermaßen gut für Freilandteich und Freilandaquarium geeignet. Diese kleinbleibende Art wird sehr schnell zutraulich, so daß wir sie auch von oben bei der Fütterung leicht zu Gesicht bekommen. Ihre helldunkel gemusterte Rückenpartie macht uns das Erkennen leicht. Die wunderbare Hochzeitsfärbung der Männchen, das leuchtende Rot und Grün an den Körperseiten, können wir allerdings nur bei Seitenbetrachtung voll bewundern.
Elritzen sind normalerweise Bewohner kiesiger Uferpartien und lieben hartes, alkalisches Wasser. In Moorbächen lebt eine zierlichere und nicht so farbenprächtige Form dieser Fischart, die sogenannte Moor-Elritze. Ihr Organismus ist auf weiches, saures Wasser programmiert.

Gründling *(Gobio gobio)*

Ausnahmsweise wollen wir auch einen Flossenträger kennenlernen, der sich schlecht für unsere Zwecke eignet. Die deutsche Bezeichnung sagt uns schon deutlich, wo dieser schlanke Fisch seine Nahrung sucht. Er tut dies außerdem so gründlich, daß in kurzer Zeit der unvermeidliche Bodenmulm regelrecht im ganzen Becken verteilt ist. Er hängt an den Wänden, liegt auf den Pflanzen und schwebt im freien Wasser. Da der Gründling des öfteren angeboten und wegen seiner eigenartigen Gestalt und der großen, dunklen Flecken entlang der Körperseiten gerne gekauft wird, sollten wir über seine Gewohnheiten etwas Bescheid wissen.

Gemeiner Sonnenbarsch *(Lepomis gibbosus)*

Aus Nordamerika stammen einige Barscharten, die sich größerer Beliebtheit erfreuen. Allen voran ist einmal der Gemeine Sonnenbarsch zu nennen. Der farbige, schwarzrote

Schon die Jungtiere des Sonnenbarsches zeigen etwas von der späteren Farbenpracht.

Fleck an den Enden der Kiemendeckel und die gelbblauen Körperseiten verleihen dem hohen Fischkörper eine besondere Note.
Je größer der Fisch wird, desto intensiver erstrahlen die Farben. Ausgewachsene Exemplare sind wahre Schaustücke. Zur Fortpflanzungszeit kommt bei den Männchen noch die Farbe der Liebe hinzu, wenn sie über ihren Laichgruben stehen und nach hochzeitswilligen Weibchen Ausschau halten. Eine Mulde im kiesigen Untergrund stellt die zukünftige Kinderstube dar, in der die Eier und die Jungen vom Vater bewacht und verteidigt werden. Es ist ein unvergeßliches Erlebnis, wenn wir so etwas vom Beobachtungsstand unseres Freilandaquariums durch die Sichtscheibe miterleben können.
Auch in unseren einheimischen Gewässern haben sich diese farbenprächtigen Burschen bereits akklimatisiert. Unser Winter kann diesem Fremdling also wenig anhaben.

Pfauenaugenbarsch *(Centrarchus macropterus)*

Mehr Friedfisch als Räuber, so müssen wir uns in etwa diesen schmalen, aber ebenfalls hoch-

rückigen Nordamerikaner vorstellen. Eine pfauenaugenähnliche Zeichnung in der rückwärtigen Rückenflossenpartie während der Jugendzeit ist ein sicheres Erkennungsmerkmal besagter Fischart.
Dieser Barsch ist leider nicht winterhart. Wir müssen ihn im Haus bei ca. 10–12° C überwintern.

Diamantbarsch
(Enneacanthus gloriosus)

Wer sich an der vollen Farbenpracht dieses kleinbleibenden Fisches erfreuen will, setze ihn im späten Frühjahr in das Freilandaquarium. Wie Sterne am dunklen Firmament erstrahlen die unzähligen bläulichen Punkte auf den Körperseiten des Männchens, wenn das Sonnenlicht auf sie fällt.
Wer diesen hochrückigen Amerikaner einmal gesehen oder gar besessen hat, wird sich immer gerne an ihn erinnern. Daß er auch nach der Brutpflege nicht seinen Jungen nachstellt, macht ihn nur noch liebenswerter. Zu Beginn der kalten Jahreszeit müssen wir ihn allerdings ins Haus nehmen und in einem frostfreien, aber kühlen Raum überwintern.

Scheibenbarsch
(Mesogonistius chaetodon)

Unregelmäßige schwarze Querbänder auf hellem Untergrund zieren den hohen Körper dieser ebenfalls brutpflegenden Art. Der Scheibenbarsch wird zwar im allgemeinen als Warmwasserfisch gehandelt, schönere und kräftigere Exemplare erhalten wir jedoch, wenn wir ihn den Sommer über in unser Freilandaquarium geben. Sein Wohlergehen wird er uns durch eine Schar Jungfische kundtun. Eine kühle Überwinterung bei 10–12° C entspricht ebenfalls mehr den klimatischen Verhältnissen seiner Heimat.

Amurbärbling
(Pseudorasbora parva)

Zusammen mit den bereits erwähnten Grasfischen aus Asien wurde diese kleinbleibende Fischart bei uns eingeschleppt. Im Aussehen hat dieser Flossenträger mit unserer einheimischen Flußbarbe wenig gemeinsam. Er schwimmt frei im Wasser und besitzt ein nach oben zeigendes Maul ohne Barteln.
Erwähnenswert ist vor allem seine Brutpflege. Der im allgemeinen silbrig glänzende Fischkörper wird beim Männchen zur Laichzeit dunkel. Die Ursache sind die zu dieser Zeit schwarzgefärbten Schuppenränder. Den Maulbereich zieren weiße, grießkorngroße Erhebungen. Eifrig wird der auserkorene Laichplatz geputzt, an dem die unscheinbaren Weibchen später ihre klebrigen Eier anheften. Es kann dies die Teichwand, eine Plastikschale oder gar die Unterseite eines großen Seerosenblattes sein. Besonders im letzteren Fall werde ich an das Ablaichverhalten eines Warmwasserfisches, der Keilfleckbarbe, erinnert.
Anschließend wird der Laich bis zum Schlüpfen der Jungen todesmutig bewacht. Bei gutem Futterangebot ist der junge Amurbärbling bereits nach einem Jahr geschlechtsreif. Nach dem Ablaichen und Schlüpfen der Jungfische sterben die Alttiere spätestens im Herbst.

Scheibenbarsche zeigen dem Beobachter gegenüber wenig Scheu.

Fischbesatz

Für eine erfolgreiche Haltung von Fischen sollte unser Teich mindestens 500 l fassen. Größer werdende Arten werden wir erst in Teichen ab 3000 l pflegen können. Als Mindestbesatz nehmen wir pro ausgewählte Fischart 5 Stück. Lassen sich die Geschlechter bereits erkennen, suchen wir uns 2 Männchen und 3 Weibchen heraus. Zur Errechnung eines möglichst natürlichen Fischbesatzes benötigen wir den Wasserinhalt unseres Teiches. Wir erfahren dies am besten beim Auffüllen unseres Weihers über die Wasseruhr. Bei kleinbleibenden Fischen unter 10 cm Länge legen wir als Mindestraum pro Fisch 50 l Wasser zugrunde, bei größer werdenden Arten rechnen wir mit 500 l. Bereits gefüllte Teiche errechnen wir überschlagsweise. Einer Überbesetzung begegnen wir durch gezielte Frischwasserzufuhr und Sauerstoffanreicherung.

Fische für den Gartenteich

Name	Länge	Bemerkung
Amurbärbling	8–10 cm	kurzlebig
Bitterling	6–9 cm	bevorzugt Bodennähe
Diamantbarsch	5–8 cm	nicht winterhart; benötigt Lebendfutter
Elritze	5–8 cm	Schwarmfisch
Goldfische		wühlen gerne, gut sichtbar
Gewöhnlicher	15–25 cm	
Langschwanz	10–20 cm	
Schuppenloser	10–20 cm	
Goldorfe	30–50 cm	will freie Wasseroberfläche, viel Schwimmraum und sauerstoffreiches Wasser; gut sichtbar
Gold-Regenbogenforelle	25–50 cm	wie Goldorfe
Goldrotfeder	20–30 cm	gut sichtbar
Goldschleie	30–50 cm	liebt Bodennähe
Gründling	10–15 cm	Bodenfisch, wühlt gerne
Laube (Ukelei)	10–15 cm	will freie Wasseroberfläche und viel Schwimmraum; gut sichtbar
Moderlieschen	6–8 cm	Schwarmfisch
Pfauenaugen-Barsch	12–15 cm	nicht winterhart; benötigt Lebendfutter
Rotauge (Plötze)	15–30 cm	bevorzugt Bodennähe
Rotfeder	20–30 cm	dankbarer Pflegling, gut sichtbar
Scheibenbarsch	6–8 cm	nicht winterhart; benötigt Lebendfutter
Schleierschwanz	10–20 cm	wühlen gerne, gut sichtbar
Sonnenbarsch	10–30 cm	Raubfisch; winterhart; benötigt Lebendfutter
Stichlinge		
Dreistachliger	4–6 cm	Raubfisch; benötigt Lebendfutter
Neunstachliger	4–8 cm	Raubfisch; benötigt Lebendfutter
Zierkarpfen (Koi)	30–45 cm	wühlt gerne

Für den normalen Gartenteich weniger geeignete Fischarten

Deutscher Name	Lateinischer Name	Bemerkung
Amur, Weißer	*Hypophthalmichthys molitrix*	scheu, großwerdend
Amur, Schwarzer	*Aristichthys nobilis*	scheu, großwerdend
Grasfisch	*Ctenopharyngodon idella*	scheu, großwerdend
Hundsfisch	*Umbra krameri*	lebt sehr versteckt
Koppe / Groppe	*Cottus gobio*	benötigt kühles, fließendes Wasser
Sterlet	*Acipenser ruthenus*	gezielte Wasserströmung notwendig (Donaufisch)
Zwergwels	*Ictalurus nebulosus*	Raub-, Boden- und Nachtfisch

Neben den bereits angeführten Fischarten gibt es natürlich noch eine ganze Reihe einheimischer Vertreter, die sich mehr oder weniger für unsere Zwecke eignen. Hier kämen vor allem weitere friedfertige Angehörige aus der Familie der karpfenartigen Fische in Betracht, die wir als kleine Exemplare einsetzen könnten. Raubfische sind alleine wegen der schwierigen Futterbeschaffung weniger empfehlenswert, wenngleich es auch hierfür Liebhaber gibt. So bleibt es denn dem persönlichen Interesse eines jeden von uns selbst überlassen, für welche Fischarten er sich entscheidet.

Unempfindlichere Warmwasserfische, wie Kardinalsfisch (*Tanichthys albonubes*), Prachtbarbe (*Puntius conchonius*), Paradiesfisch (*Macropodus opercularis*), Zwergsonnenbarsch (*Elassoma evergladei*) und den Panzerwels (*Corydoras paleatus*), können wir den Sommer über auch in unserem Freilandteich pflegen.

Frösche, Kröten, Molche

Um auch außerhalb des Wassers lebende, feuchtigkeitsgebundene Tiere erfolgreich anzusiedeln bzw. an unseren Garten zu binden, sind einige grundlegende Bedingungen zu erfüllen. So müssen wir in erster Linie einmal für ausreichend Versteckmöglichkeiten Sorge tragen. Sie erstrecken sich vom natürlichen Wurzelstock, Reisighaufen, Laubhaufen, Holzstoß bis zum locker aufliegenden Brett. Auch auf einer Seite etwas erhöht liegende Felsen- und Steinplatten sind ein begehrter Zufluchtsort. Alle Unterschlupfmöglichkeiten errichten wir natürlich an schattigen, möglichst unzugänglichen Stellen und umgeben sie mit einem schattenliebenden Bewuchs (Farne).
Damit sind wir bereits beim nächsten Punkt angekommen. Auch eine dichte Bepflanzung, vor allem mit bodenbedeckenden Wildstauden, die uns auch Futtertiere anlocken (Steinbrechgewächse), ist im übrigen Garten anzustreben. Besonders die Uferränder müssen wir zum größten Teil mit einem dichten, breiten Pflanzengürtel gegen jagdbesessene Katzen absichern.
Gerne stellen sich auch Igel in einem solchen Biotop ein. Ihren Appetit nach delikatem Froschschenkel und zartem Molchfleisch sollten wir durch eine tägliche, abendliche Fütterung während der warmen Jahreszeit etwas eindämmen. Das Futter verabreichen wir unter einer umgestülpten Kiste, die mit einem Schlupfloch versehen ist. Leckerbissen für diesen stacheligen Gesellen sind vor allem Erdnüsse, Quark (keine Milch), mageres Fleisch und rohes Ei. Natürlich dürfen wir nicht tagtäglich das gleiche Menü servieren, sonst streikt er eines Tages.
Ein großer Gefahrenpunkt sind Kellerschächte bzw. offene Kellerfenster oder der dort endende Lüftungsschacht vom Heizungskel-

ler. Auf ihrer nächtlichen Nahrungssuche nach Würmern, Asseln und Nacktschnecken können Molche und Kröten hier ein unnatürliches Ende durch Vertrocknen finden. Mit Fliegengitter machen wir deshalb Fenster und Lüftungsschacht »einbruchssicher«. Auf den Boden des Kellerschachtes legen wir in eine Ecke einen zusammengeknüllten, nassen Lappen, den wir gelegentlich nach Frosch- oder Molchuntermietern kontrollieren. All dies sollten natürlich auch unsere Nachbarn tun, aber ...
So müssen wir denn alles versuchen, die Tiere möglichst auf unseren Garten zu konzentrieren. Natürlich werden es unsere – anfänglich wenigen – nächtlichen Schneckenvertilger nicht schaffen, den Garten von diesen Plagegeistern freizuhalten. Unsere künstlichen Unterschlupfmöglichkeiten sind jedoch meist auch ein Treffpunkt dieser Weichtiere, so daß wir hier ein bequemes Absammeln im Laufe des Tages haben. Die Abdeckung dürfen wir aber nicht einfach hochkanten oder gar rutschend bewegen, sondern müssen sie waagrecht in die Höhe heben und erst jetzt umdrehen. So laufen wir nie Gefahr, einen daruntersitzenden Molch oder Froschlurch zu verletzen. Schneckentötende Chemikalien dürfen wir auf keinen Fall anwenden.

Grüner Wasserfrosch *(Rana esculenta)*

Unser Sumpfpflanzendschungel wird nicht allein von unseren Fischen zur Nahrungssuche und Eiablage aufgesucht. Er bietet auch noch einer Reihe anderer Tiere zusagende Lebensbedingungen.
Allen voran ist der Grüne Wasserfrosch zu nennen. Einmal angesiedelt gehört er mit zu den treuesten Teichbewohnern. Nur wenn es ihm nicht bei uns gefällt, wird er abwandern.

Zur trockenen, heißen Sommerzeit ziehen sich die Wechselkröten in feuchte Erdlöcher oder Waldgebiete zurück. Dieses Tier sucht zwischen blühendem Milzkraut Schutz.

Dann ist ihm unser Weiher entweder zu klein oder die Umgebung zu kultiviert. Wenn der Zierrasen auf allen Seiten bis an den Weiher heranreicht, paßt ihm das ganz und gar nicht. Er möchte auch außerhalb des Wassers etwas Deckung in Form höherer Stauden und kleinerer Büsche. Fühlt er sich wohl, wird er bald nicht mehr bei unserem Herannahen mit einem weiten Kopfsprung im Wasser zwischen den Pflanzen verschwinden. Wir haben dann Muse, ihn genauer zu betrachten.

Besonders auffallend ist das satte Hellgrün der Rückenpartie und die breiten, dunklen Querbänder an den Hinterbeinen. Besitzen wir mehrere Exemplare, so werden wir bemerken, daß fast jedes Tier etwas anders gezeichnet und gefärbt ist. Die Unterschiede sind oft so groß, daß wir sie mühelos auseinanderhalten können. Wir werden ferner feststellen, daß ein Frosch zutraulich und frech ist, während ein anderes Tier immer und ewig scheu bleibt. Füttern wir sie zusätzlich mit Mehlwürmern, ist die Freundschaft bald geschlossen. Sind diese eleganten Springer erst einmal daran gewöhnt, kommen sie aus allen Ecken herbeigeeilt, wenn wir uns mit dem Mehlwurmgefäß nähern. Ja, es kann sogar so weit kommen, daß uns einzelne Tiere das Futter aus der Hand nehmen. Wir haben es geschafft, aus dieser sonst so scheuen Froschart ein zahmes Haustier zu machen!

In der zweiten Frühlingshälfte gehen die Männchen auf Freiersfüßen. Von unseren einheimischen Froscharten laicht der Wasserfrosch am spätesten. Tagsüber und besonders nachts ertönt nun seine Stimme. Eine große, weißliche Schallblase wölbt sich an beiden Seiten des Kopfes kugelförmig hervor. Froschgequake, besonders nachts, ist leider nicht jedermanns Sache. Viele Menschen lieben es, manche fühlen sich jedoch in ihrer wohlverdienten Nachtruhe gestört. Unter Umständen flattert eine Beschwerde ins Haus. Nun, nach den neuesten Bestimmungen dürfen keine Tiere mehr der Natur entnommen werden. Wir sind also ohnedies auf den Zufall angewiesen, daß ein Wasserfrosch an unserem Weiher auftaucht. Zur Laichzeit aber wandern diese Tiere an regnerischen Tagen oft weit. Sollte sich dabei ein Pärchen in unserem Weiher ansiedeln, dürfen wir es vom Gesetz her nicht einfangen, sondern müssen es in Ruhe lassen.

So kann unser Froschpaar ungestört Hochzeit feiern, und wir entdecken eines Morgens kinderfaustgroße, gallertige, durchsichtige Klumpen zwischen den Wasserpflanzen, in die regelmäßig kleine, beigefarbene Kügelchen eingebettet sind. Aus ihnen schlüpfen zwar eine Menge Kaulquappen, doch keine Angst, es kommt zu keiner Wasserfrosch-Invasion an unserem Teich. Bis sich die Kaulquappen zu Fröschen entwickeln, sind ihre Reihen durch zahlreiche Feinde bereits erheblich gelichtet, und auch so mancher unachtsame Jungfrosch verliert noch sein Leben. Nur einige wenige werden es sein, angemessen der Größe unseres Teiches, die für den Fortbestand ihrer Art in unserem Wassergarten sorgen. Ein großer Teil wird in die Umgebung abwandern. Nicht selten führt sie ihr Weg an den nächstgelegenen Gartenteich.

Laubfrosch *(Hyla arborea)*

Dieser allerseits bekannte Kletterkünstler lebt auf Büschen und Bäumen in der Nähe des Wassers. Da er an seinen Lebensraum gewisse Ansprüche stellt, begegnen wir ihm nur an bestimmten Orten. Aus diesem Grunde wird er sich an unserem Teich nur einstellen, wenn ein Laubfroschplatz in der Nähe ist und ihm unser Teich zusagt.

Unser Grünrock ist aber auch kein so wünschenswerter Geselle. Wir bekommen ihn ob seiner Tarnfärbung nur selten zu Gesicht. Dafür hören wir ihn um so besser. Speziell zur Laichzeit, so Anfang Mai, raubt er uns nächtelang den Schlaf mit seinem durchdringenden Geschrei. Schon ein einziges Exemplar kann zur Nervensäge werden. Meistens sind es aber mehrere Männchen, die nach den Weibchen rufen. Man muß ein Laubfroschkonzert selbst einmal miterlebt haben, um zu ermessen, was für einen Heidenkrach diese kleinen Kerlchen machen.

Grasfrosch *(Rana temporaria)*

Fern vom Trubel der Großstadt werden wir diesem Frosch als zeitigem Frühjahrsgast vielleicht an unserem Teich begegnen. Der Grasfrosch feiert als erster im Jahr im noch eiskalten Wasser Hochzeit. Bald ist er wieder verschwunden. Lediglich der oft kindskopfgroße Laichklumpen mit vielen schwarzen Dotterkugeln und später bräunliche Kaulquappen zeugen von seinem Gastspiel. Die Eltern aber verleben den übrigen Teil des Jahres in feuchten, schattigen Gebieten. Auf nassen Naturwiesen und im feuchten Laubwald können wir ihnen bei einem Spaziergang begegnen. Durch ihre braungelbe Tarnzeichnung werden wir meist erst auf sie aufmerksam, wenn sie sich vor unseren Füßen durch einen Sprung auf die Seite in Sicherheit bringen.

Erdkröte *(Bufo bufo)*

Viele Leute finden Kröten häßlich oder sie ekeln sich gar davor. Warzen soll man bekommen, wenn man diese Tiere anfaßt. Solche und dergleichen mehr Schauermärchen kursieren über diese nützlichen Tiere. Nun, eines ist richtig: Bei Gefahr sondern Kröten aus ihren Ohrdrüsenpaketen einen milchigen Saft ab, der auf andere Tiere abstoßend wirkt und ihren Erzeuger vor dem Gefressenwerden schützt. Dieses Sekret führt schnell zu starken Schleimhautschwellungen und -rötungen. Wir müssen uns deshalb beim Umgang mit Kröten und Fröschen davor hüten, mit ungewaschenen Händen an unsere Augen zu fassen. Doch das nur nebenbei.

Da die Erdkröten erst am späten Abend aus ihrem Versteck hervorkommen, um auf Regenwürmer, Nacktschnecken, Raupen und dergleichen Jagd zu machen, erfahren wir von ihrem Vorhandensein oft erst, wenn sie im Frühjahr unseren Gartenteich aufsuchen, um Hochzeit zu feiern. Zuerst erscheinen die kleineren, braunrot gefärbten Männchen, um mit unaufdringlichen Rufen den großen, schweren Weibchen den Weg zu weisen. Tagelang trägt oft das weibliche Tier das Männchen »Huckepack« mit sich herum, ehe die schnurartig aufgereihten Eier wahllos um Pflanzenteile geschlungen werden. Die pechschwarzen Kaulquappen mit ihren abgerundeten Schwänzchen haben wenig Feinde. Leider hat der Mensch unserer so überaus nützlichen Erdkröte vielerorts die Lebensbedingungen genommen, so daß diese Art im Zurückgehen ist. Freuen wir uns also, wenn sie sich an unserem Gartenteich zeigen sollte!

Wechselkröte *(Bufo viridis)*

Flache, stark besonnte Tümpel in Kies- und Lehmgruben sind das bevorzugte Hochzeitsmilieu dieser herrlichen, weiß und grün marmorierten Kröte. Der seltsame, trillernde Ruf des Männchens erinnert mehr an die Laute eines Vogels als an einen Frosch. In Hochstimmung läßt es seine Stimme den ganzen Tag erklingen.

Die Eischnüre sind zarter als die der Erdkröte und werden ebenfalls unter Wasser um Pflanzen geschlungen. Vielleicht wird sie unserem Gartenteich eines Tages die Ehre geben, wenn ihr Lieblingsgewässer durch den stetig sinkenden Grundwasserspiegel versiegt ist.

Knoblauchkröte *(Pelobates fuscus)*

Senkrecht verlaufende Pupillen und dunkle, bräunliche Marmorierung auf olivfarbenem Grunde sind zwei charakteristische Kennzeichen dieser kleinen Kröte. Ihren Namen verdankt sie einer knoblauchähnlichen Ausdünstung. In weichem Boden vermag sie sich sehr schnell mit Hilfe ihrer kräftigen Hinterbeine einzugraben. Gegenden mit sandigem, gesteinsfreiem Untergrund sind daher ihr bevorzugter Aufenthaltsort. Nur in solchen Gegenden wird sie im Frühjahr gegebenenfalls auch unseren Teich aufsuchen. Wie viele Lurche legt sie am liebsten ihre Eier in fischfreien Gewässern ab, um ihre Jungen vor den Nachstellungen der Fische zu bewahren. Die braunschwarz gesprenkelten Kaulquappen erreichen eine beachtliche Größe, ehe sie sich zur jungen Knoblauchkröte umwandeln.

Kreuzkröte *(Bufo calamita)*

Diese einheimische, bräunlich gefärbte Kröte mit ihrem gelben Rückenstreifen liebt dasselbe Milieu wie die Wechselkröte. Gleich einer Maus huscht sie durch die Gegend. Die hüpfende Bewegungsweise der übrigen Kröten ist ihr fremd. Wo sie vorkommt, mag sie sich vielleicht auch in unserem Garten umsehen. Wasser besitzt nun einmal eine magische Anziehungskraft, vor allem zur Laichzeit.

Geburtshelferkröte *(Alytes obstreticans)*

Bei diesem ebenfalls grabaktiven Lurch trägt das Männchen die Eischnüre um die Hinterbeine gewickelt mit sich herum. Erst wenn die Kaulquappen ausgebildet sind, sucht er das Wasser auf. Den übrigen Teil des Jahres verbringt diese Krötenart an felsigen, schattigen Örtlichkeiten.

Von unseren einheimischen Froschlurchen betreibt nur die Geburtshelferkröte Brutpflege.

Gelbbauchunke *(Bombina variegata)* und Rotbauchunke *(Bombina bombina)*

Flach auslaufende, sonnige Gewässer bevorzugen die beiden Unkenarten. Am wohlsten und sichersten fühlen sie sich dort, wo sie noch Boden unter den Hinterfüßchen spüren. Wasseransammlungen in Form von Wasserlachen müssen wir also schaffen, wenn sich diese ulkigen Gesellen bei uns ansiedeln sollen. Alle anderen Versuche sind weitgehend zum Scheitern verurteilt. Die Unken wandern wieder ab. Gerade sie aber wären für uns ebenso interessant wie der Wasserfrosch, weil sie während der warmen Jahreszeit dauernd im oder in der Nähe des Wassers anzutreffen sind. Nur die kalten Monate verbringen sie in einem unterirdischen Versteck an Land. Auch ihr Ruf, den die Männchen im Frühjahr und Sommer erklingen lassen, ist keineswegs aufdringlich. Im Volksmund spricht man vom Läuten der Unken.

Ihr Körper ist von breiter, flacher Gestalt. Auf der Oberseite erscheint die Hautoberfläche körnig-warzig. Die Färbung ist bei der Gelbbauchunke ein einheitliches Grau, die Rotbauchunke ist durch eingelagerte, unregelmäßige, dunkle Flecken ansprechender gezeichnet. Bei beiden Unkenarten finden wir gelegentlich sogar Exemplare, die oberseits grün gefärbt sind. Die Unterseite aber trägt die berühmten Warnfarben. Bei drohender Gefahr wälzt sich die Unke auf den Rücken und zeigt dem Feind die gelb- oder rotgemusterte Bauchseite, von der sich auch ihr Name herleitet. Die gelbbäuchige Art wird auch Bergunke, die rotbäuchige aber Tieflandunke genannt. Wir können hieraus gleichzeitig auf ihr Vorkommen schließen und wissen, welche der beiden Arten bei uns auftauchen könnte.

Dementsprechend haben wir nämlich unseren Unkentümpel zu gestalten. Bei der Bergunke müssen wir Weiher und Umgebung mit Lehm auslegen, die Tieflandunke ist dagegen mehr ein Freund kiesig-sandigen Untergrundes. Eine Teichhälfte ist außerdem mit Schwimmpflanzen (Froschbiß, Wasserschlauch) oder Unterwassergewächsen (Wasserpest, Wasserhahnenfuß) zu beschicken. Die weitere Umgebung gestalten wir so natürlich wie möglich. Und nun heißt es warten.

Teichmolch *(Triturus vulgaris)*

Schon eine Wasseransammlung von 50 l genügt dem kleinsten unter unseren einheimischen Molchen, um für den Fortbestand seiner Art zu sorgen. Sie muß nur von Beständigkeit sein. Regenlachen sind für ihn wegen ihrer Vergänglichkeit uninteressant. Ein untrügerlicher Instinkt läßt diesen Schwanzlurch auch unseren Weiher als unversiegbares Gewässer erkennen. Er vertraut sich ihm jedoch nur an, wenn er keine Fische wittert. Dieses Verhalten trifft für sehr viele Wassertiere zu.
Ist die »Luft« rein, zieht das mit vielen Tupfen übersäte Männchen sein Hochzeitskleid an. Ein gewellter Flossensaum verläuft entlang der Rücken- und Schwanzpartie. Begegnet er einem der gelbfarbenen Weibchen, wird ihr eifrig durch wedelnde Schwanzbewegungen der Hof gemacht. Dies alles können wir von oben durch das von Fischen ungetrübte, glasklare Wasser verfolgen. Wir müssen uns nur ruhig verhalten.
Später werden wir auch sicherlich das scheue Weibchen bei der Eiablage beobachten. Mit den beiden Hinterfüßen formt es aus breiten Blättern lebender Unterwasserpflanzen eine kleine Nische, in die das glasklare Ei mit der gelben Dotterkugel angeklebt wird. Während des ganzen Sommers werden wir ferner die schlanken, gelblichbraunen Molchlarven auf der Jagd nach allerlei kleinen Wasserinsekten, Krebschen und Würmern zu sehen bekommen. Im Herbst sind sie dann urplötzlich verschwunden. Schon eine ganze Zeit vorher haben wir bemerkt, daß die rosaroten Kiemenbüschel zu beiden Seiten des Kopfes kleiner und kleiner wurden und der Jungmolch an der Wasseroberfläche Luft holte. Jetzt hat er sich irgendwo im Garten ein schattiges, feuchtes Versteck gesucht und erwartet den Winter.
Der Teichmolch ist der häufigste unserer einheimischen Molche. Wir können also ohne weiteres mit seinem Erscheinen rechnen. Ist er erst einmal ansässig geworden, wirbt er jedes Frühjahr in unserem Gartenteich um die Gunst der Weibchen.

Bergmolch *(Triturus alpestris)*

Unstreitig mit der schönste aller Molche ist der Bergmolch. Das strahlende Blau der Oberseite bei den Männchen steht im schönen Gegensatz zur orangegelben Bauchgegend. Die Rükkenmitte ziert ein kurzer, gelbschwarzer Kamm. Die Rückenpartie der Weibchen ist dagegen olivfarben oder bräunlich mit einer dunkleren Musterung. Die Unterseite weist dieselbe Farbe auf, wie wir sie bereits vom Männchen her kennen. Wie schon der Name erkennen läßt, treffen wir diesen farbenprächtigen Molch im Berg- und Hügelland an. Dort ist er stellenweise sogar noch zahlreich vertreten, so daß er in diesen Gegenden ohne weiteres im Frühjahr von selbst in unserem Naturteich auftauchen kann. Braungenetzten Larven begegnen wir dann im Sommer.

Kammolch *(Triturus cristatus)*

An ein vorsintflutliches Wesen erinnert dieser dunkel gefärbte Schwanzlurch. Der hohe, gezackte Rückenkamm verleiht dem Männchen ein geradezu groteskes Aussehen. Verstärkt wird dieser Eindruck durch die schwefelgelbe oder orangerote Bauchseite. Nur im Freiland entwickelt sich allerdings der lappige Kamm in voller Höhe; im Zimmeraquarium ist diese männliche Zierde oft nur angedeutet vorhanden. Diese Beobachtung können wir auch beim Teichmolch-Männchen machen. Alle Molche zeigen erst in unserem Gartenteich oder Freilandaquarium ihre volle Schönheit. Der kleine Teichmolch meidet oft die Nähe des großen Kammolches, da ihn dieser als willkommene Beute verspeist, wenn er seiner habhaft werden kann.

Die Unterseite des Kammolches kann gelb oder orangerot gefärbt sein.

Der Kammolch ist der größte unter unseren Molchen und kann – von Kopf bis Schwanzspitze – immerhin 17–18 cm lang werden. Selbst große Regenwürmer, sogenannte Tauwürmer, die des Nachts oder bei Regen unvorsichtigerweise in unseren Teich gefallen sind, verzehrt er.

Bedächtig umwerben die Kammolchmännchen mit flatternden Bewegungen ihres perlmuttglänzenden Schwanzes ihre Weibchen; also ganz anders, als wir es vom aufgeregten Bergmolchmännchen her kennen. Die Kammolcheier mit den hellen Dotterkugeln finden wir alsbald in den zu Nischen umgebogenen Wasserpflanzenblättern.

Die erwachsenen Molche gehen nach der Paarung und Eiablage wieder an Land, wo sie des Nachts heimlich unseren Garten nach Nahrung durchstreifen. Viele uns unangenehme Bewohner fallen ihnen dabei zum Opfer. Wir aber verfolgen in unserem Gartenteich gespannt die weitere Entwicklung der gefräßigen Molchlarven, die wir zusätzlich mit lebenden Wasserflöhen und Tubifex versorgen.

Reptilien

Europäische Wasserschildkröte *(Emys orbicularis)*

Als Lebensraum bevorzugen Wasserschildkröten stark verkrautete Gewässer, die ihnen außerdem auf teilweise versunkenen Baumstämmen genügend Möglichkeiten bieten, ein ausgiebiges Sonnenbad zu nehmen. Wir können sie aber auch in ganz trüben, pflanzenlosen Tümpeln finden, die ihnen durch das undurchsichtige Wasser ebenfalls ein Gefühl der Sicherheit vermitteln.

Dem Menschen gegenüber bewahren sie seit altersher eine gewisse Scheu, die sie nie ganz ablegen. Gewiß bestätigen Ausnahmen die Regel. Kommen wir ihnen zu nahe, streben aber auch die weniger ängstlichen unter ihnen, angesteckt durch das schreckhafteste Tier, schnellstens dem schützenden Element zu oder lassen sich von ihren Sonnenplätzen direkt in das Wasser fallen.

Ihr oft bemooster Panzer und die im übrigen unauffällige Zeichnung und Färbung machen es uns nicht leicht, ihrer ansichtig zu werden, bevor sie im dichten Pflanzenwald verschwinden. Neugierig lugen sie aber bald wieder aus dem Wasser nach dem Störenfried. Sie tun dies so gekonnt langsam, daß auch nicht die geringste Welle ihren Beobachtungsplatz verrät. Nur Nasenspitze und Augen sind zu sehen. Bei der geringsten Bewegung unsererseits tauchen sie wieder ab. Unter Wasser sind sie allerdings sehr neugierig. Alles, was sich bewegt, wird auf seine Genießbarkeit hin untersucht. Bewegen wir vorsichtig einen toten Fisch an der Wasseroberfläche, wird er meist dankend schon beim ersten Versuch angenommen. Unsere Hand darf natürlich nicht im Wasser erscheinen.

Als Beweis der stattgefundenen Mahlzeit treibt die unversehrte Schwimmblase des Beutetieres an der Wasseroberfläche. In der freien Natur soll dies ein eindeutiger Hinweis für das Vorkommen dieses Reptils sein. Nur kranke, schwimmbehinderte Fische werden ihr hier allerdings zum Opfer fallen. In meinem Frei-

landteich habe ich durch die eingebaute Sichtscheibe nie beobachten können, daß die zwei Wasserschildkröten von den Fischen überhaupt Notiz nahmen. Ein großer, sich schlängelnder Regenwurm oder eine langsam dahinkriechende Wasserschnecke ist für sie eine leichter erreichbare Beute.
In unseren Gartenteichen sind diese Futtertiere leider nur wenig oder überhaupt nicht vertreten. Viele Wasserschildkröten wandern ab, weil ihnen unser Teich zwar zusagen würde, aber ganz einfach die entsprechende Nahrungsgrundlage fehlt. Wenn wir diese Tiere in unserem Wassergarten erfolgreich ansiedeln wollen, müssen wir sie zusätzlich mit Futter versorgen. Auch hier geht die Liebe durch den Magen. Mit einem vollen Bauch lassen sich andere Unzulänglichkeiten leichter ertragen. Lediglich die kurzschwänzigen Weibchen können uns Kummer bereiten. Ihr Wanderdrang zur Zeit der Eiablage zwingt sie selbst in der freien Natur zu ausgedehnten Ausflügen. Nur wenige kehren zum Ausgangspunkt zurück. Am ehesten können wir die Weibchen noch an unseren Garten binden, wenn wir mit dem Aushub unseres Teiches ein Alpinum geschaffen haben. Dort finden sie sicher eine passende Stelle, ihre Eier zu vergraben.
In einer lauen Frühsommernacht schaufelt das weibliche Tier mit den Hinterfüßen ein ca. 10 cm tiefes Loch, in das es seine taubeneigroßen, weißschaligen Eier versenkt. Anschließend wird die Stelle sorgfältig wieder zugescharrt und eingeebnet. Zum Schluß stellt sich das erschöpfte Weibchen noch ein paar Mal ganz auf und läßt sich anschließend mit vollem Gewicht fallen, um das Erdreich über den Eiern fest anzudrücken. Nunmehr kehrt es in das Wasser zurück. Nichts aber verrät am nächsten Morgen den Ort, wo das Gelege verborgen ist; so exakt hat das Schildkrötenweibchen gearbeitet. Unsere Geduld wird nunmehr auf eine harte Probe gestellt. Ungefähr ein Jahr dauert es in unseren Breiten, bis aus den Eiern die jungen Schildkröten hervorkommen und zum nächsten Wasser eilen. Meist gelingt die Nachzucht jedoch nur durch künstliche Erbrütung der Eier.

Sumpfschildkröten lieben keine sehr gepflegte Umgebung, sonst wandern sie ab.

Ringelnatter *(Natrix natrix)*

Nicht jedermanns Sache dürfe das Auftauchen einer Schlange im Garten sein, selbst wenn sie harmlos ist. Da es aber gottlob noch in unseren Reihen Leute gibt, die sich für solche Tiere begeistern können, soll wenigstens die Ringelnatter Erwähnung finden.
In der freien Natur begegnen wir diesem Reptil in der Nähe von Gewässern, wo diese graublaue Schlange mit dem schwarzen Köpfchen und den gelben Halbmonden auf Fische und Frösche Jagd macht. Sie ist ein Kriechtier, das sich seine Beute im oder am Wasser sucht. In nächster Umgebung müssen zudem viele Versteckmöglichkeiten vorhanden sein, wo sie sich bei Gefahr und schlechtem Wetter verbergen kann. Die Gegend um unseren Teich muß demnach wildromantisch gestaltet werden, wenn es dieser Wasserschlange in unserem Garten gefallen soll.
Nasse Wiese und Moor sind zusätzliche, geeignete Lebensräume. Sicherlich lebt sie sich aber auch in einer ausgedehnten Steingartenanlage ein. Je größer unser Wassergarten ist, desto größer ist auch die Chance, daß sie uns erhalten bleibt. Die meiste Zeit verbringt diese Schlange ja an Land und nicht im Wasser. Nur

wenn sie Hunger hat, finden wir sie an sonnigen Tagen im feuchten Element, wo sie eifrig züngelnd nach Fröschen Ausschau hält. Sie hat es nicht leicht, einem unserer munteren Wasserfrösche habhaft zu werden. Erscheint die Ringelnatter im Wasser, streben unsere Grünröcke dem rettenden Ufer zu, und umgekehrt. Nur selten überlistet sie einen der gewitzten Wasserfrösche. Oft muß sie ihr Opfer wieder loslassen, weil es zu groß ist. Wir brauchen um unseren Wasserfroschbestand also wirklich nicht besorgt zu sein.
Unter Wasser ist sie eine geschicktere Jägerin. Molchen, Kaulquappen und Fischen stellt sie hier nach. Natürlich fängt sie nur Fische bis zu einer bestimmten Größe. Unseren dicken Goldfischen kann sie wenig anhaben. An Gefrierfisch, in Stücken oder Streifen geschnitten, läßt sie sich gerne und leicht gewöhnen. Einzelne Exemplare können so zahm werden, daß sie dieses Futter sogar aus den Fingern nehmen. Ist sie einmal an Fischstückchen gewöhnt, die wir ihr am besten auf einem Seerosenblatt servieren, wird sie sich schon aus Bequemlichkeit in der Hauptsache hiervon ernähren. Wo ausreichend passendes Futter gereicht wird, verweilt auch unsere Ringelnatter eher. Ist gar ein Pärchen vorhanden, begegnen wir vielleicht eines Tages im Spätsommer sogar Jungtieren. Sicherlich wurden sie in unserer Kompostecke geboren. Trächtige Weibchen suchen gerne Stellen mit verrottendem Material zur Ablage ihrer Eier auf. Die durch Zersetzung von organischem Material entstehende Wärme begünstigt die Entwicklung des Geleges.

Mooreidechse *(Lacerta vivipara)*

Sie ist auch ein Wunschtraum von mir. Aber dazu fehlen einfach die entsprechenden natürlichen Gegebenheiten. Für sie müßten wir schon ein Stück Moor pachten, in dem sie von Natur aus noch vorkommt. Mit goldumrandeten Pupillen beobachtet sie aufmerksam ihre Umgebung. Durch ihren braungetarnten Rükken besitzt sie eine ausgezeichnete Schutzfärbung. Die orangefarbene, auffällige Bauchseite aber hat engen Kontakt mit den Torfmoospolstern. Als Bewohnerin des nassen Moores hat sie nicht wie die unser Alpinum bewohnende Zauneidechse die Möglichkeit, ihre Eier im stetig feuchttrockenen Boden von der Sonne ausbrüten zu lassen. Deshalb bringt sie, wie die ebenfalls diese Region bewohnende, liebenswerte Kreuzotter, lebende Junge zur Welt.

Kleinere Teichbewohner

Teichmuschel *(Anodonta cygnea)*

Mit Hilfe ihres hervorstülpbaren Kriechfußes durchpflügt sie langsam den weichen Bodengrund unserer Gewässer. Ihren von zwei Kalkschalen geschützten Körper versenkt sie teilweise im sandigen Untergrund. Nur die obere Hälfte ragt in das freie Wasser. Hier finden sich auch die beiden Atemöffnungen. Sie führen in die Kiemenhöhle der Muschel, wo dem Wasser mit Hilfe kiemenähnlicher Organe Sauerstoff entzogen wird. Ein Reusenapparat hat weiterhin die Aufgabe, kleine Nahrungspartikelchen herauszufiltern und der Mundöffnung zuzuleiten. Viele Liter Wasser sind es in der Stunde, die die Muschel durchlaufen und von diesem Schalentier gereinigt werden. In kleineren Becken wird sie deshalb manchmal mit mehr oder weniger Erfolg als »lebender Filter« eingesetzt. Sie befreit trübes Wasser zwar von lebenden Mikroorganismen, die übrigen Schwebstoffe, die uns so ärgern, verspeist sie leider nicht. So hat sie denn im wesentlichen für uns nur Wert als Kinderstube für unsere Bitterlinge.

Kugelmuschel *(Sphaerium spec.)*

Pflegen wir in unserem Weiher nur kleine Fischarten oder gar nur Pflanzen, so finden wir gar nicht selten an Pflanzenteilen ein kugeliges Gebilde. Bei näherem Betrachten können wir deutlich zwei ovale Schalenhälften erkennen.

Durchschnittlich nur 1 cm Größe erreicht die meist hell gefärbte Kugelmuschel, die wir sicherlich einmal mit einer Pflanze eingeschleppt haben. Alle drei einheimischen Arten sind Zwitter und lebendgebärend. Die Jungen werden erst nach ca. einem Jahr geboren. Nach der Geburt sind sie bereits geschlechtsreif.

Große Schlammschnecke *(Limnea stagnalis)*

An der Oberfläche ruhiger, stehender Gewässer finden wir diese großwerdende Schnecke mit ihrem langausgezogenen, spitzen Gehäuse. Gelegentlich öffnet sich das seitlich liegende Atemrohr, mit dem sie ihren Luftvorrat erneuert. Ununterbrochen ist sie auf Nahrungssuche. Mit ihrem Raspelmäulchen zerlegt sie vor allem faulende, pflanzliche Substanz. Wird absterbendes Pflanzenmaterial knapp, geht sie auch an frische, grüne Triebe. Sie kann uns hierdurch manchmal einigen Ärger bereiten. An unseren langen Fadenalgen findet sie nur Gefallen, wenn diese im Absterben begriffen sind. Gesunde, wuchernde Büschel sich hart anfühlender, fädiger Algenarten sind für sie uninteressant. Weiche oder flächig wachsende Sorten nimmt sie dagegen eher an.
Tierisches Eiweiß ist eine willkommene Beikost. Als Reinigungskommando ist also eine Herde Spitzhornschnecken nicht zu verachten. Von der Vorstellung, nunmehr aller Algenplage enthoben zu sein, müssen wir allerdings Abstand nehmen. Unser Unternehmen ist auch nur dann sinnvoll, wenn wir gleich von Anfang an eine Handvoll dieser Weichtiere in unseren Teich geben. Zu einem späteren Zeitpunkt sind selbst diese fleißigen Riesen unter unseren einheimischen Schnecken kaum noch in der Lage, die Algen einigermaßen unter Kontrolle zu bekommen. In einem Teich ohne Fische schaffen sie es eines Tages, da sie sich hier ohne Störung vermehren können. In einem Becken, das mit Fischen besetzt ist, kommt kaum eine Jungschnecke hoch. Sie werden fast alle vorher von den Fischen verspeist.
Die Spitzhornschnecke ist ein Zwitter, d. h. ein und dasselbe Tier besitzt männliche und weibliche Funktion. Die erwachsenen Schnekken heften ihre wulstförmigen, anfänglich glasklaren Eipakete an glatten Gegenständen unter Wasser an. Von der Wassertemperatur abhängig, schlüpfen nach etlichen Tagen viele winzige Schnecken aus einem einzigen Gelege, die im Laufe des Sommers zu halbwüchsigen Tieren heranwachsen. Die in einem gedrungenen, mit dunkler Musterung durchsetzten Gehäuse wohnende Ohrschlammschnecke *(Radix auricularia)* ist noch wenig in Gartenteichen vertreten, obwohl sie uns hier große Dienste erweisen könnte.

Große Posthornschnecke *(Planorbarius corneus)*

Während sich die Spitzhornschnecke mehr in den oberen Wasserregionen aufhält, sieht die Posthornschnecke auf dem Boden nach dem Rechten. Ihre kiemenartigen Atemorgane befähigen sie, den schlammigen Untergrund nach genießbaren Dingen abzusuchen. Ein schokoladenbraunes, posthornartig aufgerolltes Gehäuse trägt die schwarzblaue Schnecke mit sich herum. Gelegentlich kann ihr Weich-

Diese Posthornschnecke begutachtet ihr etwas verunglücktes Eigelege.

körper aber auch rein rot gefärbt sein. Sie ist beiderlei Geschlechts. Ihre flachen, runden Eipakete enthalten ca. 30 Eier. Wir finden sie zumeist an der Unterseite der Schwimmblätter verschiedener Wasserpflanzen.
Die Posthornschnecke ist unser größter Vertreter aus der Familie der Tellerschnecken. Andere, besonders kleinbleibende Arten bekommen wir oft zusammen mit neuen Pflanzen gratis geliefert.

Sumpfdeckelschnecke *(Viviparus viviparus)*

Mit eines unserer interessantesten Weichtiere ist diese imposante Schnecke. Die Öffnung ihres großen, gewundenen Gehäuses kann sie luft- und wasserdicht durch einen genau passenden Deckel verschließen. Ihre »Haustüre« trägt sie während ihrer Ausflüge festgewachsen auf dem Rücken mit sich herum. Bei Gefahr oder bei Austrocknung ihres Wohngewässers klappt sie einfach den Deckel zu und wartet auf bessere Zeiten. Ihr bevorzugter Lebensraum ist ebenfalls der Bodengrund, den sie langsam und bedächtig nach Nahrung durchstreift.
Das kleinere Männchen erkennen wir leicht an seinem ungleichen Fühlerpaar. Wir haben es hier ausnahmsweise mit einer getrenntgeschlechtlichen Schneckenart zu tun. Das Weibchen besitzt dagegen zwei gleich lange, dünne Fühler. Nach der Paarung mit dem Männchen im Frühjahr legt es keine Eier, sondern bringt lebende Junge zur Welt.
Neugeborene Sumpfdeckelschnecken erkennen wir sehr leicht an ihrem borstenbesetzten Gehäuse. Trotz ihrer Größe (5–10 mm) fallen sie oft noch unseren Fischen zum Opfer. Wir aber wundern uns, warum sich die Tiere nicht vermehren. Deshalb sollten wir immer einige Tiere getrennt von den Fischen in unserem separaten Sumpfpflanzenteil pflegen. Diese interessante Schneckenart ist ohnedies nicht mehr allzu häufig. Wahrscheinlich sind eines Tages unsere Gartenteiche die letzten Reservate unserer Großschnecken.

Taumelkäfer *(Gyrinus substriatus)*

Bevor unsere Seerosen im Frühjahr ihre ersten Schwimmblätter an der Wasseroberfläche entfalten, können wir einem eigenartigen Schauspiel beiwohnen. In unberechenbaren Kurven sausen dunkelgefärbte Käfer auf dem Wasserspiegel umher. Kaum daß wir ihnen mit den Augen folgen können. Eine Gruppe Taumelkäfer gibt ein kurzes Gastspiel und jagt nach in das Wasser gefallenen, kleinen Insekten. Sobald die ersten Seerosenblätter ihre Schwimmkünste behindern, sind sie genau so plötzlich wieder über Nacht verschwunden, wie sie erschienen sind.

Wasserläufer *(Gerris spec.)*

Als Kinder haben wir ihn meist Schlittschuhläufer genannt. Erhaben ruht der längliche Körper auf vier der sechs fadendünnen Beine über der Wasseroberfläche. Ruckartig huscht er auf ihr dahin. Aufmerksam mustert ein dunkles Augenpaar die nähere Umgebung nach ins Wasser gefallenen Kleininsekten, die die bevorzugte Nahrung des Wasserläufers darstellen. Tagelang trägt das bräunliche Weibchen das kleinere Männchen während der Paarungszeit auf dem Rücken spazieren.
Leider ist unsere Freude oft nur von kurzer Dauer, wenn sie auf unserem mit Fischen besetzten Gartenteich als willkommenes Beutetier landen.

Rückenschwimmer *(Notonecta spec.)*

Oft nur für wenige Stunden besucht ein eigenartiger Wasserbewohner unseren Gartenteich. Über Nacht kam er angeflogen; bei unserem Erscheinen taucht er stoßartig in die Tiefe und klammert sich am Stengel einer Wasserpflanze an. Wenn wir uns einige Zeit ruhig verhalten, kommt er erneut an die Wasseroberfläche, um mit seinem Hinterende frische Atemluft zu

tanken. Deutlich können wir die langen, eleganten Ruderbeine mit den kammförmigen Schwimmborsten erkennen. Auch die übrigen Extremitäten stemmen sich gegen die Wasseroberfläche. Er kehrt uns also den Bauch und nicht den Rücken zu. Seine geflügelte Rückenpartie bekommen wir auch bei seinem nächsten Tauchgang nicht zu Gesicht. Deshalb nennt man ihn im Volksmund Rückenschwimmer.
Eine hungrige Goldorfe hat ihn plötzlich erspäht und in blitzschnellem Angriff auch erwischt. Sie spuckt ihn aber unter heftigen Würgebewegungen sofort wieder aus. Der Rükkenschwimmer hat sich mit seinem Stechrüssel zur Wehr gesetzt. Selbst wir würden einen brennenden Schmerz empfinden, wenn wir diesen kleinen Kerl unsachgemäß anfassen. Von Natur aus dient dieses Abwehrorgan vor allem der Nahrungsaufnahme. Kleinere Wasserorganismen werden hiermit erbeutet und ausgesaugt. Da Wasserflöhe und andere ihm zusagende Beutetiere in unserem Fischbecken Mangelware sind, sieht er sich meist noch am selben Abend nach einer ergiebigeren Futterquelle um. Vergeblich forschen wir am nächsten Tag nach ihm – er ist längst schon wieder davongeflogen.

Wasserskorpion *(Nepa rubra)*

Als fertig ausgebildetes Insekt hat er an einer geschützten Stelle an Land den Winter verbracht. Nun regt sich der Fortpflanzungstrieb. Auf seinem nächtlichen Flug zu einem stehenden Gewässer ist er in unserem Naturteich gelandet. Wir entdecken ihn rein zufällig in unserem Wasserpflanzendschungel am Uferrand. Weiter hinaus wagt er sich nur ungern.
Regungslos sitzt er an einer Unterwasserpflanze. Das lange Atemrohr zeigt zur Wasseroberfläche, der mit einem Saugrüssel bewehrte Kopf ragt schräg nach unten. Unser »Skorpion« wartet auf vorbeischwimmende, kleine Wassertiere, die er geschickt mit seinen zu Fangorganen umgestalteten Vorderbeinen ergreift und aussaugt.

Das lange Atemrohr des Wasserskorpions spiegelt sich an der Wasseroberfläche.

Stabwanze *(Ranatra linearis)*

Dieses langgestreckte Wasserinsekt erinnert in seinem Aussehen entfernt an eine Gottesanbeterin. Wie auch der Wasserskorpion legt sie im Frühjahr Eier mit fadenartigen Luftröhren. Die Larven gleichen den Elterntieren, müssen sich aber im Laufe des Sommers mehrmals häuten, bevor sie flugfähig sind. Während dieser Zeit benötigen sie eine Menge Beutetiere. Deshalb werden wir des öfteren Wasserflöhe kaufen oder gar selbst mit einem feinmaschigen Netz bewaffnet in mit Enten bevölkerten Dorfweihern danach suchen.

Rote Wassermilbe *(Hydrachna globosa)*

Da Milben wegen ihres üblen Geschmackes von unseren Fischen verschmäht werden, leben eine Reihe wenig auffallender, kleinerer Arten auch in unserem Zierteich. Nur auf die bis zu 2 mm große, blutrot gefärbte Wassermilbe werden wir aufmerksam, wenn sie im Sonnenschein am Rande unseres Gartenteiches durch das Wasser rudert. Unbewußt haben wir sie als Ei oder Larve mit einer Wasserpflanze eingeschleppt.

Blaugrüne Mosaikjungfer *(Aeschna viridis)*

Im dichten, undurchdringlichen Gewirr unserer Sumpfpflanzen, das selbst unseren Fischen den Zugang verwehrt, sitzt kopfunter an einem Stengel unseres Pfeilkrautes eine größere, langgestreckte Insektenlarve. Ihr Hinterleib endet an der Wasseroberfläche. Sie holt Luft für die Atmung. Regungslos verharrt sie und lauert auf vorbeikommende Beute. Blitzartig schnellt die Fangmaske vor, wenn ein anderes, kleines, ahnungsloses Wassertier in greifbare Nähe kommt. Auf Grund ihrer ausgezeichneten Tarnfärbung wird sie kaum auffallen. In einer lauen Sommernacht aber klettert sie an bewußtem Blattstengel über die Wasseroberfläche hinaus.
Anderntags finden wir nur noch die leere, trockene Außenhaut. Aus ihr schlüpfte eine große, farbenprächtige Libelle, die nun in schnellem Fluge um unseren Gartenteich schwirrt oder aber an einem sonnigen Herbsttag zur Eiablage zurückkehrt.

Schlankjungfer *(Coenagrion spec.)*

Leichten Fluges umgaukelt ein hellblau glänzendes Stäbchen die Überwasserblätter unserer Sumpfpflanzen. Endlich läßt es sich auf einem Blatt unseres Rohrkolben nieder, um zu rasten. Erst jetzt können wir die vier glasklaren, großen Flügel dieses zerbrechlich wirkenden Geschöpfes bewundern. Sechs nadeldünne Beinchen und große, hervorstehende Augen zu beiden Seiten des Kopfes fallen uns fernerhin auf. Weitere Beobachtungen können wir nicht machen, denn die Schlankjungfer schwingt sich bereits wieder in die Lüfte. Ein weiteres Exemplar mit smaragdgrünem Körper ist auf dem Schauplatz erschienen. Es ist ein Weibchen. Ein munteres Hochzeitsspiel mit tollen Flugkünsten beginnt. Es endet mit dem berühmten Paarungsrad.
Wenn wir Freude an diesen farbenfrohen Flugkünstlern haben und sie gerne in unserem Garten heimisch machen wollen, müssen wir ein für Fische unzugängliches Pflanzenlabyrinth schaffen. Die Larven dieser Kleinlibellen sind schlanker Statur und besitzen drei gefiederte Anhänge am Hinterleibsende. Sie können nicht schwimmen. Stören wir sie, fallen sie unter zuckenden Körperkrümmungen auf den Teichgrund.

Großlibelle über ihrer leeren Larvenhülle.

Köcherfliege *(Limnophilus spec.)*

Ein Stückchen abgebrochener Schilfhalm setzt sich plötzlich in Bewegung und beginnt zu wandern. Neugierig nehmen wir ihn heraus und geben ihn in ein Gefäß mit Wasser. Es dauert nicht lange, dann kommt aus dem einen Ende ein Kopf und anschließend ein kurzer Brustteil mit drei Beinpaaren hervor. Wir haben die Larve einer Köcherfliege vor uns. Ihren weichen, von Fischen sehr begehrten Hinterleib hat sie mit dem harten Schilfstückchen geschützt. Die Köcherfliege selbst ist ein unbeholfener Flieger. Ihre Larve wird daher nur in unserem Gartenteich auftauchen, wenn in nächster Nähe ein natürlicher Weiher vorhanden ist.

Eintagsfliege *(Cloeon spec.)*

Zwischen dichtem, schützendem Wasserpflanzenbewuchs verbringt auch die Larve einer sehr kurzlebigen Insektenart ihre Jugendzeit. Sie erinnert in etwa an eine verkleinerte Ausgabe der Schlankjungfernlarve. Ihre langen Schwanzanhänge sind fadenförmig und nicht gefiedert. Stören wir sie, bewegt sie sich ruckartig durch das Wasser. Nur selten werden wir dem Schlüpfen dieses zarten Insekts beiwohnen, da es nachts erfolgt. Der Hochzeitstanz der liebestollen Männchen in den Abendstunden besteht in einem stetigen Aufsteigen und Absinken an einer Stelle. Dicht fliegen die befruchteten Weibchen über die Wasseroberfläche und lassen ihre winzigen Eier fallen.

Furchenschwimmer *(Acilius sulcatus)*

Im Laufe der Jahre werden eine Reihe verschiedener, flugfähiger Wasserinsekten unseren Wassergarten besuchen, um ihn auf seine Brauchbarkeit zu untersuchen. Auch Wasserkäfer leiden oft unter Wohnungsnot und landen des Nachts in unserem Weiher. Bemerken sie, daß das Gewässer mit Fischen besetzt ist, ziehen sie schnellstens weiter. Nur der Naturteichbesitzer wird deshalb in seinem Gartenteich den Furchenschwimmerkäfer begrüßen können.

Krallenförmige Beinenden vermitteln dem Furchenschwimmer einen sicheren Halt.

Der erste Eindruck ist allerdings sehr flüchtig. Bei unserem Herannahen taucht blitzschnell ein dunkler, ovaler Körper von der Wasseroberfläche in die Tiefe. Bald aber kommt er wieder nach oben, um mit seinem Hinterende Luft zu holen. Wir können gut die gelbe Bänderung im Kopfbereich und die großen, bräunlichen Flügeldecken erkennen. Mit seinen kräftigen, hinteren Schwimmfüßen taucht er alsbald wieder hinab in die schützende Tiefe. Beim nächsten Emporkommen können wir eine deutliche Furchung der Flügeldecken ausmachen. Ein weibliches Exemplar ist es also, das sich bei uns eingefunden hat. Die Männchen besitzen glatte, glänzende Flügeloberflächen. Wenige Zeit später rudern die schlanken Larven dieses Schwimmkäfers auf der Jagd nach Kleinlebewesen durch das freie Wasser.

Gelbrandkäfer *(Dytiscus marginalis)*

Vielleicht entdecken wir eines Tages auch den bereits selten gewordenen Gelbrandkäfer in unserem Gartenteich. Hier weist das Weibchen ebenfalls geriefte Flügeldecken auf. Seine länglichen, weißlichen Eier finden wir in den Blattachseln verschiedener Unterwasserpflanzen. Leider ist die Larve ein arger Räuber, die bei großem Hunger sogar ihre jüngeren Geschwister verspeist.

Kolbenwasserkäfer *(Hydrous piceus)*

Den hochinteressanten, geschützten Kolbenwasserkäfer eines Tages vorzufinden, wäre mit einem hohen Lottogewinn zu vergleichen. Hierzu müßten allerdings einige Vorbedingungen erfüllt sein. Er bevorzugt nämlich große, dichte Rohrkolbenbestände. Unter den im Wasser schwimmenden, alten Blättern des Vorjahres fühlt er sich sicher. Das Weibchen webt hier gerne seinen Eikokon mit dem berühmten Kamin oder »Mast« zur Sauerstoffversorgung der Eier und Junglarven. Die Larven ernähren sich nur von Schlammschnecken, wie ich selbst beobachtet habe. Der Käfer aber lebt von Pflanzenkost – vielleicht sogar von Rohrkolben.

Rote Zuckmücke *(Chironomus spec.)*

Die Zuckmücke selbst ist ein zartes, hilfloses Geschöpf. Sie gleicht zwar in ihrem Erscheinungsbild in etwa den Stechmücken, tut uns jedoch ebensowenig etwas zuleide, wie die ähnlich aussehende, nächstgenannte Art. Ihre Eier sind in einem gallertigen, wurstförmigen Gebilde vereint, das knapp unter der Wasseroberfläche an die Teichwand geklebt wird. Wenn wir den Untergrund unseres Sumpfteils im Herbst mit einem Stöckchen etwas in Unordnung bringen, schlängeln sich plötzlich dunkelrote »Stäbchen« mit ruckartigen Bewegungen durch das Wasser. Es sind dies die Larven der Roten Zuckmücke, die hier das nächste Frühjahr erwarten. Vulkanähnliche Kraterchen im Bodenschlamm zeugen von ihrer Anwesenheit. Wir werden sie allerdings nur dort finden, wo sie nicht dem Zugriff unserer Fische ausgesetzt sind.

Büschelmücke *(Corethra plumicornis)*

Die Larve der Büschelmücke lebt im freien Wasser. Nur ein geübtes Auge wird das durchsichtige, stäbchenförmige Gebilde wahrneh-

Die Larven und Puppen der Stechmücke tanken mit ihren Atemröhren Luft an der Wasseroberfläche. Bei Gefahr trudeln sie ruckartig in die Tiefe.

men. Am leichtesten erkennen wir es, wenn es sich ruckartig durch das Wasser bewegt, um auf kleinere Wasserbewohner Jagd zu machen. Im Gegensatz zur Roten Mückenlarve, die sich bevorzugt von faulenden Substanzen ernährt, lebt die weiße Mückenlarve überwiegend von lebenden Kleinkrebschen.
Im Mai treffen wir die ersten, verpuppten Stadien dieser Mücke an. Ein runder Kopf mit zwei ohrähnlichen Anhängen und einem schwanzartigen Körper schwebt senkrecht im freien Wasser. Die ersten, warmen Nächte lassen die Puppen an die Wasseroberfläche eilen, wo alsbald die fertige Mücke herausschlüpft. Schon nach wenigen Tagen schwimmen ihre scheibenförmigen Eischiffchen auf der Wasseroberfläche nahe des Ufers.

Ein Wasserspinnenweibchen besucht ein Männchen unter seiner noch im Bau befindlichen Luftglocke an einer Wasserpest-Ranke.

Stechmücke *(Culex spec.)*

Den schwarzen Larven dieses gefürchteten Insektes werden wir in unserem Gartenteich kaum begegnen. Sie lieben kleine Wasseransammlungen mit einem möglichst hohen pflanzlichen und tierischen Nahrungsangebot. Eher werden wir sie in unserer Regenwassertonne vorfinden. Halbmondförmige, schwarze Schiffchen schwimmen am Rande unserer Wasseransammlung. Es sind die Eipakete dieses gelegentlichen Plagegeistes. Kopfüber trudeln Larven wie Puppen bei unserem Herantreten in die Tiefe. Bald kommen sie wieder an die Oberfläche.

Wasserspinne *(Argyroneta aquatica)*

Bei Herausnahme eines größeren Büschels Unterwasserpflanzen fällt plötzlich ein spinnenartiges Tier auf die Wasseroberfläche zurück und taucht sofort ab. Dies war mit Sicherheit eine Wasserspinne. Nur im dichtesten Pflanzenbestand legt sie ihre luftgefüllte Taucherglocke an. Ihr liebster Aufenthaltsort sind in das Wasser ragende Moospolster und Grasbüschel direkt am Uferrand.

Galizischer Krebs *(Astacus leptodactylus)*

Im allgemeinen sind Krebse bisher wenig in unseren Gartenteichen vertreten. Dies mag einmal in einer gewissen Angst vor den großen Scheren begründet sein, zum anderen aber auch in der nächtlichen Lebensweise dieser Tiere. In einem beleuchteten Freilandaquarium sollten sie jedoch auf keinen Fall fehlen. Es ist ein wirklich unvergeßlicher Anblick, wenn ein erwachsenes Tier auf hohen Stelzbeinen mit drohend erhobenen Scheren aus dem Dunkel in den Lichtkegel unseres Kunstlichtes tritt. Der gepanzerte Körper, die langen Fühler und seine Stielaugen tun ihr übriges, sein groteskes Aussehen zu unterstreichen. Unser Licht stört ihn kaum, die Hauptsache ist, daß es – zeitmäßig gesehen – Nacht ist.
Seine beiden ungleich großen Scheren sind übrigens kein Geburtsfehler. Die stärkere, kräftigere dient zum Festhalten einer großen Beute, während der schmäleren, schmächtigeren das Zerteilen obliegt. Die kleinen Zangen an den ersten Vorderbeinen übernehmen anschließend das Aufteilen in mundgerechte Portionen. Die wesentlichste Aufgabe der gro-

Krebse lieben dunkle Unterschlupfmöglichkeiten nahe der Wasseroberfläche ganz besonders.

ßen Scheren liegt jedoch in der Verteidigung. Sie werden uns empfindlich in den Finger kneifen, wenn wir seinen Besitzer unsachgemäß ergreifen. Als erstes wird er aber bei Gefahr sein Heil in mehreren ruckartigen Fluchten schwimmend nach rückwärts suchen. Wir brauchen also wirklich keine Angst vor ihm zu haben. Untertags sitzt er im schützenden Dunkel eines verborgenen Winkels. Allein die Witterung eines Stückchen Fischfleisches veranlaßt ihn jedoch, aufgeregt seine Höhle unter dem Wurzelstock oder Stein zu verlassen und nach dem Leckerbissen zu suchen.
Im Frühjahr tragen die Weibchen nach der Paarung Hunderte von Eiern unter ihrem eingeklappten Hinterleib spazieren. Eifrig werden sie gehegt und gepflegt. Auch die frisch geschlüpften Jungen bleiben noch eine Zeitlang bei der Mutter, bevor sie in die feindliche Umwelt entlassen werden. Pflegen wir größere Fische mit unseren Krebsen zusammen, werden nur wenige überleben.
Vor allen Dingen müssen wir darauf achten, eine Art zu erhalten, die stehende Gewässer bevorzugt. Flußkrebse klettern des Nachts aus dem Wasser und begeben sich auf Wanderschaft, da ihnen unser unbewegtes Teichwasser nicht zusagt. Der Galizische Krebs eignet sich für unsere Zwecke am besten. Wir bekommen diesen gepanzerten Gesellen lebend meist in Fischhandlungen. Seine Errettung vor dem Kochtopf werden wir nicht bereuen.

Wasserfloh *(Daphnia spec.)*

Waschen wir ein Algenpolster in einem durchsichtigen Gefäß aus, so entdecken wir eine Vielzahl von Kleinlebewesen. Neben schnell dahineilenden Muschelkrebschen und kleinen, aufgeregten Wassermilben fällt uns vor allem ein rundliches Lebewesen von 1 mm Durchmesser auf, das sich ruckweise im freien Wasser fortbewegt. Zwei gefiederte Antennen zu beiden Seiten des Kopfes schlagen rythmisch nach unten. Auf diese Weise macht dieser Kleinkrebs Jagd auf Bakterien und Schwebealgen.
Wasserflöhe – auch sie gehören zu den Krebsen – finden wir in jeder etwas beständigen Wasseransammlung. Sie sind eines der Hauptbeutetiere vieler Wasserbewohner. Deshalb sollten wir auch etwas mehr über sie und ihre abweichende Vermehrung wissen. Im Frühjahr und Sommer finden wir nämlich nur Weibchen, die alle zwei Tage auf ungeschlechtlichem Weg lebende, weibliche Junge gebären. Erst im Herbst bringen sie auch Männchen zur Welt. Nach der Befruchtung werden im Brutraum des Weibchens, unter dem Rücken, sogenannte Dauer- oder Wintereier gebildet. Nach dem Tode des Muttertieres treiben sie an die Oberfläche. Im nächsten Frühjahr schlüpfen wiederum nur Weibchen aus diesen Eiern. Nunmehr wiederholt sich der anfänglich geschilderte Vermehrungszyklus.

Hüpferling *(Cyclops spec.)*

Mit bloßem Auge können wir in einer Wasserprobe ein graugrünes, spindelförmiges Tierchen erkennen. Am Vorderende sitzen zwei Anhänge, die Antriebsorgane dieses Kleinkrebses. Am spitz auslaufenden Hinterende finden wir bei einzelnen Exemplaren seitlich zwei lappige Anhänge. Es handelt sich hier um Weibchen, die ihre Eipakete bis zum Schlüpfen der Jungen mit sich führen. Die Jugendstadien des Hüpferlings nennt man Nauplien. Sie bilden neben den winzigen kleinen Rädertierchen die Hauptnahrung vieler Jungfische.

Apropos Mikroskop! Wer von uns ein solches besitzt, sollte es nicht versäumen, die Welt im Wassertropfen näher kennenzulernen. Bei Neuanschaffung wäre ein Stereomikroskop das Mittel der Wahl.

Wasserassel *(Asellus aquaticus)*

Im dichten Dschungel unserer Wasserpflanzen lebt ein weiteres Krebschen, die friedliche Wasserassel. Wir bekommen sie nur zu Gesicht, wenn wir ein Büschel Unterwasserpflanzen aus dem Wasser nehmen und genauer betrachten. Eiligst versucht ein flacher, gegürteter Körper mit Hilfe seiner acht Beinpaare wieder ins rettende Lebenselement Wasser zu gelangen. Zwei lange Fühler zeigen uns das Vorderende an.

Schwarzer Strudelwurm *(Planaria lugubris)*

Betrachten wir die Unterseite eines Seerosenblattes, so finden wir hier neben Schneckenlaich häufig ein plattes, ovales, schwarzes Tier, das sich bei Störung sofort kriechend in Bewegung setzt, um dem grellen Licht auszuweichen. Alle unsere Strudelwürmer sind nachtaktiv und sitzen untertags an dunklen Stellen. Der eckige »Kopf« erleichtert uns das Erkennen. Vielleicht entdecken wir auch das Eigelege, eine hartschalige, kleine, braune Kugel, die an einem kurzen Faden hängt.

Großer Schneckenegel *(Glossiphonia complanata)*

Zwischen zwei aufeinanderliegenden Seerosenblättern halten sich während des Tages auch verschiedene Arten von Wasseregeln verborgen. Aufgrund seiner Größe (10–30 mm) mag uns der häufig vorkommende Schneckenegel wohl als erster auffallen. Egel erkennen wir an den beiden Saugnäpfen, mit denen sie sich fest an ihre Unterlage anheften. Jeweils einer sitzt am Vorderende und am Hinterende des langgestreckten Körpers. Der Große Schneckenegel ist ein Zwitter und betreibt Brutpflege. Nachts kriecht er in wellenförmigen Bewegungen an der Wandung unseres Teiches entlang, um an allerlei Getier zu saugen. Im Lichtkegel unserer Taschenlampe werden wir ihn zu Gesicht bekommen. Vielleicht können wir auch den ebenfalls häufigen Rollegel *(Herpobdella octoculata)* beobachten.

Schlammröhrenwürmer *(Tubifex × spec.)*

Nicht nur im freien Wasser unseres Gartenteiches leben Tiere – auch der stickige Bodengrund bedarf der Aufbereitung. Die Natur hat hier ebenfalls entsprechend vorgesorgt. Im flachen Uferteil unseres Wassergartens waltet der *Tubifex* seines Amtes. Wir können ihn als eine Miniaturausgabe unseres Regenwurmes ansehen. Mit dem Vorderende steckt er im nährstoffreichen Bodengrund aus verwesenden Pflanzenblättern. Lediglich sein frei herausragendes, sich schlängelndes Hinterende zeugt von seiner Anwesenheit. Einzelne Exemplare finden wir stets. Die für unseren Gartenteich nötige Anzahl aber wird laufend durch unsere Fische dezimiert, so daß sie nie in der notwendigen Menge vorhanden sind. Neben den Roten Mückenlarven sind sie die wichtigsten Aufbereiter des Bodenschlammes. Sie bestimmen oft über Wohl und Wehe eines Gewässers. Giftige Gärungsprozesse und Sumpfgasbildung sind zu einem wesentlichen Teil auf ihr Fehlen zurückzuführen.

Süßwasserpolyp *(Hydra spec.)*

Wir beobachten gerade einen Wasserfloh am Teichrand bei seinen Schwimmkünsten. Plötzlich wird er wie von Geisterhand festgehalten. Ungestüm versucht er, sich zu befreien. Bei genauerem Hinsehen erkennen wir ein fast durchsichtiges, schlauchartiges Gebilde, das mit einem Ende an der Teichwand festsitzt. Am in das freie Wasser ragenden Ende aber klebt unser Wasserfloh. Als wir nach einiger Zeit diese Stelle kontrollieren, finden wir den Wasserfloh in der Mitte des schlauchartigen Gebildes vor. Von dem freien Ende aber ragen mehrere hauchdünne Fäden, die Fangarme unseres Polypen, in das Wasser.

Wassergeflügel

Wir können natürlich unseren Weiher auch etwas zweckentfremden und auf ihm Gänse, Enten und andere Vogelarten mit Schwimmhäuten zwischen den Zehen herumpaddeln lassen. Ein Pärchen Mandarin- oder Brautenten ist wirklich hübsch anzusehen. Aber auch andere Zierenten erfreuen sich zunehmender Beliebtheit. In vielen Fällen muß ein solcher Teich weiträumig mit einem zuweilen auch oben geschlossenen Gittergehege umgeben werden. Er wird zum Zentrum unserer Entenvoliere. Sonst zerstören uns diese Vögel auch im übrigen Garten viel.

Der Traum vom idyllischen Seerosenteich ist hier nicht mehr zu verwirklichen. Lediglich harte Kräuter wie Schilf finden noch ein kärgliches Fortkommen. Alles andere wird zertreten, verbissen oder gar gefressen.

Zuweilen kommt es vor, daß ein Pärchen Wildenten auf unserem Weiher landet. Wir werden uns darüber anfangs freuen und die Tiere gar noch füttern. Nach ein paar Stunden ist unsere Freude bereits erheblich getrübt, wenn wir beobachten, wie sie genüßlich eine Wasserpflanze, eine Schnecke und einen Molch nach dem anderen verspeisen und alles auf den Kopf stellen. In solchen Fällen helfen nur kreuz und quer über den Teich gespannte Perlonfäden. Ein Vogelschutznetz eignet sich wegen der Bepflanzung weniger.

Mit Rosenprimeln umsäumter Bachlauf im Frühjahr. Bald wird sich das Wildentenpaar trennen, das Weibchen im dichten Uferbewuchs ein Nest bauen und Eier legen.

Die richtige Wasserqualität

Unser Wunschtraum ist kristallklares Wasser, das sowohl Fischen wie Pflanzen naturgemäß die besten Lebensbedingungen bietet. Alles ist in diesem Fall gegenseitig auf sich eingespielt. Fisch, Pflanze und das beide umgebende Wasser bilden eine Einheit.
Natürlich nimmt dies ein gewisses Maß an Zeit in Anspruch. Zum besseren Verständnis dieser komplizierten Vorgänge wollen wir uns eingangs etwas näher mit dem Element Wasser befassen.
Reines, pures Wasser, z. B. destilliertes Wasser, ist eine Verbindung von Wasserstoff (H) und Sauerstoff (O). Seine chemische Formel lautet H_2O. In einem solchen Wasser leben Tiere und Pflanzen nicht lange. Auch reines Regenwasser hat noch eine lebensfeindliche Wirkung. Grundwasser, also Wasser aus der Leitung oder einem selbstgeschlagenen Brunnen, ist ebenfalls unbiologisch. Erst wenn alle diese Arten von Wasser mit dem Erdboden in Berührung kommen, werden sie lebensfreundlicher. Sie reichern sich einmal mit mineralischen Salzen an, zum zweiten nehmen sie Stoffe aus dem organischen Sektor auf. An Salzen finden wir in kalkhaltigen Gegenden vor allem Kalzium- und Magnesiumsalze der Kohlensäure. Ihr Anteil ergibt in Wasser gelöst die sogenannte Karbonathärte (KH). Sie wird bei uns in deutschen Härtegraden (°dH) gemessen. Bei 1°dH sind 10 mg Kalziumoxid in 1 l Wasser enthalten. Des weiteren finden sich Salze der Schwefelsäure, die die Nichtkarbonathärte (NKH) darstellen. Beide, KH und NKH, ergeben die Gesamthärte eines Wassers. Sind wenig Salze der Kohlensäure gelöst, sprechen wir von weichem, im anderen Fall von hartem Wasser. In beiden Wassertypen müssen außerdem noch organische Stoffe (Huminsäuren, Kolloide) für eine weitere biologische Aufbereitung sorgen. Weiches Wasser benötigt dabei mehr von diesen Substanzen als hartes Wasser, um lebensfreundlich zu werden.
Des weiteren finden wir im Wasser gasförmigen Sauerstoff in gelöstem Zustand. Zum Teil wird er von unseren Unterwasserpflanzen tagsüber produziert, ein Teil stammt aus der Luft selbst. Seine Löslichkeit richtet sich nach der Wassertemperatur. In kaltem Wasser ist der Sauerstoffgehalt höher als in warmem. Im wesentlichen dient er der Atmung der Fische und Pflanzen (nur nachts). Ein Großteil wird aber auch für den biologischen Abbau (Oxidation) tierischer und pflanzlicher Zerfallsprodukte benötigt. Von diesem lebensnotwendigem Gas wird noch einige Male die Rede sein.
Als weiteres Gas ist im Wasser Kohlendioxid (CO_2) gelöst. Sein Hauptproduzent sind wiederum die Fische und Pflanzen (nur nachts). Tagsüber aber benützen ihn unsere Unterwasserpflanzen als Nährstoffquelle. Kohlendioxid wird verbraucht und Sauerstoff an das Wasser abgegeben. Es besitzt außerdem regulierende Eigenschaften bei kalkhaltigem Wasser (Pufferfunktion).
Bei den zahlreichen Verwesungs- und Abbauprozessen sind in unserem Teichwasser noch viele andere Stoffe zu finden. Am häufigsten treten Stickstoffverbindungen auf. Sie sind zum Teil hochgiftig, wie z. B. Ammoniak (NH_3). Bei Anwesenheit von genügend Sauerstoff wird er aber bald in das wesentlich weniger giftige Nitrit (NO_2) umgewandelt. Nun ist nochmals ein gewisses Sauerstoffpotential notwendig, um das Nitrit in den Pflanzennährstoff Nitrat (NO_3) überzuführen. In Zierteichen mit Fischen hapert es zuweilen an genügend Sauerstoff für diesen letzten Prozess. Wir finden hohe Nitritwerte vor. Hier müssen wir mit einer zusätzlichen Sauerstoffanreicherung arbeiten (siehe S. 31).
Zur Beurteilung des augenblicklichen Zustandes unseres Teichwassers können wir auch den pH-Wert durch Teststreifen oder mit Hilfe eines elektrischen Meßgerätes ermitteln. Er gibt uns an, ob sich unser Wasser momentan in einer neutralen, sauren oder basischen (alkalischen) Phase befindet. Im Laufe von 24 Stunden ändert sich sein Wert laufend. Gemessen wird er von 0–14, wobei der Wert 7 dem Neutralpunkt entspricht. Konzentrierte, tödliche Salzsäure ergibt bei der Messung einen pH-Wert von 0, die ebenfalls tödliche 100%ige

Das Wasser

Möglichkeiten, Wasser zu überprüfen:

Eigenschaft	Abkürzung	Prüfmethode
Gesamtsalzgehalt	µS (Mikrosiemens)	Leitwertmesser
Gesamthärte	GH	Meßreagens
Karbonathärte	KH	Meßreagens
pH-Wert	pH	Meßreagens/Teststreifen
Nitrit	NO_2	Meßreagens/Teststreifen
Nitrat	NO_3	Meßreagens/Teststreifen
Sauerstoff	O_2	Meßreagens
Kohlendioxid	CO_2	Meßreagens

Natronlauge dagegen 14. Reines Wasser oder destilliertes Wasser aber zeigt den Wert 7 an. Nach unseren bisherigen Erkenntnissen ist Wasser mit pH 7 lebensfreundlich, wenn genügend organische und anorganische Substanzen im Wasser vorhanden sind. Das Vorhandensein anorganischer Salze wäre überprüfbar.

Von pH 6,0–8,5 ist fast für alle Lebewesen eine Überlebenschance gegeben. Nur wenige Pflanzen und Tiere sind auf extremere pH-Werte eingestellt (z. B. Torfmoorbewohner).

Der pH-Wert wird von pausenlos im Wasser stattfindenden chemischen Reaktionen bestimmt. Da die Natur nicht gegen sich selbst arbeitet, wird sich der pH-Wert immer im Rahmen halten, solange der Mensch nicht störend eingreift.
Abgesehen von destilliertem Wasser, ist »Wasser« nicht gleich »Wasser«. Wenn wir den Wasserhahn aufdrehen, könnten wir tagtäglich Schwankungen der darin gelösten Stoffe feststellen, wenn wir dies überprüfen würden. Der Einfachheit halber werden wir diese Werte über das zuständige Wasserwirtschaftsamt erfragen. Neben der Wasserhärte ist vor allem der Kalium-, Stickstoff- und Phosphorgehalt wichtig. Sie geraten durch den Kunstdünger in das Grundwasser und fördern das Algenwachstum. In diesem Fall müßten wir mit Regenwasser verdünnen.

Auch der Zusatz von Chlor zur Entkeimung des Trinkwassers ist von Bedeutung. Chlor ist ein flüchtiges Gas, das bei Austritt des Wassers aus der Leitung sofort aus dem Wasser entweicht. Deshalb riechen wir es auch sofort. Wenn wir chloriertes Wasser verwenden müssen, lassen wir es deshalb über ein offenes System, z. B. eine lange Plastikdachrinne, zulaufen. Bis es dann in unserem Weiher ankommt, ist es dadurch weitgehendst vom Chlor befreit.
Vor allem für Moor und Feuchte Wiese benötigen wir kalkfreies Wasser. In vielen Gegenden müssen wir auf Regenwasser zurückgreifen. Natürlich werden wir nicht gleich nach Regenbeginn unsere Dachrinne anzapfen, sondern erst einmal das Ziegeldach vom Regen säubern lassen. Aber auch später werden wir unser Regenwasser erst über ein Filtersystem laufen lassen, bevor wir es in unserem Wassergarten verwenden. Der Filter richtet sich nach der Menge des ankommenden Wassers und steht auf einem geräumigen Regenauffangbehälter, der einige Zentimeter über dem Boden einen Absperrhahn mit möglichst weitem Querschnitt und entsprechendem Schlauchanschluß aufweist. Mit unserem Gartenschlauch können wir die ankommende Wassermenge nicht schnell genug ableiten.
Unser Regenwasserfilter soll großflächig beschaffen sein. Er besteht aus vier aufrecht stehenden Brettern, die wir zusammenschrauben. Auf der Unterseite befestigen wir mittels Holzleisten ein Plastik-Fliegengitter. Als Fil-

tersubstanz verwenden wir in unterster Lage feine Perlonwatte. Darüber geben wir eine Schicht grobe Perlonwatte (Zoofachhandel). Von Zeit zu Zeit erneuern wir unser Filtersubstrat oder waschen es zumindest mit heißem Wasser mehrmals aus.
Regenwasser sollte einen pH-Wert von ungefähr 7 aufweisen. Als Regenwasserreservoir käme ein großer Plastiktank in Frage, den wir gegebenenfalls in der Erde versenken oder im Keller aufstellen. Dieses Wasser sollten wir etwas durchlüften. Die Hochförderung zum Teich erfolgt mit einer Pumpe.
Kalk- bzw. salzfreies Wasser können wir auch über eine Voll- oder Teilentsalzungsanlage herstellen. Die im Wasser gelösten Mineralien werden durch Kunstharze dem Wasser entzogen. Die Erschöpfung der Harze zeigt ein Farbumschlag an. Regeneriert werden sie mit Salzsäure bzw. Natronlauge. Eine Entkalkung können wir auch mit Oxalsäure vornehmen. Um kalkhaltiges Wasser um 1°dH zu senken, benötigen wir 22,5 g Oxalsäure auf 1000 l Wasser. Der Kalk wird dabei ausgefällt.
Auch saurer Torf besitzt eine entkalkende Wirkung. Er erschöpft sich aber nach einiger Zeit und muß ausgetauscht werden.

Für die Tiere und Pflanzen unseres Gartenteiches wäre ein Wasser mit 8–10° dH anzustreben.

All diese Wassertypen entbehren natürlich noch der biologischen Aufbereitung.
Nachdem wir nun schon halbe »Wasserkundler« sind, wollen wir uns noch mit einigen Begriffen vertraut machen. Nährstoffreiche Gewässer bezeichnet man als eutroph. Charakteristisch ist der Reichtum an Phosphor und Stickstoff. Das Wasser ist trüb und neigt zu Algenbildung und Wasserblüte. Es herrscht ein Unterangebot an Sauerstoff. Der pH-Wert liegt zwischen 7 und 8. Auf dem Boden sammelt sich Faulschlamm an. Dorf- und Fischteiche weisen diese Kennzeichen sehr oft auf. Auch ein Goldfischteich ohne entsprechende Pflege und Technik ist hier einzuordnen.
Ein nährstoffarmes Gewässer nennt man dagegen oligotroph. Bei ihm finden wir genau umgekehrte Verhältnisse vor. Ein Beispiel hierfür sind klare Gebirgsseen. Als dystroph werden Moorgewässer bezeichnet. Der hohe Huminsäure-Gehalt (Braunfärbung) hindert hier die Pflanzen, die anwesenden Nährstoffe aufzunehmen. Im Bodengrund herrscht ein Sauerstoff-Unterangebot. Der pH-Wert schwankt zwischen 4 und 5.
Als saprob wird ein mit Fäulnisvorgängen belastetes Wasser bezeichnet. Die Reaktionen verlaufen in Abwesenheit von Sauerstoff. In unserem Gartenteich kann dieser Zustand bei Verwendung ungeeigneter Erde unter einer Kiesabdeckung oder aber unter einer geschlossenen Eisdecke eintreten.
Der Fachmann kennt natürlich noch Zwischenbezeichnungen. Anhaltspunkte für die Einstufung der einzelnen Gewässertypen liefert die Mikrofauna und -flora. Es sind darunter die kleinen, oft nur mit dem Mikroskop erkennbaren Wasserlebewesen tierischer und pflanzlicher Herkunft zu verstehen.
Nach diesen grundlegenden chemischen und physikalischen Erläuterungen wissen wir also, daß wir bei mit Fischen besetzten Teichen vor allem auf optimale Sauerstoffbedingungen zu achten haben. Wir werden auf diesem Weg am schnellsten eine gute Wasserqualität erzielen. Trübungen, die von nicht abgeschlossenen chemischen Prozessen wegen Sauerstoffmangel herrühren, gehen zurück. Die entstehenden Produkte lösen sich entweder unsichtbar im Wasser und werden zum Pflanzennährstoff oder fallen als wertvoller Mulm zu Boden. Wenn letzterer wieder durch die Fische hochgewirbelt wird, müssen wir ihn notgedrungen herauszufiltern versuchen.
Bei einer größeren Wasserzufuhr entsteht ebenfalls eine Trübung. Das neu hinzugekommene Wasser wird von der Mutter Natur auf unseren Teich abgestimmt. Der im Teich vorhandene Mulm liefert die nötigen Komponenten. Er geht dabei zum Teil in Lösung, wird also weniger.
Ein gelegentlicher, teilweiser Wasserwechsel wird uns bei einem mit Fischen überbesetzten

Zierteich nicht erspart bleiben. Wir laufen sonst Gefahr, daß sich durch Überdüngung vermehrt Algen bilden oder gar die Wasserblüte auftritt.
So werden wir denn öfter und dafür weniger Frischwasser auf einmal zulaufen lassen, um unseren Teich nicht zu sehr aus dem Gleichgewicht zu bringen.
Bei extremen Temperaturunterschieden zwischen Teich- und Frischwasser finden außerdem unnötige chemische Reaktionen im Wasser statt. In solchen Fällen lassen wir es langsam über den von der Sonne erwärmten, langen Gartenschlauch zufließen, so daß es in etwa mit Teichtemperatur ankommt. Das in einem Zierteich ebenfalls in größerer Menge vorhandene, algenfördernde Kohlendioxid entweicht bei jeglicher Art von Wasserbewegung.
All diesen Problemen begegnen wir in einem Naturteich weit weniger. Allerdings sollte auch hier eine geringgradige Durchlüftung das Lebenselement Wasser in Bewegung halten.

Wassertrübung

Haben wir unseren Weiher im Frühjahr wieder mit Wasser gefüllt, sollten wir keine großen Veränderungen mehr vornehmen, um unnötige Trübungen zu vermeiden. Fische setzen wir erst ein, wenn sich unser Teich eingespielt hat und das Wasser klar geworden ist. Können wir diesen Zeitpunkt nicht erwarten, haben wir unter Umständen das ganze Jahr über mit starken Wassertrübungen zu kämpfen. Es bleibt uns kein anderer Weg, als die Fische wieder herauszufangen und abzuwarten, bis sich das Wasser von selbst geklärt hat. Wir sind uns natürlich bewußt, daß nur bei einer Besetzung mit kleinen und nicht wühlenden Fischen unser Wasser einigermaßen klar bleibt. Bei großen Tieren, die noch dazu ihr Futter am Boden suchen, müssen wir uns leider auf eine mehr oder weniger starke Trübung durch aufgewirbelte Mulm- und Erdpartikelchen gefaßt machen. Der Traum vom glasklaren Goldfischteich wird nur wahr, wenn wir pausenlos klares Wasser aus einem Bach durch unseren Weiher leiten könnten. Frisches Leitungswasser sowie Regenwasser aus der Dachrinne verschlimmern sogar Trübungen. Im wesentlichen beruhen diese zusätzlichen Wasserverunreinigungen auf Einspieltrübungen, d. h. das eingeleitete, unbiologische Wasser reagiert mit dem organischen und anorganischen Material im Teich.
Trübungen treten aber auch bei einer Massenvermehrung winziger tierischer oder pflanzlicher Organismen auf. Bei einer milchigen Verfärbung des Wassers sind Bakterien und Infusorien die Urheber. Ein grün oder gar rot gefärbtes Wasser zeugt von der Anwesenheit von Schwebealgen oder Geißeltierchen. In all diesen Fällen ist in unserem Gartenteichwasser die Lieblingsnahrung dieser Lebewesen so ausreichend vorhanden, daß es zu dieser Massenvermehrung kommt. Ist der Nährstoff aufgebraucht, verschwinden sie wieder.
Die berüchtigte Wasserblüte, eine totale Grünfärbung des Wassers bis zur vollkommenen Undurchsichtigkeit, tritt bei starker Überdüngung auf. Wenn wir Komposterde in unserem Gartenteich verwendet haben, ist diese Gefahr besonders groß. Das Wasser klärt sich erst wieder, wenn die Mikroorganismen keine Nahrung mehr aus dem gärenden Bodengrund erhalten. Dies kann monatelang dauern. Da hilft kein Zetern und Wehklagen, kein Filter, kein Wasserklärungsmittel und keine UV-Lampe. Auch eine größere Menge Süßwassermuscheln ist dagegen machtlos. Lediglich mit einer großen Portion Wasserflöhe könnten wir der Trübung zu Leibe rücken, wenn wir noch keine Fische eingesetzt haben. Wir müssen uns aber bei dieser Methode im klaren sein, daß wir nicht die eigentliche Ursache, sondern nur die Folgeerscheinung zu beseitigen versuchen. Würden uns die Wasserflöhe plötzlich absterben, haben wir nach ein paar Tagen dasselbe Dilemma wie vorher. Am besten räumen wir unseren Weiher nochmals aus und nehmen eine gewaschene Sand-Kies-Mischung als Bodengrund. Erde verwenden wir in Zukunft nur noch in Pflanzbehältern, die wir jederzeit bei Schwierigkeiten herausnehmen können. Ein

einziger Pflanztopf mit falscher Erde kann bereits 1000 l Wasser trüben. Manche Wasserpflanzengärtner sehen ihre Pflanzen zwar lieber in einer nahrhafteren Erdmischung. Wir aber müssen auch an die Nebenwirkungen denken.
Zuweilen tritt die Wasserblüte erst auf, nachdem bereits die ersten Fische im Teich schwimmen. Auch hier werden wir am besten nochmals von vorne beginnen, da eine Wasserblüte unter Umständen zu extremen pH-Wert-Schwankungen führen kann. Dies ist zwar sehr selten der Fall. Sollten wir uns aber dennoch für ein Abwarten bis zur Selbstklärung entschlossen haben, müssen wir sorgfältig auf das Benehmen unserer Fische achten. Hängen sie luftschnappend an der Wasseroberfläche, müssen wir sofort mit dem Gartenschlauch Frischwasser in scharfem Strahl aus mindestens 1 m Entfernung einspritzen oder aber die Tiere schnellstens herausfangen und in einen halb mit Teich- und halb mit Frischwasser gefüllten Behälter geben. Das Wasser wird durchlüftet und von Zeit zu Zeit frisches Wasser zugesetzt. Ein Ausräumen des Teiches bleibt uns jetzt nicht mehr erspart.
Sinnvoll wäre es, im ersten Jahr überhaupt auf Schuppenträger zu verzichten und erst im darauffolgenden Jahr den Gartenteich mit wenigen und kleinen Exemplaren zu besetzen. Aber wer bringt schon diese Geduld auf.
Das Problem Wassertrübung wird immer wieder Fragen aufwerfen. Nur zeitweilig werden wir vielleicht relativ klares Wasser in unserem bepflanzten Fischteich genießen. Wir können jedoch etwas dazutun. Das Versenken frischgrüner Wurzelstöcke oder Laubbaumstämme wäre die eine Möglichkeit. Am besten bewähren sich die Bäume, die frisch gefällt wurden. Selbst ein alter, ausrangierter Obstbaum eignet sich hierfür. Die hierin enthaltenen Stoffe klären unser Teichwasser weitgehend. Ausgetrocknete oder gar ausgelaugte Stücke haben längst nicht die Kräfte wie ein frischer Eichen- oder Buchenstamm. Sie können bei ihrem Zersetzungsprozeß sogar eine Wassertrübung hervorrufen oder verstärken. Hier ist also Vorsicht geboten.
Ungedüngter Torf im wasserdurchlässigen Sack wäre ebenfalls denkbar. Wegen Fäulnisgefahr ist aber ein allmonatlicher Austausch notwendig. Unseren Baumstamm wechseln wir dagegen nur einmal, und zwar im Frühjahr, gegen einen neuen aus. Macht uns seine Beschaffung Schwierigkeiten, sind große Rindenstücke von der Korkeiche oder ein Netz voller Fruchtzapfen von der Erle ein brauchbarer Ersatz.
Auch das in Apotheken erhältliche Tannin ist zur Besserung von Wassertrübungen geeignet. Wir lösen pro 1000 l Teichwasser einen gestrichenen Teelöffel voll in einer Gießkanne mit Wasser aus unserem Weiher auf und verteilen es möglichst gleichmäßig über die Wasseroberfläche. Bei mehr Wasserinhalt wiederholen wir die Prozedur. Schwimm- und Überwasserblätter sollten mit dem Konzentrat nicht in Berührung kommen. Notfalls überbrausen wir sie anschließend. Zeigt sich nach einer Woche kein Erfolg, können wir nochmals dieselbe Menge einbringen. Bei weiteren Gaben reduzieren wir die Menge auf die Hälfte. Das Wasser sollte nur einen leichten Gelbton aufweisen, aber nicht braun werden.
Der Vollständigkeit wegen wollen wir uns noch kurz über die bereits vorher erwähnte UV-Lampe informieren. Sie wird in der Aquaristik bei Wasserblüte und milchigen Wassertrübungen, die durch Bakterien oder Infusorien hervorgerufen werden, eingesetzt. Ihre keimtötenden ultravioletten Strahlen vernichten Mikroorganismen, wenn sie an der blauleuchtenden Lampe vorbeischwimmen. Für uns Gartenteich-Liebhaber bringt sie bei einer bereits bestehenden Wasserblüte nur in kleinen Becken den gewünschten Erfolg. Bei größeren Wasseransammlungen ist sie jedoch durchaus in der Lage, derartige Wassertrübungen im Keime zu ersticken, wenn wir sie von Anfang an im Dauerbetrieb verwenden. Die erforderliche Wasserzirkulation erreichen wir mit einer Durchlüfterpumpe.
Eine Überfütterung führt z. B. zwangsläufig zu einer ausgedehnten Bakterien- und Infusorienbildung, die wir mit unserer UV-Lampe weitgehend unter Kontrolle bringen könnten.

Natürlich soll uns in diesem Zusammenhang klar sein, daß wir das eigentliche Übel nicht von der Wurzel her angehen, sondern nur seine Nebenwirkung ausschalten. Wir müssen uns daher bei trüben Wasserverhältnissen Gedanken machen, was wohl der auslösende Faktor ist. Bei etwas Überlegung und Einfühlungsvermögen kommen wir sicherlich sehr bald dahinter. Eine ausschließliche Beeinflussung der augenfälligen Erscheinung – sprich Trübung – beschwört nämlich nur eine andere, uns unerwünschte Reaktion herauf. Es treten vermehrt Algen auf.

Algenplage

Neben der Wassertrübung sind Algen für uns Gartenteich-Besitzer ein Dorn im Auge. Dabei wollen sie uns doch nur helfen, unseren Weiher ins Lot zu bringen. Ein ungestört mit Algen besiedelter Teich ist klar, fischen wir die Algen dauernd heraus, bleibt er trüb. Im Winter bilden oft große Wattebäusche von Fadenalgen den Gegenpol für unsere »schlafenden« Wasserpflanzen. Sie tragen wesentlich dazu bei, daß unsere Fische wohlbehalten über den Winter kommen. Im Frühjahr vorhandene Algenpolster verschwinden erst, wenn die übrigen Wasserpflanzen ihre Tätigkeit voll übernommen haben. Ist unser Weiher im Verhältnis zu den Nährstoffproduzenten, also den Fischen, ungenügend bepflanzt, sind sie das ganze übrige Jahr hindurch weiter mit tätig und gehen nicht zurück. Es liegt also an uns und nicht an diesen grünen Gespinsten, wenn wir uns unwissenderweise über sie ärgern. Stören wir diese Pflanzen in irgendeiner Form, treten zwangsläufig Wassertrübungen auf. Es erhebt sich im Grunde also die Frage, was wir eher in Kauf nehmen wollen: Fadenalgen oder trübes Wasser.

Fladenförmige, schmierige Beläge, die bei Sonneneinstrahlung an die Wasseroberfläche steigen, um am Abend wieder auf den Boden hinabzusinken, zeigen uns ausgedehnte Gärprozesse in der eingebrachten Erdmischung an. Diese berüchtigten, blaugrünen Schmieralgen deuten gleichzeitig auf eine Vergiftung des trüben Gartenteichwassers hin. An dem unnatürlichen Benehmen unserer Fische macht sich dies bald bemerkbar. Nur ein sofortiges Herausfangen kann uns vor Verlusten bewahren. Unseren Gartenteich aber müssen wir ausräumen und neu gestalten. Abzuwarten, bis die Gärprozesse abgeschlossen sind, würde zu lange dauern.

Jeglicher Art von Algen den Kampf mit chemischen Mitteln anzusagen, ist von Anfang an zum Scheitern verurteilt. Mit Kupfersulfat oder Kaliumpermanganat erreichen wir bei ausgewogener Dosierung zwar einen momentanen Erfolg. Was aber ist das Ende vom Lied? Die toten Algen führen bei ihrer Verwesung zu einer starken Wassertrübung. Da außerdem die Wirkung der Bekämpfungsmittel nicht lange anhält, können wir zusehen, wie sich neue Algen bilden, deren Sporen uns der Wind hineingeweht hat. Sie finden allein von unseren toten, verwesenden Algen her genügend Nährstoffe im Wasser vor.

Von einer erneuten Behandlung aber ist abzuraten, weil schon beim ersten Mal unsere übrigen Pflanzen einen Teilschaden davongetragen haben, wenn wir nicht gar bereits bei der ersten Zugabe die ganzen Teichbewohner durch eine Überdosis verloren haben. Leider ist dies schon oft vorgekommen. Wenn unsere Fische diese Prozedur lebend überstehen sollten, sind auch sie geschädigt. Einmal durch das Mittel selbst, des weiteren aber durch die anschließende Wasserverschlechterung von seiten der toten Algen.

Wenn wir uns all dies einmal durch den Kopf gehen lassen, müssen wir zugeben, daß wir mit einem solchen Unterfangen mehr kaputt- als gutmachen. Das gewünschte Ziel erreichen wir nur durch Einsatz vieler schnellwachsender Schwimm- und Unterwasserpflanzen.

Zu den algenfeindlichen Pflanzen zählen vor allem Laichkräuter, Wasserpest, Hornkraut, Wasseraloe, Froschbiß, Muschelblume und die Wasserhyazinthe.

Die Pflege der Wasserpflanzen

Wenn wir unsere Sumpf-, Schwimm- und Unterwasserpflanzen im Frühjahr eingesetzt haben, sollten wir sie tunlichst in ihrem Wachstum nicht mehr stören. Neu hinzukommende Gewächse werden möglichst schonend, ohne viel »Staub« aufzuwirbeln, gepflanzt. Wenn eine Pflanzenart in ihrem Ausbreitungsdrang benachbarte Exemplare zu sehr einengt, reißen wir sie nicht einfach heraus, sondern schneiden die störenden Blätter oder Triebe nahe ihrer Ursprungsstelle ab. Erst im nächsten Frühjahr versetzen wir sie notfalls an eine passendere Stelle. Entweder verpflanzen wir sie mit Erde oder wir nehmen sie heraus und waschen sie gründlich ab. Dann kappen wir ihre Blätter und Triebe. Nur die 2–3 jüngsten Sprosse lassen wir stehen. Die Wurzeln schneiden wir so weit zurück, daß die Pflanze im Bodengrund noch Halt findet und nicht hochgetrieben wird. Durch diese Art der Pflanzenbehandlung erhalten wir am schnellsten wieder kräftige, blühwillige Exemplare. Unsere umgesetzte Pflanze hat in diesem Fall keine unnötigen Blätter mitzuernähren, die ohnedies bald abgestorben wären. Auch die alten Wurzeln haben durch das Umpflanzen nur noch eine kurze Lebensdauer. Die Pflanze muß ein völlig neues Wurzelsystem aufbauen, das logischerweise zu Anfang nur wenige Blätter ernähren kann.

Wurzelstöcke – also Rhizome – zerteilen wir und behalten die jüngsten Austriebe zurück. Je länger das verbleibende Rhizomstück, z. B. unserer Seerose ist, desto weniger laufen wir Gefahr, daß sie von der Schnittfläche her vollständig verfault. Ein Teil wird immer absterben, ehe eine Selbstheilung erfolgt.

Eine glatte Schnittstelle durch ein scharfes Messer ist einem Auseinanderbrechen vorzuziehen. Am wenigsten Angst um unsere Pflanzen mit Wurzelstock müssen wir in dieser Beziehung haben, wenn wir sie nicht gleich einsetzen, sondern erst eine Woche lang im freien Wasser unseres Teiches schwimmen lassen, damit die »Wunde« leichter abheilt. Hier haben wir sie auch besser unter Kontrolle.

Wollen oder müssen wir das Rhizom gleich wieder einpflanzen, so bedecken wir die verletzte Stelle möglichst nicht mit Substrat. Die Gefahr, daß Pflanzen dieser Art ausbleiben, besteht allerdings nur in frisch eingebrachtem, biologisch noch nicht eingespieltem Untergrund. Im Grunde genommen brauchen wir also nicht ängstlich zu sein, wenn wir in unserem alten, eingespielten Pflanzsubstrat eine Pflanzenart umgruppieren. Vorsicht ist vor allem bei einer Neupflanzung geboten.

Zuweilen passiert es, daß eine in einem geschlossenen, nur nach oben offenen Behälter sitzende Pflanze Nährstoffmängel zeigt. Da sie ohnedies bereits geschwächt ist, werden wir sie nicht nach alter Manier in vollkommen neuen Bodengrund pflanzen. Wir setzen sie entweder samt Ballen in ein größeres Pflanzgefäß oder spülen mit der Gießkanne den verbrauchten Bodengrund bis zur Hälfte aus dem alten Pflanztopf. In beiden Fällen füllen wir mit neuem Pflanzsubstrat auf, dem wir etwas eisenaktiven Dünger sowie einige Hornspäne beimengen können. Wenn möglich, setzen wir sie gar in einen Gitterkorb und ersparen uns so in Zukunft diese Mühe.

In Zierteichen mit Fischen als Nährstofflieferanten wird so etwas kaum passieren, in reinen Naturteichen kann es eher zu Mangelerscheinungen kommen. Besonders bei Verwendung von Regenwasser ist dieser Gefahrenpunkt gegeben. Dabei ist es weniger der Mangel an Nährstoffen wie Kohlendioxid und Nitrat, die unsere Pflanzen kümmern und gelb werden lassen, als das Fehlen anderer Mineralstoffe und Spurenelemente. Zur Blattgrün-Bildung benötigt die Pflanze unter anderem Magnesium. Im aufgefangenen Regenwasser ist es bestimmt nicht vorhanden, und unser Bodengrund enthält auch nicht unerschöpfliche Reserven. Deswegen müssen wir aber jetzt nicht unseren Teich ausräumen und neue Erde einbringen, von der wir ohnedies nicht wissen, ob sie alle pflanzennotwendigen Stoffe enthält. Wir lösen dieses Problem viel eleganter. Wir gießen unseren Weiher mit Flüssigdünger für Gartenteiche und geben zusätzlich Spurenelemente ins Wasser. Beides ist im Zoofachhandel bzw. Gartencenter erhältlich. Bei der Anwendung verfahren wir jedoch nicht nach dem Motto »Viel hilft viel«, sonst fördern wir nur das Algenwachstum.

Alte, vergilbte oder gar schon braune Blätter und Pflanzenteile entfernen wir am besten regelmäßig mit einem Zweigabschneider an langem Stiel, um unseren Zierteich nicht zusätzlich mit verwesenden Stoffen zu belasten. Sie bergen immer die Gefahr einer Wassertrübung und Wasserverschlechterung. Wenn möglich, möchten wir ja auch unsere Fische lieber auf natürliche Art im Freien überwintern als im Hause. Dazu benötigen wir ein möglichst nicht durch ausgedehnte Faulprozesse belastetes Wasser. Die reinen Fischpfleger, die in einem fast pflanzenfreien Teich ihre Pfleglinge über die Runden zu bringen versuchen, haben vielleicht nur ihre – in einem Korb oder einer Kiste sitzende – Seerose zu versorgen. Aber für uns Vivarianer, die für alles Leben im Gartenteich Interesse haben, wird diese nun einmal notwendige Arbeit mehr oder weniger zur Erholung. Erst bei dieser Betätigung kommt uns eigentlich so recht zu Bewußtsein, wie die eine oder andere Pflanze auf ihren Standort reagiert hat. Gerade hierdurch sehen und lernen wir am meisten.

Zuweilen nehmen gewisse Schwimm- und Unterwasserpflanzen überhand. Wir lichten sie nicht auf einmal, sondern in Etappen, um keine allzu großen Störungen im Wasserchemismus zu erhalten. Bei einem fischfreien Naturteich müssen wir außerdem bedenken, daß die Molche ihre Eier an Wasserpflanzen ablegen. Wir werden deshalb nicht vor Anfang Juli schonend eingreifen. Vor dem Absterben der Pflanzen im Herbst können wir nochmals reduzieren. Alle herausgenommenen Pflanzen überprüfen wir natürlich nach daransitzenden Wassertieren und setzen letztere in das feuchte Element zurück.

Bei Gewächsen unserer übrigen Biotope beschränken wir uns auf das Abschneiden störender Seitentriebe und das Freilegen vom Überwuchern bedrohter Exemplare. Ein Entfernen abgestorbener Pflanzenteile im Herbst ist nicht zulässig. Die Natur regelt dies alleine. Dicke Laublagen sind allerdings im Moor und auf der Feuchten Wiese zu entfernen, da sie in der freien Natur in diesen baumarmen Gebieten auch nicht anzutreffen sind.

Erst im Frühjahr sollten wir störende alte Samenstände und Blätter abschneiden, Umpflanzungen vornehmen und eventuell leicht mit der jeweiligen Bodenabdeckung nachdüngen. Unerwünscht auftretende Pflanzenarten sind dagegen während des ganzen Jahres zu entfernen.

Leider erhalten wir zuweilen nur die Samen unserer erwünschten Pflanzen. Sie keimen aber nicht alle in Einheitserde. Die einen wünschen kalkhaltigen, die anderen wiederum lehmigen Boden, wenn sie nicht gar Torfuntergrund benötigen. Diesen Ansprüchen müssen wir Rechnung tragen, wenn wir Erfolg haben wollen. Ebenso wichtig ist es, daß wir die Samenkistchen nicht erst nach Eintreffen der Samen mit dem erforderlichen Bodengrund beschicken. Sie sollten schon einige Wochen vorher hergerichtet und der Witterung ausgesetzt werden. Wegen der Bodenbakterien dürfen unsere Kistchen auch ohne Samen nie austrocknen.

Für kalkhaltigen Bodengrund vermischen wir Torfmull und Kalksand im Verhältnis 1:1; Lehm lockern wir durch Zugabe von Quarzsand (1:1) etwas auf; saure Bodenverhältnisse schaffen wir, indem wir Fasertorf mit Quarzsand (1:1) vermengen. Leider ist Torf nicht gleich Torf. Zur Vorsicht werden wir deshalb erst etwas Fasertorf in einem Glas mit destilliertem Wasser aufschwemmen und nach einigen Tagen mittels eines Meßstreifens den pH-Wert überprüfen. Er sollte zwischen 5 und 6 liegen. Und noch ein Hinweis: Bei einem Platzregen werden die Samen leicht von ihrer ursprünglichen Aussaatstelle weggeschwemmt und vermischen sich gar mit anderen. Wir decken sie deshalb mit einer schweren Glasscheibe (Sturmwind!) ab, die aber nicht unserem Samenkasten unmittelbar aufliegen darf. Im übrigen heißt es hier, Geduld zu haben. Selbst wenn wir im Frühjahr die Samen ausgebracht haben, keimen sie oft erst im nächsten Jahr. Als Frostkeimer müssen sie eine Kälteperiode durchmachen. Besonders Ungeduldige können einen Teil solchen Saatguts für zwei bis drei Wochen in die Tiefkühltruhe geben und damit einen Versuch starten.

Die Fütterung der Fische

In unserem Gartenteich haben wir die Ernährung der Bewohner nicht so unter Kontrolle wie in einem Aquarium. Eine Beurteilung durch Seitenansicht entfällt zumeist. So füttern wir denn rein willkürlich. Diese Art der Fütterung erfordert jedoch ein gewisses Maß an Erfahrung und Fingerspitzengefühl. Geben wir zuviel, führt dies zu Wassertrübungen, überlassen wir dagegen die Ernährung unserer Wasserbewohner der Natur, so kommt es leicht zu Mangelerscheinungen. Sicherlich läßt Regen oder Tau so manchen unvorsichtigen Regenwurm für unser Auge unbemerkt im unersättlichen Magen eines Goldfisches verschwinden. Untertags mag so manches durstige Insekt das Opfer unserer ewig hungrigen, oberflächennahen Goldforellen, Silber- oder Goldorfen werden. Auf diese Zufälle dürfen wir uns jedoch nicht verlassen, wenn wir gesunde Tiere haben wollen. Die Tatsache, daß ein Fisch in der freien Natur ja auch nicht gefüttert wird, ist auf unseren Gartenteich nicht übertragbar. Es sei denn, wir setzen nur ein oder zwei Fische in unseren mindestens 1000 l fassenden Weiher. Dann können wir sie getrost sich selbst überlassen.
Im freien Naturgewässer regelt sich der Fischbesatz ganz von alleine. Es leben hier nur so viele Fische, wie der Teich ernähren kann. Gewiß spielen noch andere Gesichtspunkte eine Rolle. Selbige wollen wir jedoch im Augenblick außer acht lassen. Für uns ist allein die Tatsache maßgebend, daß wir mehr Tiere in unserem Wasserbereich erfolgreich halten wollen, als es die Natur normalerweise zuläßt. Also müssen wir zusätzlich etwas unternehmen. Dies gilt nicht nur für unsere Fische; auch die Wasserschildkröten müssen wir zwangsläufig – notfalls mit gewässertem Seefischfleisch – an ihr gegenwärtiges Zuhause binden. Dem Grünen Wasserfrosch bieten wir in der Zoohandlung erhältliche Mehlwürmer an. Wenn wir das nicht tun, müssen wir damit rechnen, daß diese Tiere in absehbarer Zeit abwandern, um nach besseren Futterbedingungen zu suchen.
Unsere wasserbewohnenden Fische aber können uns nicht entfliehen. Wir müssen sie deshalb nach bestem Wissen und Gewissen versorgen. Das teuerste Teichfutter ist gerade gut genug, um sie über die Runden zu bringen. Zusätzlich sollten wir mindestens zweimal wöchentlich Lebendfutter in Form der noch am leichtesten erhältlichen Tubifexwürmer anbieten. Notfalls geben wir fettfreies Rinderhack (kein Hackfleisch) oder durch den Fleischwolf zerkleinertes, mageres Rinderherz. Lebende oder tiefgefrorene Rote Mückenlarven können wir ebenfalls in einschlägigen Fachgeschäften erwerben. Fliegenmaden und Regenwürmer erhalten wir in Geschäften für Angelbedarf, wenn wir letztere nicht gar selbst in unserem Garten suchen. Gerade bei der Eingewöhnung neuer Tiere müssen wir in dieser Hinsicht Opfer bringen. Je mehr Gedanken wir uns über eine gezielte Fütterung machen und auch verwirklichen, desto mehr erfreuen wir uns am steigenden Wohlbefinden unserer Pfleglinge.
Ich bringe das Futterproblem deshalb so ausführlich, weil es neben den biologischen Wasserverhältnissen der ausschlaggebende Faktor ist, uns weitgehend Kummer und Ärger zu ersparen. Selbst wenn es auch nur ein sich schleimig und kalt anfühlender Fisch ist, den wir zu unserem Gartengenossen erkoren haben, so unterliegt er doch ähnlichen Lebensvoraussetzungen wie wir. Eine Zeitlang mundet ihm eine Futtersorte, aber schon nach kurzer Zeit ist er ihrer überdrüssig. Wir essen ja auch nicht jeden Tag das gleiche. Also sollten wir unseren Wassergarten-Bewohnern auch etwas Abwechslung bieten. Tiere sind in dieser Hinsicht ebenso wählerisch wie wir Menschen. Sie fressen in der Freiheit nur ganze Futtertiere, die Nähr- und Ballaststoffe in wohlabgewogenen Mengen enthalten. Was wir ihnen bieten, nehmen sie zwar zum Teil dankend an. Ob

das käufliche Flockenfutter allerdings alle lebensnotwendigen Stoffe in ausreichendem Maße enthält, darüber müssen wir Beobachtungen anstellen. Nach meinen Erfahrungen reicht diese bequeme Art der Fütterung leider nicht ganz aus.
Weiterhin gilt zu bedenken, daß sich der Fisch in der freien Natur seine Nahrung in harter Kleinarbeit suchen muß. Wenn er halbwegs gesättigt ist, unterbricht er diese anstrengende Tätigkeit und gibt sich in Ruhe der Verdauung hin. Ein übervoller Magen schadet ihm ebenso wie uns. Deshalb füttern wir lieber öfter und wenig als einmal und viel. Zehn Goldfischen mit 5 cm Länge oder fünf Tieren zwischen 8 und 10 cm geben wir z. B. zwei- bis dreimal am Tag einen gehäuften Teelöffel Futter irgendwelcher Art. Dieser Anhaltspunkt gilt natürlich nur für die warme Jahreszeit. Bei sinkender Wassertemperatur müssen wir die Nahrungsaufnahme überwachen und entsprechend reduzieren. Bei einer Wasserwärme von nurmehr 12° C stellen wir die Fütterung ganz ein.

Ein- und Überwinterung

Alljährlich, wenn das nächtliche Lied der Großen Laubheuschrecke aus den benachbarten Bäumen und Sträuchern erklingt, kommt auch für uns die Zeit, wo uns der Gartenteich etwas Arbeit beschert. Den ganzen Sommer über haben wir ihn möglichst in Ruhe gelassen, um nicht durch störende Eingriffe die Einheit Wasser – Fisch – Pflanze aus dem Gleichgewicht zu bringen. Jetzt gilt es sorgfältig zu überlegen, wie wir unseren Kunstteich wohlbehalten über die Zeit des Eises hinwegbringen.
Nicht Kälte allein, sondern Frost und Eis sind unsere Gegner. Wenn eine dicke Eisschicht die Wasseroberfläche bedeckt, kommt der lebensnotwendige Austausch von Sauerstoff und Kohlendioxid zwischen Luft und Wasser fast zum Erliegen. Die Atmung der Fische während der Winterruhe ist zwar stark herabgesetzt; nur wenige Male in der Minute bewegen sie ihre Kiemendeckel. Ein nicht zu unterschätzender Sauerstoffverbraucher sind jedoch in dieser Zeit unsere Wasserpflanzen. Die abgestorbenen Pflanzenteile fahren fort, sich unter dem Eis zu zersetzen und zu verwesen. Dieser Prozeß verläuft in der freien Natur meist ohne Komplikationen. Ein Heer von Kleinlebewesen hilft hierbei mit. Die Rote Mückenlarve und auch der Tubifex sitzen zu dieser Zeit im Schlamm der Gewässer und ernähren sich bevorzugt von totem Pflanzenmaterial. Wo aber sind unsere Mitstreiter im Gartenteich? Sie sind fast ausnahmslos im Magen unserer Fische gelandet. So übernehmen in unserem Weiher spezielle Bakterien allein diese Aufgabe. Sie sind so winzig klein, daß sie bis zu Frostbeginn längst nicht mit ihrer Tätigkeit fertig sind. So arbeiten sie unter dem Eis weiter. Da der Nachschub an Sauerstoff von der eisbedeckten Oberfläche her unterbrochen ist, sie aber bei ihrer Tätigkeit viel Sauerstoff verbrauchen, ist eines Tages der Vorrat an diesem Gas erschöpft. Die Bakterien sterben ab, aber die Zersetzung geht weiter. Es tritt nunmehr ein anderes Heer von Mikroorganismen auf, die ohne Sauerstoff das abgestorbene Pflanzenmaterial weiterverarbeiten. Unter ihrer Einwirkung entstehen schädliche, z. T. giftige Abbauprodukte. Sie produzieren vor allem gasförmige Verbindungen, die zuweilen in kleinen und großen Luftblasen an die Oberfläche steigen. Wie unsere Fische in solchen Fällen reagieren, können wir uns lebhaft ausmalen. Nach dem Auftauen des Eises finden wir nur noch Fischleichen vor.
Was sollen wir tun? Welche Möglichkeiten haben wir? Nun, bei Minitümpeln in Form von halbierten Fässern, Eternitschalen und Badewannen müssen wir wohl oder übel unsere Fische herausfangen und im Hause überwintern. Das Übergangsbecken (keine Kupfer-, Zink- oder Aluminiumbehälter!) stellen wir an einem kühlen, aber frostfreien Platz auf. Die Temperatur darf im tiefen Winter ruhig auf +5° C absinken. Sehr wichtig ist es, daß wir für die Füllung auf keinen Fall nur frisches Leitungswasser verwenden. Wir nehmen möglichst viel Wasser aus unserem Freilandtüm-

Nicht nur im Sommer ist unser Gartenteich eine Zierde.

pel, geben die Fische hinein und füllen erst den Rest mit anderem Wasser auf. Beim Herausfangen achten wir natürlich darauf, daß wir die Schleimhaut der Fische möglichst wenig verletzen. Mutters rauhes Nudelsieb ist nicht gerade das geeignete Fanggerät. Ein kleiner Filter, zumindest aber eine kleine Durchlüfterpumpe sorgt für eine geringgradige Wasserzirkulation. Auf keinen Fall füttern wir während der Überwinterungsperiode, tauschen aber von Zeit zu Zeit etwas altes gegen frisches Wasser aus.
Wir können unsere Fische aber auch im nicht frostfreien Gewächshaus oder Gartenhäuschen überwintern, wenn wir hier einen Stromanschluß für einen Heizstab und die Durchlüftungspumpe besitzen. Das Überwinterungsbecken stellen wir auf eine dicke Styroporplatte und verkleiden damit auch die Außenwände. Gegen weiteren Wärmeverlust und eine zu starke Wasserverdunstung decken wir oben mit dicken Glasscheiben ab. Als Heizstab nehmen wir eine ganz einfache Ausführung, also keinen Thermostatheizer. Pro Liter Wasser legen wir 1 Watt Heizleistung zugrunde. Eingeschaltet wird er natürlich erst bei Frostgefahr.
Mit einem Aquarienthermometer kontrollieren wir die Temperatur. Unsere Durchlüfterpumpe soll nur eine leichte Wasserumwälzung erzeugen, die wir mit einer Schlauchklemme regulieren können. Einer Eispfropfbildung im Luftschlauch durch Kondenswasserbildung beugen wir durch Aufhängen der Pumpe und ein stetiges Gefälle des Luftschlauches zum Aquarium hin vor. Er darf auf keinen Fall durchhängen. Am einfachsten wäre, die Pumpe auf die besagten Glasplatten zu stellen, aber unsere Fische lieben dies nicht. Die Beckengröße sollte natürlich in einer bestimmten Relation zur Fischzahl und -größe stehen. Wenn ihre Reaktionen und Stoffwechselvorgänge

durch die niedrige Temperatur auch weitgehend reduziert sind, sollten sie sich doch nicht wie Sardinen in der Konservendose fühlen. Außerdem besteht die Gefahr gegenseitiger Hautverletzungen beim Schwimmen. Einen Austausch von Alt- gegen Frischwasser (¼) nehmen wir nur bei Tauwetter vor.
Natürlich denkt mancher von uns auch an die Garage als Überwinterungsort. Wegen der tödlichen Abgase, die – von unserer Durchlüftungspumpe angesaugt – direkt im Aquarium landen würden, ist sie vollkommen ungeeignet.
Sollen kälteempfindliche Fische im Zimmeraquarium »überwintert« werden, so darf die Überführung nicht erst im Oktober erfolgen. Spätestens bei einer Wassertemperatur von 14–15° C sollten wir sie mit viel Wasser aus dem Teich umquartieren. Das restliche Auffüllen erfolgt mit Leitungswasser von gleicher Temperatur. Nun lassen wir das Aquarium sich langsam durch die Zimmertemperatur erwärmen.
Jetzt haben wir noch unsere frostempfindliche Seerose zu versorgen. Müssen wir unseren Teich im Winter trockenlegen, weil er senkrechte Wände aufweist oder gar frei auf dem Erdboden steht, überwintern wir unser Schaustück zusammen mit den Fischen. Zu diesem Zweck nehmen wir sie aus dem Untergrund heraus, spülen sie gut ab, kürzen die Wurzeln und geben sie in das Überwinterungsbecken. Zweckmäßiger wäre natürlich ein Zweitbekken für unsere Pflanze. Wir könnten sie dann in ihrem Pflanzkorb belassen und sie müßte nicht jedes Jahr neu anwachsen. Pflanzkorb und Fische zusammen in einen Behälter zu setzen, ist nicht ratsam.
Auch ein Ablassen des Wassers und eine anschließende Bedeckung der Seerose mit einer hohen Laubschicht wäre denkbar. Diese Maßnahme erfordert aber gleichzeitig eine wasserdichte Abdeckung, damit nicht Schnee und Winterregen unser Kleinod unter Wasser bzw. Eis setzen und damit gefährden. Andererseits besteht die Gefahr, daß unsere Seerose in ihrem Pflanzbehälter vertrocknet. Nur frei im Bodengrund sitzende Pflanzen haben eine Überlebenschance. Am meisten Kummer bereitet uns jedoch die Entfernung des Laubes im Frühjahr, das in den untersten, feuchten Lagen bereits in Fäulnis übergegangen ist.
Die dritte Möglichkeit – an und für sich die natürlichste – ist das Wiederauffüllen mit Wasser nach dem Herausfangen der Fische. Selbst wenn wir unsere Seerose in einem Pflanzbehälter gefangen halten, wird sie kaum Schaden leiden. Das den Wurzelstock umhüllende Substrat hält sie »warm« und eisfrei. Außerdem sitzt sie sicherlich in einer Wassertiefe von mehr als 20 cm. Tiefer gefriert es ohnedies kaum. Wenn wir unseren Behälter zusätzlich mit einer – in diesem Fall wasserdurchlässigen – Abdeckung aus dicken Brettern versehen, haben wir für den Rest des Winters vorgesorgt. Selbst, wenn Eis unseren Weiher bedeckt, verdunstet nämlich Wasser. Durch die Ritzen der Bretter aber kann Schnee- und Regenwasser dieses Defizit wieder ausgleichen. Bei senkrechten Wänden spreizen wir Styropor in der unten geschilderten Art und Weise beim Abdeckvorgang unter die Holzbohlen. Nicht winterharte, also frost- und eisempfindliche Gewächse überwintern wir entweder im kühlen Keller in mit Teichwasser gefüllten Plastikwannen oder wir versenken sie auf den Grund unseres Teiches. Die Pflanzkörbe haben wir natürlich gleich zu Anfang mit einem Henkel aus nicht verrottbarer, kräftiger Perlonschnur versehen, damit wir sie leichter auf dem Boden unseres Teiches verbringen und im Frühjahr mit dem Rechen bequemer wiederfinden und vorsichtig hochziehen können. Wichtig ist, daß die Gitterwandung stabil genug ist und nicht bricht. Behälter mit nicht winterharten Sumpfpflanzen können wir auch im Erdreich versenken und mit einer dicken Schicht Laub abdekken. Darüber legen wir Fichtenreisig, damit uns die Blätter nicht beim nächsten Sturm davonfliegen. Beim Ablassen des Teiches müssen alle Pflanzkörbe wegen der Austrocknungsgefahr in Erde eingeschlagen werden. Alle Arten von Unterwasserpflanzen müssen wir natürlich im Wasser überwintern.
Bei größeren Anlagen ist die Wassertiefe entscheidend, ob wir unsere Fische erfolgreich

überwintern können. Mindestens 70 cm ohne Bodengrund sollte sie betragen. Außerdem müssen wir folgende Regeln beherzigen: Bei einem Gartenteich mit geraden Wänden versuchen wir mit schräg eingebrachten Styroporplatten, die Macht des Eises zu mildern. Mindestens die Hälfte des Umfanges müssen wir in dieser Weise auskleiden. Oft helfen uns über den Teichrand hinausstehende Trittplatten, die auftriebsstarken Kunststoffgebilde unter einem leichten Neigungswinkel funktionsgerecht anzubringen. Im anderen Fall nützen uns nur mit großen Steinen beschwerte, über den Teichrand hinausragende Bretter, die 50 × 100 cm großen und in unserem Fall mindestens 2 cm dicken Platten unter Wasser zu fixieren. Es genügt dabei eine Eintauchtiefe von 30 cm.

In der Bauanleitung wurde schon eindringlich darauf hingewiesen, daß das Erdreich in nächster Umgebung des Wasserbeckens vorsichtshalber abgetragen und durch eine wasserableitende Kiesfüllung versehen werden soll. Wasserhaltige, gefrorene Erde hat zwar bei weitem nicht die Kraft, den Teich von außen her zu sprengen. Die im Erdreich verborgene Außenwandung könnte jedoch insofern Schaden nehmen, daß das Eis alljährlich Stücke unseres Betons abtrennt.

Der Hauptfeind unserer Wassertiere sind und bleiben allemal die verwesenden Pflanzenteile.

Ihnen müssen wir unser Hauptaugenmerk schenken. Die eingangs gewonnenen Erkenntnisse zwingen uns förmlich, alle toten Blätter und Blütenstände zu beseitigen, damit sie während des Winters unseren Gartenteich nicht belasten. Schon im Spätsommer beginnen die Erfahrenen unter uns, die vergilbten Blätter von Seerosen und Sumpfpflanzen unterhalb der Wasseroberfläche abzuschneiden und zu entfernen. Durch diese Methode bringen wir keine so große Unruhe in unseren Teich, als wenn wir alles auf einmal an einem schönen Herbsttag erledigen. Andererseits gehen schon während des Jahres laufend die ältesten Blätter zugrunde. Sie sind keinesfalls ein schöner Anblick. Deshalb gewöhnen wir uns an, schon Ende August mit der Einwinterung zu beginnen.

Auch den Bodengrund unterwerfen wir einer Kontrolle auf Sumpfgasbildung. Mit einem langen Stock stupfen wir systematisch den Bodenbelag durch und achten dabei auf etwa aufsteigende Gasblasen. Natürlich können wir dies nur bei sandig-kiesigem Bodengrund durchführen. Haben wir Erde unter unserer Kiesabdeckung, würden wir mit dieser Methode die Erde nach oben und die schweren Kiesel nach unten befördern. In diesem Fall kontrollieren wir durch leichtes Abstupfen der Erdabdeckung (Rechen).

Finden wir nur vereinzelte Stellen mit Gasbildung, so genügt hier ein vorsichtiges, mehrmaliges Auflockern des Bodens über mehrere Tage. Ist dagegen der ganze Untergrund verseucht, können wir hier unsere Fische nicht gefahrlos überwintern. In diesem Fall sollten wir wohl oder übel die Tiere herausfangen und nach bereits erwähnter Methode im Hause überwintern. Ist dies nicht möglich, müssen wir das Wasser ablassen und den stickigen Bodengrund entfernen. Dieser Eingriff sowie anschließend das viele Frischwasser beim Wiedereinfüllen ist natürlich eine gewaltige Störung für unseren Gartenteich und seine Bewohner. Aber lieber jetzt als erst im Frühjahr, wo es für unsere Fische bereits zu spät sein kann. Gelegentliche Kontrollen auf Gasbildung, z. B. zusammen mit dem Entfernen alter Blätter, sollten uns deshalb zur Gewohnheit werden, damit wir frühzeitig genug diesem Übel durch stetige Bodenauflockerung begegnen können. Zusätzlich können wir versuchen, mit einem großen, drei- oder viereckigen Netz (Maschenweite Fliegengitter) an einem langen Stiel soviel Schmutz wie nur möglich vom Boden abzufischen. Auch das später hineinfallende Laub müssen wir auf diesem Weg entfernen. Einfacher haben wir es, wenn wir während dieser Zeit über unseren Weiher ein Vogelschutznetz spannen.

Noch ein Punkt ist bei der Einwinterung zu beachten. Speziell im Herbst kommt es zu einer starken Belastung des Wassers durch chemische Reaktionen, die wir nie restlos werden verhindern können. Das Sommerwasser wird zum Winterwasser. Der unvermeidliche Bodenmulm schwimmt in kleinen Partikelchen plötzlich im freien Wasser und legt sich unschön auf Wänden und Unterwasserblättern nieder. Die bekannte Herbsttrübung unserer Gewässer macht sich auch bei unserem Gartenteich bemerkbar. Sie belastet stark den Organismus unserer Fische. Besonders die Atmungsorgane werden gereizt. Es ist die Zeit der Kiemenentzündungen, Haut- und Flossentrübungen. Manch altersschwachen oder kranken Fisch merzt die Natur in dieser Zeit aus. Wir erleichtern unseren Teichbewohnern diese Phase, indem wir das Wasser mit Sauerstoff anreichern (siehe S. 31) und Frischwasser zuführen. Entweder lassen wir das Wasser im Dauerbetrieb langsam zulaufen oder aber wir ersetzen von Zeit zu Zeit einen Teil des Altwassers durch unverbrauchtes. Erster Methode ist natürlich der Vorzug zu geben. Es erfolgt laufend eine Verdünnung des schlechten Milieus. Im anderen Fall führen wir nur von Zeit zu Zeit neues Wasser hinzu; wieviel und wie oft ist schwer anzugeben. Als Richtlinie mag vielleicht eine Teichfüllung pro Monat gelten.

Es wäre natürlich ungut, dies auf einmal durchzuführen. Lieber öfters und wenig als einmal und viel lautet auch hier wiederum die Parole. Nach dem Entfernen der letzten Seerosenblätter tauschen wir in jedem Fall die Hälfte des Altwassers gegen Frischwasser aus, wenn wir vorher keine Zeit hatten. Von da an lassen wir den Gartenteich am besten in Ruhe. Haben wir alle Faktoren berücksichtigt, kommen unsere Goldfische und alle übrigen Teichbewohner wohlbehalten über den Winter.

Schwierigkeiten wird es nur geben, wenn wir viele Fische in unserem Gartenteich überwintern wollen oder der Winter sehr streng und lang ist. In unserem Weiher kommt es in einem solchen Fall leicht zu Massensterben oder Totalausfall. Es fehlt einmal die natürliche Grundwasserzirkulation. Eine dicke Eisschicht verhindert neben dem Zutritt von Sauerstoff des weiteren das Entweichen des in erhöhter Konzentration tödlich wirkenden Kohlendioxids. Deshalb müssen wir mit technischen Mitteln arbeiten, um unsere Goldfische heil über diese Zeit zu bringen. Der installierte Heizer lockert etwas die Eisschicht und bewirkt oft schon genügend Zirkulation für ein Überleben unserer Wasserbewohner. Es reicht dabei vollkommen, wenn wir ihn erst bei Auftreten des ersten Eises in Betrieb nehmen. Bei Tauwetter können wir ihn selbstverständlich wieder ausschalten. In Kombination mit der Belüftung erreichen wir, daß einmal die Eisbildung noch weiter unterbunden wird und neben der Wasserzirkulation gleichzeitig eine Frischluftzufuhr unter der Eisdecke erfolgt. Dies hat jedoch mit Maß und Ziel zu geschehen.

Über die Belüftung während des Winters wissen wir bereits Bescheid (siehe S. 30). Den Heizer bringen wir bereits bei der Einwinterung an einer passenden Stelle ca. 30 cm unter der Wasseroberfläche an. Wir verlieren dadurch weniger Wärme zur Verhinderung der Eisbildung als bei einer Bodeninstallation. Decken wir unseren Weiher in diesem Bereich möglichst dicht über der Wasseroberfläche noch mit einer Schicht Bretter ab, wird uns diese Stelle niemals zufrieren. Mit einer zusätzlichen Lage Styropor obenauf erübrigt sich sogar die Beheizung, wenn unsere Luftzufuhr funktioniert. Der umgekehrte Fall – Heizung anstelle der Durchlüftung – ist weniger zu empfehlen, da die lebenswichtige Zirkulation hier nicht so ausgeprägt ist. Bei fehlendem Stromanschluß können wir einen Oxidator verwenden (siehe S. 31).

Die bereits erwähnte, vollständige Bretterabdeckung ist bei mit Fischen besetzten Teichen nicht angeraten, weil uns sonst unsere wintergrünen, lichtbedürftigen Sauerstoffproduzenten und Kohlendioxidverbraucher, die Algen, in der Dunkelheit absterben.

Eine mehr oder weniger zweifelhafte Methode besteht im Einbringen eines Stroh- oder Schilfhalmbüschels. Man schlägt zu diesem Zweck

Einfachste Art der Winterbelüftung.

ein Loch in das Eis, steckt besagte Pflanzenteile hinein und wundert sich, daß trotzdem im Frühjahr die Fische meistens tot sind. Ein Teil hatte durch das Lochschlagen einen Schwimmblasen- oder Leberriß erlitten. Außerdem sind die Pflanzenstengel wegen der Trennwände nicht durchgängig. Somit entfällt der sogenannte Schnorcheleffekt zwischen Luft und Wasser. Fische, die im Frühjahr noch leben, hätten es auch so geschafft.
Eine mehr erfolgversprechende Methode ist, wenn wir bei einer Eisdicke von mindestens 5 cm mit heißem Wasser ein Loch in die Eisdecke schmelzen und durch Herausnahme von Wasser ein ca. 3 cm hohes Luftkissen unter dem Eis schaffen. Unser Loch decken wir anschließend mit zwei Brettern ab, zwischen denen wir zu Lüftungszwecken einen kleinen Zwischenraum lassen. Bei strenger Kälte bildet sich allerdings schnell eine zweite Eisschicht unter der ersten. Bei Tauwetter müssen wir außerdem schleunigst das vorher entnommene Wasser ergänzen. Diese Art der Überwinterung ist allerdings nur bei Objekten mit fester Wandung, nicht aber bei Folienteichen durchführbar. So bietet sich als sicherste Überwinterungsmethode die bereits oben angeführte Heizungs- und Belüftungstechnik an. Selbst bei Gefahr von Sumpfgasbildung kann bei richtigem Funktionieren wenig passieren. Anstelle der Bretterabdeckung über unserer Enteisungsecke können wir hier auch eine dikke Styroporplatte auf das Eis legen.
Besonders Vorsichtige dürfen bei Tauwetter auch mit etwas Frischwasser aus der Leitung eine Wasserverbesserung vornehmen. Unser Alpinumbächlein kann ebenfalls bei mildem Wetter eine wertvolle Hilfe sein, wenn seine Ingangsetzung nicht allzuviel Mühe bereitet. Aus Förderpumpe und Leitungsrohren muß anschließend wieder das Wasser abgelassen werden, wenn sie frostgefährdet sind. Dieser Hinweis gilt übrigens auch für unsere normale Wasserleitung zu Beginn des Winters. Leicht wird so etwas vergessen oder nicht genügend ernst genommen!
Die wasserfördernde Pumpe unseres Wiesenbaches haben wir bereits im Herbst durch die eingebaute Schnelltrennkupplung vom übrigen Schlauch getrennt und herausgenommen. Unser außerhalb des Teiches aufgestellter, biologischer Pflanzenfilter hat bei Rückgang des Pflanzenwachstums an Bedeutung verloren. Wir überwintern ihn an einer passenden Stelle im Garten unter einer Laub- / Reisigabdeckung. Erst im nächsten Frühjahr werden wir die Pflanzenwurzeln freispülen und den Pflanzenbestand auf die Hälfte reduzieren, damit sich unsere lebende Filtersubstanz wieder ausbreiten kann. Den im Teich selbst befindlichen Filter dieser Art können wir weiterlaufen lassen. Muscheln und Schnecken verbringen wir jedoch in tiefere Wasserschichten. Wenn er einfrieren sollte, also kein Wasser mehr fördert, schalten wir die Durchlüfterpumpe bis zum nächsten Tauwetter aus.
Die bereits besprochene Sicherung der Kellerschächte gegen winterquartiersuchende Bewohner unseres Wassergartens ist im ausklingenden Sommer besonders wichtig (siehe S. 148).

Schädlinge im Gartenteich

Pflanzenschädlinge

Dem blattwerkzerstörenden **Seerosenblattkäfer** und der Raupe des **Seerosenzünslers** werden wir in unserem Wassergarten nur selten begegnen. Lediglich die **Schwarze Blattlaus** sitzt im Hochsommer gerne an der Blattunterseite von Seerosenblättern, die über den Wasserspiegel hinausragen. Sie tritt oft in unvorstellbaren Mengen auf. Wir finden ferner grüne Blattläuse an den Blütenstengeln von Pfeilkraut, Froschlöffel, Zungenhahnenfuß und anderen zarten Gewächsen.
Vorsichtig schneiden wir die Stengel aller befallenen Seerosenblätter unter dem Wasserspiegel ab. Nur auf der Wasseroberfläche schwimmende Blätter lassen wir stehen. Bald sind auch hier die letzten Blattläuse verschwunden. Die sonnenbeschienene Oberseite der Seerosenblätter ist für sie nicht der geeignete Lebensraum. Einzelne Gruppen an anderen Pflanzenteilen bekämpfen wir entweder ebenfalls durch Abschneiden oder wir stören die Blattlauskolonien mehrere Tage hintereinander durch Anspritzen mit einem feinen, scharfen Wasserstrahl aus der Blumenspritze. Wenn natürlich bereits ihre Todfeinde, der Marienkäfer, seine Larven und die Maden der Florfliege am Werke sind, haben wir lediglich darauf zu achten, daß sie nicht durch Ameisen gestört werden, Ameisen »melken« bekanntlich Blattläuse durch Betrillern mit ihren Fühlern. Die Blattlaus sondert bei diesem Vorgang einen süßlichen, von Ameisen sehr begehrten Saft ab. Es ist in diesem Zusammenhang logisch, daß die Ameisen ihre »Kühe« gegen fremde Eindringlinge verteidigen. Deshalb müssen wir die Zugstraße der Ameisen ermitteln und hier von Zeit zu Zeit etwas Zucker verstreuen, um sie abzulenken.
Eine Bekämpfung mit Blattlausgiften der chemischen Industrie hat sehr vorsichtig zu erfolgen. Diese Präparate werden von Fischen und anderen Wasserinsekten schlecht vertragen. Insektizide pflanzlicher Herkunft (Rotenon, Derris), von denen wir annehmen könnten, sie seien noch am verträglichsten, wirken sogar schon in geringen Mengen auf Fische tödlich. Als eine Zwischenlösung wäre Masoten zu nennen. Es handelt sich hierbei um ein Präparat, mit dem in der Teichwirtschaft und auch in der Aquaristik unter anderem parasitierende Gliederfüßler bekämpft werden. Es ist nur über den Tierarzt zu beziehen. Von dieser Wirksubstanz ist bekannt, wieviel wir im Höchstfall auf unsere gesamte Teichwassermenge bezogen verwenden dürfen (50 mg / 100 l Wasser). Diese winzige Menge lösen wir in 1 l Wasser und besprühen damit die Schädlingskolonien. Wir müssen uns bei der Anwendung solcher Mittel immer bewußt sein, daß wir auch harmlose, vielleicht sogar nützliche Tiere mit abtöten und so das biologische Gefüge unseres Wassergartens empfindlich stören.
Aber auch andere Tiere unseres Wassergartens, die nicht zu den eigentlichen Schädlingen zu rechnen sind, können sich durch das Fehlen ihrer natürlichen Feinde unliebsam vermehren und Schaden stiften. Hier ist einmal die **Spitzschlammschnecke** mit ihrer ungeheueren Gefräßigkeit zu nennen. Meist wird sie jedoch von Amseln und Drosseln als begehrter Lekkerbissen kurz gehalten. Ferner gibt es eine Reihe kleiner **Wasserkäfer**, die von pflanzlicher Kost leben und unter günstigen Bedingungen vermehrt auftreten. Ein Massenbefall von **Mückenlarven** an der Blattunterseite von Seerosen kann deren frühzeitigen Zerfall und ein Kümmern der Pflanzen bewirken. Dies sind aber alles seltenere Vorkommnisse. Zumeist weisen krank aussehende Pflanzen auf ein **Unterangebot von bestimmten Mineralien und Spurenelementen** hin. Aber auch einseitige Düngung oder Überdüngung kann Pflanzen schädigen.

Fischkrankheiten

Wenn wir uns Fische für unseren Gartenteich anschaffen, sind eine Reihe von Überlegungen anzustellen. Mit der Version, man kaufe ein paar Fische und gebe sie in den Teich, ist es leider nicht getan. Sicher gibt es meistenteils wenig Probleme. Aber schließlich wollen wir

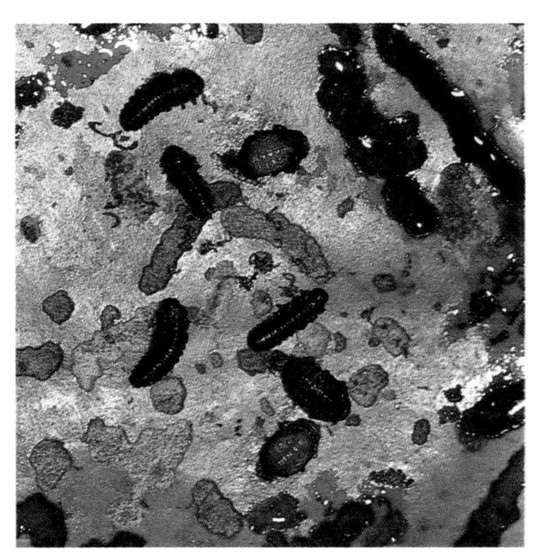

Larven (schwarz) und Puppen (braun) des Seerosenblattkäfers.

unseren zukünftigen Teichbewohnern ein angenehmes Zuhause bieten und nicht zusehen, wie sie leiden müssen. Auch mit Fischen können wir nicht alles anstellen. Sie gedeihen nur da, wo sie einigermaßen zusagende Lebensbedingungen vorfinden. Ist dies nicht der Fall, werden sie krank und sterben gar. Diese Gefahr besteht vor allem bei Minianlagen sowie bei einer Überbesetzung mit Tieren ohne zusätzliche Wasserpflege und Technik.
Aber auch andere, bereits genannte Gründe können unseren Fischen das Leben schwer machen. Ich denke in diesem Zusammenhang an Sauerstoffmangel bei sommerlicher Hitze, nächtlichem Kohlendioxidanstieg in pflanzen- und tierüberbesetzten Teichen, falscher Fütterung, Sumpfgasbildung sowie an Überwinterungsprobleme.
Unsere erste Vorsorge beginnt schon beim Kauf der Tiere. Noch im Aquarium des Händlers beurteilen wir Körperoberfläche, Ernährungszustand und Atmung des von uns auserkorenen Fisches. Im durchsichtigen Transportbeutel kontrollieren wir nochmals die Körperoberfläche auf Abschürfungen durch das Herausfangen. Zuhause angekommen lassen wir den geschlossenen Transportbeutel erst 15 Minuten auf dem Weiher schwimmen, damit sich die Temperatur angleichen kann. Dann öffnen wir den Beutel und stellen ihn in einen sauberen Eimer. Nun gießen wir in kurzen Abständen immer wieder etwas Wasser aus dem Teich in die Plastiktüte. Haben wir die dreifache Menge des mitgebrachten Wassers zugegeben, nehmen wir den Beutel samt Fisch aus dem Eimer, tauchen ihn im Teich unter und lassen das Tier von selbst herausschwimmen. Auf diese Weise haben wir einen weitgehend unbeschädigten Fisch, denn in unserem Teich lauert bereits die erste Gefahr.

Schimmelpilze *(Saprolegnia)*

Die Dauerformen sind als sogenannte Sporen allgegenwärtig. Zu ihrer Weiterbildung benötigen sie jedoch absterbendes oder totes tierisches Gewebe. Erst wenn die Spore auf einem ihr zusagenden Untergrund gelandet ist, beginnt sie auszukeimen. Anfangs ist es nur ein einzelner, millimeterlanger Faden, der sichtbar wird. Wenige Tage später überzieht ein pelzartiger, weißer Überzug die betroffene Stelle.
Wenn wir im Frühjahr unsere Goldfische aus ihrem Winterquartier im Keller in den mit neuem, frischem Wasser beschickten Gartenteich überführen, werden die Tiere zuweilen ein Opfer dieses ansonsten harmlosen Pilzes. Bei dieser Arbeit läßt sich eine Beschädigung der Fischhaut kaum vermeiden. Die unbiologische Note unseres eben neu hergerichteten Teiches tut ihr übriges. Anstatt die Schürfwunden zum Abheilen zu bringen, wie das bei eingespielten Gewässern normalerweise der Fall ist, reizt und schädigt unser Frischwasser die Körperoberfläche unserer Lieblinge zusätzlich. Die mit dem Wind in unseren Weiher gelangten Pilzsporen finden hier einen idealen Nährboden vor.
Schon nach wenigen Tagen torkeln die Fische mit großflächigen, pelzartigen Überzügen unbeholfen im Becken umher. Hat der Schimmelpilz aber einmal Fuß gefaßt, breitet er sich unaufhörlich weiter aus. Selbst gesundes Gewebe kann er dann zerstören. Die befallenen

Fische werden von ihm langsam bei lebendigem Leib »aufgefressen«, wenn wir nicht rechtzeitig etwas unternehmen. Viel können wir zwar nicht tun, da die Voraussetzungen einer Ausheilung in unserem, noch zu frischen Gartenteich fehlen. Aber es bleibt uns keine andere Wahl, als die betroffenen Tiere so vorsichtig wie nur möglich zu fangen, damit wir nicht noch mehr Angriffspunkte für den Schimmelpilz schaffen.
Am erfolgreichsten sind wir nachts mit einer guten Taschenlampe. Mit Hilfe eines kleinen Pinselchens oder eines Wattebausches entfernen wir den oft leicht ablösbaren Pilzbelag und geben den Patienten anschließend sofort in das Wasser zurück. Sollte sich erneut ein Pilzbefall einstellen, müssen wir die Prozedur wiederholen. Wichtig für den Erfolg ist unser frühzeitiges Eingreifen. Wenn bereits eine größere Körperpartie besiedelt ist, sind unsere Bemühungen meist vergebens. Wollen wir ein übriges tun, setzen wir den kranken Fisch nach dem Entfernen des Belages für 1–2 Stunden in einen Behälter, der mit Teichwasser gefüllt ist und in dem wir vorher pro 10 l Wasser 3 gehäufte Teelöffel Kochsalz aufgelöst haben. Dieses Bad führt zu einem oberflächigen Wundverschluß. Nicht mit einem Netz überführen wir anschließend das Tier wieder in den Teich, sondern wir gießen den größten Teil des Wassers weg und geben es vorsichtig durch Eintauchen des Badegefäßes in den Teich zurück. So laufen wir nicht Gefahr, die betroffene Stelle erneut zu beschädigen und unseren Therapieerfolg zu gefährden.
Auf diese Weise erkrankte Fische behelfsmäßig unterzubringen und zu heilen, ist kaum zu bewerkstelligen. Am ersten gesunden sie noch im Gartenteich selbst, wenn wir diesen in Ruhe lassen und nicht laufend darin herumhantieren. Nächstes Jahr werden wir die Fische erst zwei Wochen nach Einrichtung des Teiches umsetzen und vorher, wie beim Kauf eines Fisches, langsam umgewöhnen.
Auch im Herbst kann unseren Fischen der Schimmelpilz wieder zu schaffen machen. Wenn wir unsere Teichbewohner im Hause überwintern wollen und zu diesem Zweck den Behälter anstatt mit Wasser aus dem Gartenteich mit frischem Wasser auffüllen, ist diese Gefahr besonders groß. Wir machen hier den gleichen Fehler wie im Frühjahr. Auch plötzliche große Temperaturunterschiede vom Kalten ins Warme und umgekehrt begünstigen Erkrankungen mit Schimmelpilzen.

Bauchwassersucht

Besonders bei Goldfischen treten vor allem im Frühjahr am Körper größere, blutunterlaufene Flecken auf. Anfänglich quillt unter einzelnen, etwas abgespreizten Schuppen eine weißliche Masse hervor. Später lösen sich die Schuppen in diesem Bereich ab. Das Fleisch tritt offen zutage. Vor allem an den Wundrändern, aber auch im ganzen Entzündungsbereich dehnt sich der Prozeß nach außen und innen stetig aus. Häufig finden wir die Körpermitte betroffen. Hier kommt es nicht selten sogar zur Eröffnung der Leibeshöhle. Aber auch an anderen Körperstellen finden wir geschwürige Veränderungen. Die befallenen Fische reagieren im fortgeschrittenen Krankheitsstadium nicht mehr auf ihre Umgebung. Die Futteraufnahme läßt im Verlaufe der Erkrankung immer mehr nach. Später sterben die Tiere entweder an Abmagerung, sehr oft aber mit aufgetriebenem Leib. Tief in ihren Höhlen liegende Augen oder sogenannte Glotzaugen sind ein weiteres Krankheitssymptom.
Erst seit wenigen Jahren kennen wir diese Erkrankung beim Goldfisch. Wir finden sie aber auch bei Goldorfen und gelegentlich bei Schleierschwänzen. Sie hat sich aber in kurzer Zeit zu einem echten Problem herauskristallisiert. Gefährdet sind allerdings nur Tiere, die aus unzulänglichen Verhältnissen kommen oder aber ungenügenden Haltungsbedingungen ausgesetzt werden. Es obliegt also wiederum einmal unserer Kunst und unserem biologischen Verständnis, gerade dem von Menschenhand geschaffenen Zuchtprodukt Goldfisch in all seiner Anfälligkeit optimale Bedingungen angedeihen zu lassen.

Durch laufende Inzucht haben wir vermutlich heute mehr Sorgfalt zu verwenden als vordem. Oder wurde der Goldfisch in früheren Zeiten mehr verehrt und gepflegt als heute? Eingehende Untersuchungen haben ergeben, daß unser vielgeliebter Goldfisch auch heute noch unter zusagenden Lebensbedingungen annähernd die gleiche Lebenskraft aufweist wie vor dem Auftreten dieser Mangelerkrankung. Lediglich unsachgemäße Haltung beschwört dieses lebensbedrohende Krankheitsbild herauf. Ausreichend »biologisches« Wasser für jeden einzelnen Fisch und gehaltvolle, eiweißreiche Ernährung (frischgefangene Regenwürmer) sind im wesentlichen das Geheimnis des Erfolges.

Stäbchenkrankheit *(Lernaea)*

Leider gibt es auch einige echte Parasiten, die wir bei unseren Teichfischen gelegentlich beobachten können. Allen voran ist ein schmarotzendes Krebschen zu nennen. Beim Erwerb von Goldfischen im Frühjahr achten wir – neben den uns bereits bekannten Faktoren (Schwimmweise, Atmung, Ernährungszustand) – auf kleine, beulenartig anmutende Erhebungen, die von einem milchigen, dicken Schleimmantel umgeben sind oder gar einen bluterfüllten Hof aufweisen.

Nur selten ragt um diese Jahreszeit bereits ein fast durchsichtiges, stäbchenförmiges Gebilde aus dem erhabenen Zentrum hervor, an dessen Ende sich im Frühsommer ein »Gabelschwanz« entwickelt. Der mit Haken versehene Kopf und das Vorderende dieses Krebses sitzen tief in der Muskulatur. Die hintere Körperhälfte aber ragt aus der Fischhaut heraus. Die beiden gabelartig angeordneten Anhänge enthalten die Eier des Ankerwurmes, wie er auch genannt wird. Aus ihnen schlüpfen später winzige Larven, die einige Zeit im freien Wasser verbringen, ehe sie sich wieder in einen Fisch einbohren und von dessen Körpersäften leben. Wenn auch eine Weitervermehrung in unserem Gartenteich oft nicht zustande kommt und somit eine Gefährdung unseres Fischbestandes weitgehend ausgeschlossen ist, verdient dieser parasitierende, abnorm gestaltete Krebs dahingehend Erwähnung, daß oft schon wenige Exemplare genügen, einen befallenen Fisch derart zu schwächen, daß er zu Tode kommt. Immerhin wird dieser Parasit etwa 15 mm lang und zehrt entsprechend von seinem Wirt. Kleinere Fische sind logischerweise dabei mehr gefährdet als große Tiere. Die Schmarotzer entfernen wir durch leichten Zug mit einer Pinzette.

Karpfenlaus *(Argulus)*

Sehr selten, aber doch gelegentlich können wir uns diesen plattgedrückten Schmarotzerkrebs mit Fischen einschleppen. Durch seine flache, tellerartige Gestalt und die wenig auffällige Zeichnung macht es uns die Karpfenlaus nicht leicht, sie zu entdecken. Meist des Nachts sucht sie nach Opfern, um ihnen mit ihrem Stechrüssel Blut zu entziehen. Tagsüber ruht sie oft unsichtbar an einem verborgenen Ort. Auf ihre Anwesenheit deuten die nachts über die Wasseroberfläche herausspringenden Fische hin, die auf diese Weise dem »Sturzangriff« der Karpfenlaus zu entgehen versuchen. Dieser Schmarotzer kann sehr gut schwimmen und überfällt seine Opfer gleich einem Vampir. Um eine Einschleppung weitgehendst auszuschalten, machen wir uns deshalb von Anfang an zu eigen, jeden Fisch, den wir in den Gartenteich setzen wollen, vorher genau in einem durchsichtigen Gefäß unter die Lupe zu nehmen. Bei dieser Gelegenheit fallen uns auch sofort andere Krankheiten auf.

Pünktchenkrankheit *(Ichthyophthirius)*

Im Frühjahr und Herbst, wenn auch die Naturgewässer einem gewissen Streß unterliegen, tritt in vielen Gartenteichen der Erreger dieser vom Aquarianer gefürchteten Krankheit in Aktion. Kleine, weiße Punkte bis fast Grießkorngröße zeigen sich auf Flossen und Körper

unserer Fische. Plötzlich sind sie verschwunden. Dafür tauchen an anderer Stelle neue auf. So geht dies eine ganze Weile, bis sich das Wasser »beruhigt« hat und die Einstellung von Winter auf Sommer oder Sommer auf Winter vollzogen ist. Übrigens sitzen bei den Männchen unserer Goldfische zur Laichzeit ebenfalls grießkornähnliche Punkte am Kopf, die wir nicht mit dieser Krankheit verwechseln dürfen.
Der Parasit ist ein einzelliges Wimpertierchen, das in der Haut des Fisches schmarotzt. Ist es herangewachsen, verläßt es seinen Wirt und teilt sich an einer geschützten Stelle in ca. 250 Tochterparasiten. Als sogenannte Schwärmer machen sich diese auf die Suche nach einem neuen Opfer. In unserem Freilandteich kommen jedoch nur wenige zum Ziel. Der Feinde sind zu viele. Nur selten führt hier ein Befall mit diesem Einzeller zu Todesfällen.
Etwas anderes ist die Sachlage, wenn wir unsere Fische im Hause unter gedrängten Verhältnissen überwintern. Hier kommt es oft sehr schnell zu einem Überhandnehmen dieses Schmarotzers, da sich der Parasit ungestört vermehren kann und seine Jungen sehr leicht wieder einen Ernährer finden, bei dem sie sich unter der Haut einnisten. Während wir im Gartenteich nur bei Überbesetzung mit einer stärkeren Ausbreitung der Krankheit zu rechnen haben, müssen wir bei unseren »Haustieren« in jedem Fall sofort eine Behandlung einleiten. Wir finden eine Reihe bewährter Mittel gegen diese Erkrankung im Zoofachhandel.

Hauttrüber als Schwächeparasiten

Natürlich haben wir die Fische in unserem Wassergarten zusätzlich gefüttert. Wer möchte sich schon dieses einmalige Schauspiel entgehen lassen? Ob unsere Art der Fütterung ausreichend war und vor allen Dingen alle lebensnotwendigen Stoffe enthielt, zeigt sich im Herbst oder spätestens im Frühjahr. Zahlreiche Feinde lauern zu diesem Zeitpunkt. Vor allem Bakterien, Wimpertierchen *(Trichodina, Cyclochaeta)* und Geißeltierchen *(Ichthyoboda)* sowie diverse Haut- und Kiemensaugwurmarten *(Dactylogyrus, Gyrodactylus)* finden leicht einen Angriffspunkt bei widerstandsschwachen Fischen. Blutsaugende Kiemenkrebschen *(Ergasilus)* und vielleicht sogar spezielle Blutparasiten *(Cryptobia)* sind mit von der Partie. Milchige Hautüberzüge unterschiedlicher Dicke oder gar Hautablösungen deuten auf einen Befall mit diesen Erregern hin, die nur unter dem Mikroskop zu sehen sind. Meist sind auch die Kiemen entzündet und angeschwollen. Die Tiere atmen schnell oder erschwert. Die Kiemendeckel stehen weit vom Kopf ab.
Wenn wir nicht nur mit alten Frühstücksbrötchen, sondern abwechslungsreich gefüttert haben, können diese Erscheinungen auch eine Reaktion auf schlechte Wasserqualität sein. Haut und Kiemen sind gleichermaßen betroffen. In diesem Fall siedeln sich auf den genannten Organen Bakterien an. Es kommt zu entzündlichen Prozessen. Diese Art der Hauttrübung und Kiemenentzündung ist die häufigere, weil eigentliche Hauttrüber in unserem Teich kaum vorkommen.
Leider ist die Ursache oft mit einem ungenügenden Ernährungszustand der Tiere gekoppelt. Die Heilungsaussichten sind in einem solchen Fall nicht günstig. Die Fische müssen herausgefangen, gut gefüttert und mit einem Antibiotikum sowie Vitaminen behandelt werden.
Da Vorbeugen besser ist als heilen, werden wir es durch entsprechende Wasserpflege und Fütterung gar nicht so weit kommen lassen.

Register

Fettgedruckte Seitenzahlen bedeuten Hauptverweise. * weist auf Abbildungen hin.

Register

Register